JN094246

Masaru Sato
佐藤 優

同志社大学講義録

# 「悪」の進化論

ダーウィニズムはいかに悪用されてきたか

集英社インターナショナル

# 「悪」の進化論

ダーウィニズムはいかに悪用されてきたか

「悪」の進化論　目次

# 序　講義を始める前に――11



# 第1講　トランプも悪用した「進化論」のロジック――31

## 第4講　歴史もまた「進化」するか——唯物史観——235

## 第5講　スターリンに影響を与えたダーウィニズム——303

## 第7講 「神殺し」をするドーキンス進化論――443

# 序　講義を始める前に

それではこれから三日間の集中講義、よろしくお願いします。

ここにいるのは二回生、三回生、四回生とバラバラで、学部もバラバラだ。高校レベルのことは一応習得できているという前提で行きたいのだけれども、実際はその前提が成り立たない。なぜだと思う、M君？

(M) 受験科目が違うからです。

あなたの場合は文系、理系？

(M) 理系です。

世界史は何をやった？

(M) 世界史Aをやりました。

近現代史を中心とするカリキュラムだね。世界史Bはやっていない？

(M) Bはやっていないです。

現代社会は？

(M) 倫理・政経です。

日本史はやっていない？

(M) 日本史Aだけやりました。

地理は？

(M) 地理はやっていないです。

理系にしては比較的よくやっているね。Kさんは文系？ 理系？

（K）理系です。

あなたの場合は文系と理系はいつ分かれた？

（K）高校に入るときです。

入学のときから文系と理系に分かれたのね。数学はどこまでやった？

（K）数ⅡBまで。

理科は何をやった？

（K）化学基礎と生物基礎と地学です。

## 中等教育が置き去りにされている日本の教育

基本みんな高校でしっかり勉強しているようだけれども、日本の高校は国際基準で言うと「中等教育」というカテゴリーに入る。

実際、日本の教育行政でも高校は「後期中等教育」という位置づけなんだ。だから、本当は中学と高校で中等教育が完結するという構えになっているのだけれども、日本の場合、前期の中等教育、つまり中学時代は義務教育でという位置づけになっているものだから、中学のレベルをかなり落としている。そうじゃないと落伍者がたくさん出るからね。

つまり、その分、しわ寄せが高校に来ている。でも、前半の中学の時期でレベルを落としているから、高校の三年間でそれを取り返すのは大変だ。その結果、大学に入ってくる学生たちは中等教育がおざなりになっている。それより大事なのは大学の受験勉強だからね。だから、ほぼ例外なく日本の大学生は、中等教育のレベルが消化不良のまま入学してきているのが現状なんだ。

でも、それは皆さんのせいじゃない。この問題はシステムの問題。だから、本当ならば大学に入って最初の一年は「高大接続(こうだい)」の補習をしっかりして、中等教育でやり残したことを補足するべきなんだが、残念ながら日本の大学教育はそのように作られていない。

大学一、二年での勉強でどれだけ「知のギャップ」を埋めるかとなると、大学の専門課程できちんと学ぼうと思ったら、一回生、二回生、関東の言い方だと一年生、二年生の間に自力でそのギャップを埋める努力をしないといけないんだ。

実際、最初のうちは大学のカリキュラムも余裕があるからね。特に同志社の場合、理系は英語が弱い傾向がある。だから、自分は高校時代の英語の点数がよかったと安心したらダメで、まず英検の二級を取ってください。それを取ったら、次は英検の準一級を目指す。また、民間に就職しようと思っているんだったら、TOEICもやる。最初は四〇〇点台だと思うけれども、ちゃんと勉強すればすぐに七〇〇点には行く。そこでさらに頑張って八〇〇点台になるようにする。

これは就職試験だけのためじゃない。自分の学力を世界基準に合わせるためにはぜひとも必要なことだ。

それともう一つ、重要なのは世界史。これをきちんとやってほしい。と言っても、高校時代のようにテストを受けるわけじゃないから、高校の教科書を引っ張り出して読んでも頭に入らないよね。そういう人のために、世界史教科書の老舗である山川出版社から『もう一度読むシリーズ』というのが出ているので、それの世界史編を読んで、通史的な知識を身につけておく。さらに理系の場合は、日本史の学び直しもやっておいたほうがいいね。それはどうしてだと思う？

大学を卒業して、国際的な仕事をすることになって外国人と付き合うことになる。日本に来る外国人というのは意外に日本のことを知っているんだ。特にあなた方が「京都の大学を出ました」と知ると、いろんなことを聞いてくるよ。

たとえば、同志社大学の今出川校地の隣には相国寺があるよね。実は、同志社の土地の五分の一くらいは、元々は相国寺の土地なんだ。Ｉさん、相国寺の宗派は何か知っている？

（Ｉ）……。

当てずっぽうでもいい。天台宗だと思う？

日蓮宗だと思う？　浄土宗だと思う？　浄土真宗だと思う？　禅宗だと思う？

（Ｉ）浄土真宗ですか。

相国寺のお坊さんの格好を思い出してごらん。あれは禅宗特有の袈裟だよ。禅宗にもいろいろな宗派がある。大きくは曹洞宗、臨済宗だけど、どっちだと思う？

（Ｉ）分かりません。

正解は臨済宗。で、相国寺は臨済宗相国寺派の総本山。臨済宗相国寺派は、京都の中では他に二つしかお寺がないんだけど、ものすごくお金がある。なぜかというと、鹿苑寺（金閣寺）

と東山慈照寺（銀閣寺）がそれだから。その拝観料が入るから財政は豊かなんだね。そういうことを外国人との雑談の中に言えるくらいにはなってほしい。それには日本史の基礎教養が必要なんだ。自分の国の歴史をちゃんと知ってないと軽蔑されるよ。だから頑張ってほしい。

## 私の大学経験

ちなみに私の履歴を簡単に説明すると、生まれは東京だけど、生まれてすぐ埼玉県に移って、埼玉県の県立浦和高校から一年浪人して、同志社大学の神学部に入った。一九八三年に神学部を出て、大学院の神学研究科の修士課程で組織神学を専攻した。組織神学というのは、言い換えると護教学。キリスト教の信仰を弁護するという学問。東ヨーロッパでの教会と国家の関係が私自身の研究テーマだった。つまり、国家権力からいかにしてキリスト教の信仰を守るかということに興味を持って研究していた。

そのあとは外務省に入って、主にロシアと情報（インテリジェンス）の関係の仕事をしていた。その間、アカデミックな仕事もしていて、一つはロシアの科学アカデミーの民族学人類学研究所というところで大学院に入れてもらって、そこの共同研究で、民族理論を研究していた。これは一九八九年から九五年まで。

それからモスクワ国立大学の哲学部の宗教史宗教哲学科で一九九二年から九五年まで客員教授をやっていた。さらに日本に帰ってきて、一九九六年から二〇〇二年まで東京大学教養学部の後期教養課程で、民族・エスニシティ理論を教えていた。それ以外には、外務省の研修指導官をやった。そういうところで教育に関与してきました。

## ロシアの大学システム

そこでひじょうに面白く感じたのは、一つはモスクワ大学のあり方だね。モスクワ大学というのは十九世紀のドイツの大学システムがそのまま生き残っていて、すごく古い教育体制。

まず中等教育は十七歳まで。つまり、十七歳で大学生になる。

ロシアの大学は高卒検定試験というのがある。その資格を持っていないと大学受験ができない。そのレベルは日本のセンター試験レベル。対象は全科目。数学は数Ⅲまで入る。それでだいたい八〇点とらないと、高卒資格を取れない。

では、そこで高卒の資格が取れそうになければどうするか。その選抜はだいたい中学二年生のころに行なわれて、見込みがないとなると職業訓練校に転校させられちゃうんだ。

なぜそんなに早くから選抜が行なえるかというと、ロシアの場合、中等教育の間は通知表が毎日、付けられる。それも絶対評価。そこで3以下の評価が付けられると週末に親が呼び出される。それと同時に教科の中で遅れているところは徹底的に補習するように言われる。それでもダメならば落第。

だからロシアの場合は、理系・文系を問わず、中等教育――日本で言えば、高校までの段階はものすごくしっかり鍛えられる。

で、この高卒検定の試験結果によって入れる大学が決まるわけ。

ロシアで最も難関とされているのはモスクワ大学。ロシアの場合「モスクワ大学の次の大学」というのは存在しない。日本だと東大のすぐ下には京大があったり、早稲田や慶應義塾大学があったりするわけだけど、モスクワ大学の次のランクに当たるモスクワ国際関係大学とサンクトペテルブルク大学は、日本だとＭＡＲＣＨよりももっと下の感じだね。それくらい学力差がある。

だからロシアのエリートはみんなモスクワ大学を目指す。現在、ロシアには八五の州（連邦構成主体と呼ばれる）があるんだけれども、一つの州からモスクワ大学に入れるのはせいぜい五人くらいだね。もちろん卒業試験はオール5というレベルの学生だけが集まっている。

で、モスクワ大学は五年制なんだけれども、卒業論文として日本の修士論文レベルのものを三本書かないといけない。それも五回生の春学期課程でこなして、五年生からの秋学期は教育実習。といっても日本の教育実習とは違うよ。一般の大学に助教の資格で行く。つまりモスクワ大学の五年生にはそれだけの実力があると見なされている。

でもね、私は同志社大学に来て実際に教えてみて分かったのは、学生のレベルはモスクワ大学とそんなに変わらない。では、何が違うかと言うと、教員の熱意とシステム。だから、今の話を聞いても、そんなにモスクワ大学を恐れる必要はない。

## なぜ関西では「何回生」という言い方をするのか

Ｎ君、関東では大学生を一年生、二年生と呼ぶよね。関西では一回生、二回生、三回生。どうして違うんだと思う？

（N）京都大学がドイツの大学を模倣して作られたから？

正解だ。要するに高等教育においては、伝統的に学年制と単位制という考え方の二つがある。東京大学は学年制。だから東京大学は留年がある。東京大学では教養課程の二年生が終わる時点で、何を専攻するか、進学先の振り分けがある。あんまり成績が悪いと本郷に行けなくて、留年になる。だからもう一回、二年生をやる。

これに対して、ドイツでは伝統的に単位制。どこの大学で単位を取っても同じで、自由に講義が受けられる。だから何年間で卒業しないといけないという縛りがなかった。その文化が京大経由で関西に入ったから、学年単位では数えない習慣になった。

ちなみに、私の家内は東京外国語大学出身だ。東京外国語大学というのは、同じ学年で留年は一回しかできない。それで進級できなければ単位の関係で自動的に退学せざるを得ない。だから東京外国語大学では退学者がとても多いんだが、M君、なぜ、そういうシステムにしていると思う？

（M）……。

外国語には適性がある。それだから二年間同じことを学んでマスターできない人というのは、三年掛けても絶対にマスターできない。それを経験則で分かっているから東京外国語大学では二回連続して留年させないのが本人のためにもいいと考えているわけだ。

## イギリス陸軍語学学校のカリキュラムとは

ちなみに私はイギリスの、ベーコンズフィールドというところにあった陸軍語学学校で——今はなくなっちゃったんだけどね——ロシア語を勉強したのだけれども、ここは東京外大をさらに厳しくした感じだ。入学するのは基本的にイギリス軍の将校と下士官、あとは外国人では日本の外交官が三人と、韓国の外交官が一人だった。みんなロシア語はまったく未習のままで入学して、キリル文字のアルファベットから覚えていくわけだ。

で、この学校では入学した日に学生たち全員に偽名を与える。私の場合は「マサル」だから「ミーシャ」。だから、あの学校にいた人たちは私のことを「ミーシャ」という名前でしか知らない。

なぜこういう偽名を使うかというと、学校だから。入ってくる学生はさっきも言ったように将官クラスから軍曹クラスまでいる。もし、軍隊の序列のままで入ってきたら、同じ学生同士で敬礼したり、されたりしないといけないし、言葉遣いも注意しないといけない。だから、「学校にいる間の人間関係はフラットにする」という方針から偽名にするわけ。

それで入学すると、毎日二五から二七の単語を覚える。分厚い教科書が全部で一一冊あって、一冊終わったら次をくれるんだけどね。

一週間に一回、単語テストがある。その単語テストで八五点以下を二回取ると呼び出し。三回取ると退学。それから一ヵ月に一回、文法と作文のテストがある。それで八〇点以下を取ると即時退学。M君、なぜだと思う？
（M）語学の適性がないと見なされるから。
そう。だからそこは完全にマニュアル化されているわけだね。標準的な努力ができる人でないと在学できない。では、その標準的な努力とは何かというと、授業は朝の八時に始まって、十二時まで文法の授業。昼休みが一時間で、会話の授業が四時まであって、そのあとにどんな人でも努力すれば解けるような、穴埋め問題を一日六時間やる。この穴埋め問題はやらないと絶対に授業についていけない。

こうした生活を住み込みでやるわけだけど、標準的な努力ができる人ならば、だいたいこなせるという実績があるから、こうしたカリキュラムになっている。

つまり、それだけの時間と努力を費やして合格点が取れないということは、外国語適性がないということだから辞めたほうが本人のためでもあるし、イギリス軍のためでもあるというわけだ。

で、この学校ではインセンティブとして中間試験、期末試験に合格するたびに一五万円くらいくれる。

そして最後は二回、会話を中心とした口頭試験がある。

こうした授業でひじょうに面白いのは、一ヵ月間まるまる、数字の聞き取りだけをやるんだよ。Sさん、ロシア語の数字というのは格変化するでしょ。むずかしいよ。なんで数字の聞き取りを一ヵ月もやると思う？

（S）うーん。

マルタ島にイギリス軍は通信傍受施設を持っている。ロシア軍は数字で全部暗号を送っている。口頭でメッセージを送るときにも数字の読み上げでやるわけ。それを聞き取れるようにするために、数字には徹底的に慣れておかなければいけない。そういう理由。だから数字は徹底的にやる。

会話の練習では、当時はまだ冷戦下だからベルリンは米英仏、そしてソ連の四ヵ国共同管理になっている。だから、ソ連の管理下にある東ベルリンから西側にしばしば亡命希望者が来るんだけども、それが本当の亡命希望者なのか、それとも偽装しているのかを尋問する。そうした実践的な演習をやる。ただ、だんだん軍事用語が多くなってくるから、最初の六ヵ月をやったところで外交官たちは別のコースで、外交の専門語を勉強する。この学校を卒業した後、私の場合はモスクワ大学で研修したわけです。

## 日本で外国語を学ぶには

この中で外国語を本格的にマスターしたいと思う人がいるんだったら、大学の授業だけに頼っていたらダメだよ。日本の大学の授業というのは、基本的には言語学をやる人用のもの。つまり、さまざまな言語の骨子を短時間で覚えるのにはいい。でも、第二外国語としてドイツ語とかフランス語とかロシア語とかを大学で履修しても、本当に勉強するのは試験前の六時間くらいだから、そんなものはあっという間に忘れてしまう。実際に読書をしたり、ネイティブな話者と話したりするにはそれでは足りない。

ちなみに、外務省で研修指導官をやった経験からすると、大学時代に第二外国語でロシア語をやっていた人が一番伸びなかった。どうしてかというと、中途半端にロシア語を勉強しているから、間違った知識を持っていたりする。その矯正が大変なんだ。テニスでも水泳でも、最初にちゃんとした指導者についていないと、正しいフォームを身につけるのが大変なのと一緒。

でも、これは英語でも同じだよ。一生懸命、自分で勉強しているつもりでもなかなか調子が上がらないという場合は、もしも家庭に経済的余裕があるのだったら親御さんに頼んで英語学校に通ったほうがいい。その場合、「旅先で英語が使えると便利ですよね」みたいな、やわな英会話学校には入らないこと。今はＵＮＩＱＬＯや楽天とか、日常でも英語能力を求められている企業があるよね。そういうところで働いている人のための学校に行ってみる。緊張感がぜんぜん違うよ。

留学だって同じだ。最近はどこの大学でも交換留学制度を設けているけれど、だいたい交換留学というのは、留学というよりも観光や社会科見学みたいなものだからね。きちんと語学を学びたいというのならば、お金はかかっても私費で現地の語学学校に通うほうがいい。これも学生が行くような学校ではなくて、ビジネスマンが通うようなところのほうが緊張感があって英語が身につくよ。

でも本来は、こうした語学教育は高等教育が行なうべきものなんだよ。文科省もようやく気がついたようだけど、しかし、今はその過渡期なんだ。おそらく本格的な語学教育が行なわれるのは二〇年先のことになるだろうから、今は自力で足りない部分を補っていくしかない。それが現状です。

## なぜ文理融合が求められているか

さらにもう一つ、重要なことがあります。

日本の教育は今、大きく変わろうとしている。とりあえず二〇二一年の春に行なわれる予定だった入試改革は延期になったけれども、実用的な英語の重視だけでなく、フランス語やロシア語に対しても長い目で見ていけば変わるだろうね。

それともう一つ重要なのは「文理の融合」。これは特に経団連が力を入れていて政界に働きかけている。中でも二〇一八年末に出された「今後の採用と大学教育に関する提案」(二〇一八年一二月四日)がすごく重要です。メディアはこの提案の前半部、つまり就活の自由化のところだけを報道したんだけれども、これには後半がある。


多様な価値観が融合するSociety5.0時代の人材には、リベラルアーツといわれる、倫理・哲学や文学、歴史などの幅広い教養や、文系・理系を問わず、文章や情報を正確に読み解く力、外部に対し自らの考えや意思を的確に表現し、論理的に説明する力が求められる。さらに、ビッグデータやAIなどを使いこなすために情報科学や数学・統計の基礎知識も必要不可欠となる。

そのため大学は、例えば、情報科学や数学、歴史、哲学などの基礎科目を全学生の必修科目とするなど、文系・理系の枠を越えて、すべての学生がこれらをリテラシーとして身につけられる教育を行うべきである。理系とされる学部でも語学教育を高度化する必要があるし、文系とされる学部でも基礎的なプログラミングや統計学の学修が求められる。さらに、近い将来には、文理融合をさらに進め、法学部、経済学部、理学部、工学部といったこれまでの学部のあり方や学位のあり方、カリキュラムのあり方などを根本から見直すことが必要になると思われる。（経団連HPより）

読んで分かるように、ここでは文系でも基礎的なプログラミング技術や統計学の学習を必須にしてほしい、理系でも語学教育をさらに高度化してもらいたいといった個別の要望に加えて、情報科学や数学、歴史、哲学などの基礎科目を全学生の必修科目にしてほしいという提言が出されている。

マスメディアは「最近の経済界は、すぐに現場に投入できる人材育成を大学に求めている」というステレオタイプの報道をしている。もちろん、そうした労働力を求めているのも事実だけれども、社会を指導的なところで支えていく人たち、企業の中でも将来のリーダーになるような人材に関しては、文理融合型の知的エリートを求めているということなんだ。

## もはや「入学歴社会」は終わっている

こうした知的エリートを東大が供給していた時代というのはもう二〇年くらい前から崩れている。東大を出ているからといって、社会の上位層に入れるとは限らないようになった。「入学歴社会」、つまりどこの大学に入ったかで一生のコースが決まるような時代はすでに崩れている。そもそも新聞などは「学歴社会」という言葉を使っているけれども、日本には言葉の正しい意味での「学歴社会」はこれまでも存在していなかった。あるのは「入学歴社会」で、一八歳、一九歳のころの偏差値がどうだったかで、その人の価値が決まるという仮説の上に成り立っていた。

だから、大学に入って四年間をどのように過ごしてきたかは問われなかった。でも、それではグローバル化が進んだ現場では何の役にも立たないということが明らかになってきた。だから、経済界はここに来て、大学に対して教育改革を望むようになってきたというわけなんだよ。

みんなこれから就活をやるでしょう？　そのときには大学名と同時に出身高校もかならず聞かれる。それはなぜか。

つまり、東大や京大を出ていても、超難関高校から入学していたんだったら、それは当たり前だから、実はそんなに評価されない。そういうところの高校を出ている子は学力のピークが一八歳だったという可能性が大いにあるから、むしろ警戒される。

それよりも無名校から東大に入ったとか、逆に超難関校、進学校から同志社大学の神学部みたいな超マイナーな学部に入りましたという話だったら、興味を持たれるわけ。高校時代はどんな勉強をして東大に入ったのかとか、神学部に入ろうと思ったのはなぜか、神学部ではどんな勉強をしたのかということを聞かれる。つまり、それだけ面接担当者が興味を持ってくれる。

## 大学時代に「欠損分野」をどうやってカバーするか

実際に企業の人事を担当している人たちに聞いても、受験勉強に特化している中高一貫校の出身者だと東大卒でも京大卒でもひじょうに慎重になるそうだ。そういう高校だと極端な話、一年生の半ばくらいの段階で文系、理系に振り分けて授業をするから文系のクラスは数学を、理系のクラスは国語や英語を軽視したカリキュラムを組む。みなさんの中にもそういう学校出身の人がいるかもしれない。たとえば部活禁止みたいな高校があるよね。

そういう学校の出身だとすごく知識に偏りがある場合がある。また、受験勉強をそれだけみっちりやって東大に入ったということは、裏を返せば、もう伸びしろがないという可能性もある。高校時代、受験勉強だけをしてようやく合格できたかもしれないわけだからね。

ところで、朝日新聞出版から面白い本が出ています。『ルポ　教育困難校』（朝比奈なを、朝日新書）という本。みなさんは「教育困難校」と聞くとどんなイメージを持つ？　一昔前だと工業科、商業科のあるような高校、あるいはいわゆる底辺校で、非行や学校内暴力が多くて荒れているというイメージだったと思うけれども、今の困難校はそうじゃない。むしろ、最近の商業科、工業科、農業科というのは、「早く手に職を付けたい」という目的意識を持った子が多くて、教育困難な状況に陥りにくい。

では、ここで言う「教育困難校」というのはどういう定義かというと、だいたい偏差値四五以下の普通科高校がそれだと言うんだよね。

M君、偏差値四五以下というと、正規分布で言うと、ざっくりどれくらいになる？

（M）下から三割ぐらいですか。

そう。だいたい三割。今の高校では、偏差値四五以下の学校というのは教育が全然成立していないわけ。まず教室に落ち着いて座ることができない。それからアルファベットを読めない。pとqの区別がついていない……そんな子たちが多いんだけれども、でも、こういう学校からでも大学に進学できる。いわゆるFランクという大学は定員割れをしているから、推薦だったら確実に入れるからね。

でも、こうした風潮はFランク以外の学校にも広がりつつある。

## 早稲田の政経でも「文理融合」が欠落している

たとえば、早稲田の政経が最近、受験科目に数学を入れた。早稲田の田中愛治（あいじ）総長と会ったときにその理由を聞いたら、政治学でも経済学でも今は最低限の数学の理解がないと学べない。といっても、その数学のレベルというのはせいぜい中学の数学。でも、その中学校の数学が分からない人が早稲田の政経に入ってきている。それはさっきも言ったような中高一貫校の卒業生が増えてきたからだ。

繰り返しになるけれども中高一貫校では中学一年生のテスト結果で、理系か文系かに振り分ける。その時点で数学の点数がよければ、理系進学組になるけれども、成績が悪いと早稲田か慶応の文科系を目指すクラスに入れられる。つまり、英語と国語と社会科の三科目を重点的に教えるから、プラスとマイナスの計算ができないとか、二次方程式が解けないという学生が早稲田の政経に入ってくるようになる。

早稲田の場合は数学のコースがアルファ、ベータ、ガンマと分かれている。アルファというのはだいたい中学から数ⅠAまで、ベータは数ⅠAから数ⅡB、それに数Ⅲが少し入る。で、ガンマが数Ⅲから大学の教養レベルの数学の範囲を教えるらしい。

早稲田大学としては最低でもアルファクラスのレベルをこなせる学生に来てもらいたい。そうじゃないと、大学に入っての教育ができないというんだよね。まだ全学部で採用されているわけではないらしいけれども、やはり最難関学部の政経学部では採用している。しかし、それだけ中等教育の段階で「文理融合の教育」がおろそかになっているという証拠だね。

では、理系の人はどういう勉強をしたらいいか。英語は各種試験もあるので取り組みやすいが、社会科の学び直しが重要だ。社会科と言っても「何とか検定」といったクイズみたいな試験を受けても意味がない。そこで何がいいかというと、理科系の人の場合、英語と社会科の知識を一緒に確認できる「全国通訳案内士試験」だ。

これは観光庁がやっている、唯一の外国語にかかわる資格試験です。一回取得すると、一生有効です。レベルとしては英語は英検の準一級よりも少し上で、英検一級よりはちょっと下。

だから、英検一級を持っている人は語学の試験は免除になる。

それで社会科関係はどうかというと、日本史、地理、現代日本事情についてのマークシート式の試験だけれども、レベルとしては大学の教養レベル、あるいは高校よりは多少むずかしい感じだと思ってください。さっき言った「相国寺は何宗の何派か」のようなレベルの質問も出る。こういうことを英語で説明できるのがプロの観光ガイドというわけなのだけれど、理系の人にとっては一つの力試しになるよ。

理系で院を目指す人だったら、この試験を院を出るまでに取っておくようにすると就活にも大いに有利になる。要するに、理系で専門分野を持ちながら、英語もできるし、社会的な基礎教養があると違ってくる。

中には資格試験など受けずに独習しようと考える人がいるかもしれない。しかし、そういう勉強だと、どこまで勉強すればいいのかの天井も分からない。歴史学を専攻している人と同じようなことまで勉強する必要はないわけだからね。

第１講

# トランプも悪用した「進化論」のロジック

## ウィキペディアはなぜダメなのか

さて、ここまでは前置き。

これから私がやろうとしていることは何かというと、サイエンスの基礎となるところのパラダイムということ。中でも進化論というパラダイムについて扱っていきたいと思う。

さて、新しい言葉が出てきた。Oさん、パラダイムって何？

(O)……。

こういうときには「教師が極端に意地悪な質問をするはずはない」という仮定に立って、「授業前に配られたものの中に何かヒントがあるんじゃないか」と合理的な推定をするもんなんだ。そうすると……ほら、資料の三ページ目に「パラダイム」の説明があるだろう。ちなみに、今日配ったのは全部、平凡社の『世界大百科事典』からの引用だ。あらかじめ。この資料を読まないまでも、ペラペラとめくっていたら違っていたよね。

さて、君たちは「パラダイム」のような未知の言葉に出会ったときに、どうやってその意味を調べる？ Wさん、あなたならどうする？

(W)ネットで検索します。

検索して、どこを見る？

(W)とりあえずウィキペディアです。

ウィキペディアは使ったらダメ。なんでだと思う？

（W）……。

正確に言うと、ウィキペディアはこの教室では使ってもいい。というのも、ここには私もいるから、ウィキペディアの記述が正しいかを判断できる。でも、そういう人がいないところでウィキペディアを読んで、そこに書かれていることを鵜呑みにすると危ない。

ウィキペディアの記事の中には、極端に偏った説明をしているものもあるし、間違った記述がそのままになっていることもある。だから、その内容をジャッジできる人がいないところで使うのは危険なんだ。

やはり、その点において百科事典は信頼できる。有料の、いわゆるサブスクリプション・サービスなんだけど、ジャパンナレッジというものがある。ここに入れば、平凡社や小学館の百科事典が検索できるし、ほかの専門辞書、各国語の辞書などにもアクセスできる。個人だと月に一五〇〇円からだから、けっして高くはないよ。全部の辞書を手元に置くなんて、とてもできないからね。

もちろんこれらの辞書にはウィキペディアのような即時性、同報性はない。しかし、商業出版社がきちんとした著者に依頼して書かせた記事だからその内容には通時性がある。つまり、よほどのことがないかぎり、古くはならない。

## パラダイムとは何か

さて、配付した資料の「パラダイム」のところを読んでみよう。

**【パラダイム　paradigm】** もともとはギリシア語のparadeigmaに由来し、〈範例〉を意味した語。近代英語の用法では、とくにラテン語などの名詞や動詞の語型変化を記憶する際の〈代表例〉――例えば定形動詞の変化として〝愛する〟のamoを用いて、amo、amas、ama、……という人称変化や時制変化、モード変化を記憶する――の意味で用いられることが多かった。しかし1962年、T・S・クーンの《科学革命の構造》が発刊され、そのなかで、クーンはこの言葉に新しい特定の意味を与えて使い、この用法が非常な普及を見せたため、それ以降〈パラダイム〉は、欧米でも日本でも（ときに〈範型〉〈範例〉と訳されるが、通常はこの片仮名書きが多用されている）、クーンの意味によることになった。（平凡社『世界大百科事典』村上陽一郎）

ここで重要なのは「1962年、T・S・クーンの《科学革命の構造》が発刊され、そのなかで、クーンはこの言葉に新しい特定の意味を与えて使い、この用法が非常な普及を見せたため、それ以降〈パラダイム〉は、欧米でも日本でも（ときに〈範型〉〈範例〉と訳されるが、通常はこの片仮名書きが多用されている）、クーンの意味によることになった」という一節。

つまり、クーンは従来のパラダイムの意味をまったく変えてしまったわけだ。

ちなみに彼の本を読むのだったら『コペルニクス革命』（講談社学術文庫）を読むといい。これは彼の主著である『科学革命の構造』よりも前に書かれた本だけれども、それだけに彼の思考の原点が分かる。文理融合を考える上でも重要な本だ。

さて、クーンの言うパラダイムの話に入る前に、それ以前の「パラダイム」についてちょっと語っておくのがいいだろうね。パラダイムとは本来は、ある言語の語形変化や時制の変化について使われてきた。

さて、Wさん、第二外国語は何を取った？

Ⓦ　ドイツ語です。

じゃあたとえば、英語の have に当たるのが haben だよね。この haben は主語によって変化する。

ich habe（イッヒ ハーベ）「私は持っている」
du hast（ドゥー ハスト）「きみは持っている」
er hat（エァ ハット）「彼は持っている」
wir haben（ヴィーァ ハーベン）「私たちは持っている」
ihr habt（イーァ ハープト）「きみたちは持っている」
sie haben（ズィー ハーベン）「彼ら／彼女ら／それらは持っている」

トーマス・クーン

こういう動詞の変化を「パラダイム」と本来は言うわけ。

ちなみに今、言ったようにドイツ語の基本的な変化が六つだ。これに時制の変化が加わるわけだけど、それらはきちんと表に書き出すことができる。

## 言語によって「思考の枠組み」も変わる

しかし、言語によっては表に書き出すことができない言語がある。たとえばグルジア語、今の言い方だとジョージア語だ。

ジョージアはどこにあるか分かる？

(W) アフリカですか？

ちょっと違う。ロシアとイランの間にあるコーカサス地方には三つの国がある。アゼルバイジャンとアルメニアとジョージア。いずれも旧ソ連を構成した共和国だ。そのジョージアはスターリンの出身地として知られているけれども、ジョージア語はものすごく特殊で、動詞の活用形が一万四〇〇〇もある。

だが、もっとすごいのが、ジョージアの近くにあるダゲスタン共和国の中で使われているアキン語。これはだいたい、一つの単語が理論的には一二億通りくらいに変化すると言われているんだ。

我々がよく知っている英語、フランス語、あるいはアラビア語では主格と目的格という構造を持っている。日本語もそうだね。でも、世界のごく一部——それがこのコーカサス地方やスペインのバスク地方など——では、自動詞の主語と他動詞の目的語は同じ形でも、それが他動詞の主語になると別の扱いになるという、不思議な構造を持っている。

これを能格絶対格構造と言うんだけど、最近の学説ではそもそも人類はこの能格絶対格構造の言語を話していたのだが、後から主格目的格構造の言語を使う人類が現われて、古くからの人類を追い出したのではないかという仮説が唱えられている。それだから能格絶対格構造の言語を使う人たちはバスクやコーカサスといった高地に追いやられて今も暮らしているというわけなんだ。

でも日本語もよく考えたら英語やフランス語などとは根本的なところで違うよね。

たとえば「これからご飯を食べに行くんだけど、あなたも行かない?」と訊ねられたとする。そのときに英語だったら「I will go.」みたいに文章の途中で行くか行かないか分かる。でも、日本語だったら「えーと、私は行き……」のあとに「ます」がつくか、「ません」がつくかで意味が一八〇度違う。最後まで話を聞かないと答えが分からない。

言い換えると、英語のような言語は心の中で結論が出てないと発語ができないが、日本語の場合は結論が出ないまま、言葉を発することができる。

この違いは大きいよね。つまり、英語を話す人と、日本語を話す人とでは思考のパラダイムが違うわけだ。

「パラダイム」を唱えたトマス・クーンは、実は科学の中にもそうした思考の枠組み、パラダイムの違いがあるんじゃないかと考えた。

## 占星術というパラダイム

Sさん、あなたは占いを信じる？

（S）いいことだけ信じます。

京都の清水寺に「音羽の滝」があるでしょ。三つの流れがあって、それぞれ飲むと長寿になる、学業が上達する、恋愛が成就すると言われている。そこに行ったことある？

（S）行ったんですが、人が多くて飲めませんでした。

あの右側に、縁結びの地主神社というのがあるのを知っている？　Iさんは行ったことある？

（I）地主神社までは行ったことはないです。

地主神社では、女子中学生、女子高校生が「彼が出来ますように」とか「彼とうまくいきますように」とか書いて、山ほど絵馬が掛かっているよ。SさんやIさんが好きなのは別のところだよ。別の絵馬がたくさん掛かっているところだよな（笑）。

貴船神社にはどういう絵馬が掛かっている？　「夫の不倫相手のナントカが死にますように」とかそういう絵馬がたくさん掛かっているでしょ。それから、あそこに行って奥のほうに行くと、五寸釘を打ってある藁人形が結構あるよ。藁人形は今、通販で結構安く買えるから。ちなみにIさん、藁人形で呪いたい人は今いる？

（I）いないです（笑）。

呪いたい人がいて呪った場合に、どういう犯罪になる？

（I）犯罪にはならない。

犯罪にはならないよ。なんで？

（I）……。

これはね、刑法学によると不能犯というのがある。主観的にやりたいけど客観的に成り立たないものは不能犯といって、いくら悪意を持ってそういったことをしても犯罪にはならない。よって、不能犯は罰せられない。それだから、お百度詣りで「なんであいつだけ勉強ができて、先生にチヤホヤされるのか、早く死ねばいいのに」とか、そういう意図でお百度詣りをしていても、それだけでは捕まらない。

ところがその様子を動画に撮ってＹｏｕＴｕｂｅに上げると、それは脅迫になる可能性がある。社会通念に照らしてみて「怖い」と思うから。あるいは朝の三時に漆塗り（うるしぬ）りの電報を届けて「月夜ばかりじゃありません」と、こういうふうにやると、これはきっと脅迫罪になるだろうね。

## 占い師の真偽鑑定をするには

そこのところで占いの構造を考えてみよう。Ｔさん、本物の占い師と偽物の占い師ってどうやって区別するか分かる？　これはパラダイム論と関係してくるんだけどね。

（T）話す内容でしょうか。

話す内容以前の話がある。占い師のところに行ったことある？

（T）ないです。

一回くらい行ってみるといいと思うよ。本物の占い師か、偽物の占い師か、当てるためにね。本物の占い師はかならず、生年月日と生まれた時刻、それを分単位と、生まれた場所を聞く。どうしてだと思う?

（T）占いは星の動きで計算するから。

その通り。占星術はその名の通り、星の動きで考えなければいけないから、その人の原点となる座標軸を確定しないといけない。生まれた時点における天球がどういうふうになっているのかという、そこの場所を確定していないことには占いができない。それだから、ワイドショーで毎朝「今日の運勢」とかやっているのは、当たるはずがない。占いは個別的なんだ。

こういう天動説というのはみんなナンセンスだと思っているだろ。しかし占いがこれだけビジネスとして成り立って、週刊誌でも出ているし、ワイドショーでもやっているということは、その意味ではわれわれの生活の中においては、いまだ天動説は生き残っているんだよね。パラダイムが併存しているんだよ。

### パラダイムが確立していない「脳死」

さて続きを読もう。

クーンの〈パラダイム〉は、科学の歴史や構造を説明するために持ち込まれた概念で、ある科学領域の専門的科学者の共同体 scientific community を支配し、その成員たちの間に共有される、（1）ものの見方、（2）問題の立て方、（3）問題の解き方、の総体であると定義できよう。クーンの議論に従えば、ある時代ある社会の科学者の共同体（それが明確に形成されない場合もあり、その場合は、パラダイムも明確な形では存在しないことになる）は、一つのパラダイムに基づいて、自然探究の営みを行う。そこでは、認識論的にも、自然のなかに何を見いだし、そこからどのような問題をひき出すか、という点がそのパラダイムによって暗黙のうちに、あるいは明確な形で規定され、その問題をどのように解き、結果をどのように受けいれさせるかについても、社会制度的にパラダイムによって規定されている。したがって、パラダイムは、認識論的側面と社会学的側面の双方を兼備した概念といえる。（前掲書、同）

ここで重要なのは、パラダイムとは「ある科学領域の専門的科学者の共同体 scientific community を支配し、その成員たちの間に共有される、**（1）ものの見方、（2）問題の立て方、（3）問題の解き方**、の総体であると定義できよう」というところだ。言い換えれば、この三つの条件が科学コミュニティの中で共有できていないと「パラダイム」とは言えないというわけだね。

Iさん、あなたの守備範囲、生命医科学のところで、いまだパラダイムが明確に確立されていないテーマはたくさんあるよね。何が思いつく？

（Ｉ）脳死がそうですかね。

正解です。脳死を死と見なすかどうかということについて、いまだに学界の中でもコンセンサスはない。日本では臓器移植についても明確なガイドラインを作りきれないよね。つまり、死とは何かということについてはまだ新旧のパラダイムが併存しているわけだ。

## なぜ中国でデザイナー・ベビーが生まれたのか

たとえば、ＨＩＶ（ヒト免疫不全ウイルス）に感染している夫婦がいるとする。その人たちが子どもが欲しいというときに、子どもがＨＩＶウイルスを持っていないようにすることは可能だろうか？

（Ｉ）ゲノム編集を利用すれば可能だと思います。

ＨＩＶウイルスがその子どもの体内に入っても、感染しないようにＤＮＡを改変する。このゲノム編集についても、その是非は確定していないよね。あるいは科学ジャーナリストの須田桃子さんが追いかけている合成生物学。あの分野で将来、人間に近い生物が作られたとして、それをはたしてヒトと見なすかは専門家の共同体の中でも合意がなされていない。だから今は「倫理規範」という大きな網でそれを禁止してしまおうという措置が採られているというわけだ。

でも、Ｉさん、倫理規範があるにもかかわらず、エイズに罹（かか）りにくい子どもというものがゲノム編集によって、中国ですでに生まれてしまった。なぜ、この中国の学者は倫理規範を無視したのだと思う？

（Ｉ）共産党の支配体制だから？

そうだろうか。これは党が「やれ」と言った案件じゃないよね。Ｎ君は、どう思う？

（Ｎ）中国はキリスト教文化圏ではないから。

その通りだね。でも、考えてほしいんだけれども、欧米ではキリスト教文化のためにデザイナー・ベビーは作ってはいけない。

人間というのはそもそも神が自分の似姿として作って、そこに神が魂を吹き込んだ。人間が生まれるというプロセスは神の領域なんだ。だから、人は人間の誕生に手出しをすべきではないと考える。でも、中国人にはそうした考えはない。だから、ＤＮＡに手を加えるのには抵抗がない。

でも、中国と欧米とどっちが文明的と言えるんだろう？

では、日本はどうか？　日本もキリスト教的な意識が希薄だから中国と同じようなことをするかもしれない。

では、欧米と中国、あるいは欧米と日本を比較した場合、どちらのほうが科学的だと言えるだろうか。

さて、もう少し質問を続けよう。生殖活動抜きで人間は生まれるだろうか？

（Ｎ）イエスは聖母マリアから生まれたと言われています。

聖母マリアは処女のまま懐胎した。つまり、生殖活動はなかった。でも、そんなことは実際にありえないよね？　死んだ人間が三日後に甦る？　そんなことは科学的にはありえないよね。しかし、そうした「迷信」とも言える体系が今日でもひじょうに強い影響力を持っている社会がある。それはいったいなぜなのか——そこを考えていくのが今回のテーマなんだけれども、とりあえずそれについてはここでは触れないようにしよう。

さて、続きを読んでみよう。

### パラダイム論と社会進化論の共通点

クーンは、この一つのパラダイム支配下に行われる科学的活動を〈通常科学 normal science〉と呼び、それを〈パズル解き〉（つまり原図——それがパラダイムに相当する——のあるはめ絵パズルを解いていくこと）に比する。パラダイムに危機が訪れ、やがて、新しいパラダイムが生まれて再び〈通常科学〉の営みが始まるまでの間の活動を、クーンは〈異常科学 extraordinary science〉と呼ぶ。科学の歴史は、こうして、一貫した蓄積、進歩、発達の歴史というよりは、非連続的ないくつものパラダイムの交代の歴史としてとらえられ、そうしたパラダイムの交代現象をクーンは〈科学革命 scientific revolutions〉と呼んだ。（前掲書、同）

パラダイムは徐々に変化していくのではなくて、非連続に交代していく。つまり、断絶があって発展していく。この考え方というのは実は、ダーウィンの進化論にもひじょうに親和性が高いよね。

ダーウィンの考え方では、ヘビのような動物が鳥のような動物に進化していくプロセスはかならずしも連続的ではない。ある時点で突然変異が起きて、バーンと跳ね上がるような形で進化が起きる。だから、パラダイム論というのも進化論とひじょうに似ている。

## どんな定説も最初は「異常学説」として現われる

では、そこでTさんに質問しよう。最新の学説はいったいどのようにして科学者のコミュニティの中で受容されていくんだろう。最新の学説というのは、まだ十分に検証されていないわけだよね？　しかも、その学説がひじょうに重要なものであるならば、それは従来の学説とは非連続、つまり、過去の常識が通用しない内容である可能性が大だ。

そうすると、最新の研究は本物かもしれないが、インチキであるかもしれず、その区別は簡単につかないよね。

このことを補助線にして例のＳＴＡＰ細胞事件について説明してみて。

（Ｔ）ＳＴＡＰ細胞研究に関して言えば、理化学研究所の中できちんと検証が行なわれないまま、「新発見」として発表が行なわれたのが問題だと思います。

実際には、理研の論文は捏造だったわけだよね。しかし、これはすぐに分からない。追試して、それが再現できることが分かって、本物だと分かる。それには時間がかかる。

でも、理研という国内でも有数の研究所から発表されたものは信頼できると皆が思った。いわゆる「権威による説得」だよね。それに引っかかったわけ。でも、この複雑な世の中において、我々は権威を信用しないわけにはいかない。ＳＴＡＰ細胞のように複雑なテーマを検証することはなかなか簡単にできない。

無論、今となってみれば「レモンジュースのような酸性の液体に細胞を浸して、ちょっとした刺激を与えれば万能細胞ができる」という話は、常識からするときわめて疑わしいものに聞こえるわけだけれども、しかし、たいていの画期的な研究は当初「異常学説」として登場する。それが徐々に受け容れられて新しいパラダイムを作る。

そういう事実を我々は知っているから、異常科学、異常学説でもそれに期待をしてしまうというわけだ。

これは何も理系に限らないよ。文系においても同じ。

もちろん学生の段階では、通常科学の枠を出ない中で学んでいく。すでに分かっている知識を組み合わせて、つまり、いわばパズルのようなことをやって卒業論文や修士論文なんかを書いていくわけだ。

でも時々、神学部なんかだと突飛な思いつきのようなことを論文に書いてくる院生がいる。そういう人には「君はひじょうに独創的だね」と言うんだけど、それは「箸にも棒にもかからない」という意味なんだ。院生のレベルではまだパズル解きをするのが仕事なんだから。

Ｓさん、たとえば量子力学が唱えられたあとに、アインシュタインは何と言ったか知っているかい？

（S）神はサイコロを振らない。

そう。アインシュタインの世界観には確率は関係しない。彼の考える宇宙には明確な法則性があって、原因があれば、かならず結果が導き出される。でも、量子力学はそうではない。原因は一つでも、その結果にはいくつもの可能性が存在するというのだからアインシュタインには「異常科学」に見えた。でも、今ではそれが通常科学の枠内に入っている。パラダイムがシフトしたんだ。

さて続きに行こう。

## 子どもと大人ではパラダイムが違う

クーンのパラダイム概念は《科学革命の構造》の初版で提案されたが、上のような定義からくる曖昧（あいまい）さ——例えば科学者の共同体の規模をどの程度にとるかによっては、パラダイムは具体的な一つの狭い理論でもありうるし、あるいは、その時代の〈時代精神〉とでも呼ぶしかない広範なものでもありうることになる——を批判されたため、同書第2版では、パラダイムを〈学問母型 disciplinary matrix〉に置き換えて、概念の整理を図ろうとした。しかし70年代に入って、おりしも異文化的方法論 ethnomethodology が隆盛となり、単に民族文化の比較においてのみならず、従来は連続的な発達・発展と考えられてきた個人や社会の歴史についても、非連続的な異文化の並列——例えば個人についていえば、発達心理学を排して、子どもと大人とをお互い異文化に属するものとして扱おうとする——と考える発想を後ろ盾として、パラダイムは、さまざまな領域でさまざまに利用され、ひとり歩きを始めている。（前掲書、同）

T君、今読んだところに「例えば個人についていえば、発達心理学を排して、子どもと大人とをお互い異文化に属するものとして扱おうとする」という一節があった。子どもと大人がお互いに異文化に属するというのはどういうこと？

（T）子どもは学校にいるけど、大人は実社会にいる？

ちょっと答えがズレている。たとえば、大学生とか大学院生でロクに勉強もしていないのに、「俺は君たちとは違うんだ」と上から目線の奴がときどきいない？

（T）ああ、たしかにいます。

稀だけど、いるよ。でも二歳半くらいだったら、それはごく普通だ。

たとえば、親からはぐれちゃって山の中に入った子が三日目に見つかったという事件があったけれども、その子は「ちっとも怖くなかった」と言ったというんだね。私が考えるには、それは強がりでも何でもなくて、彼の世界では「絶対に自分は助かる」という確信があるんだよ。一種の全能感だね。

もちろん、お腹が空いたとか、寒いとかそういう感情はあるだろう。でも、それが絶望につながらないのが二歳児の全能感だ。だから、二歳児と我々大人とはまったく違う世界の中に生きている。一緒の場所にいても、異文化の中にいるということだ。

モンテッソーリ教育って聞いたことがあるかな？　日本では残念ながら「英才教育」として受け止められていて、Ａｍａｚｏｎの創業者のジェフ・ベゾスや将棋の藤井聡太（ふじいそうた）さんが子ども時代にモンテッソーリ教育を受けたとして注目を集めているんだけど、モンテッソーリは少しも英才教育、エリート教育じゃない。

モンテッソーリ教育を実践しているところに行くと、子どもがやりたいように、好きなことをさせている。

たとえばお料理をやりましょうって、三歳児にも包丁を持たせて野菜を切らせる。算数だって、五桁の足し算とかを三歳児がやっていたりする。中にはシール貼りが大好きで、一日中、紙にシールを貼って絵を描いている子もいる。要するに型にはめないのがモンテッソーリ教育なんだね。

マリア・モンテッソーリというのは十九世紀の終わりから二十世紀の半ばに活躍したイタリアの精神科医で、哲学者だ。ローマ大学で初めて博士号を取った女性なんだけども、精神医療の世界において当時は女医さんに対する偏見というのは強かったので、彼女はなかなか職が見つからず、ようやくローマ大学の精神病院で働くことができた。当時の精神病院というのは、医師が働く場所としても人気のないところだった。

そこで彼女は精神科に隔離されている子どもたちを観察していたら、丁寧にパン屑を並べている子どもがいた。それを見て彼女は、この子たちは知的障害があると言われているけれども、普通の人とは違う、別の論理で動いているんじゃないかと考えるようになった。そこでゼロ歳から六歳までの子どもたちを集めて調べたら、その期間の子どもたちにはかならず敏感期というのがある。ある時にはそれが線に対する敏感さだったり、ある時には数に対する敏感さ、文字に対する敏感さ、色に対する敏感さだったりする。その敏感期のときには、やりたいようにやらせて、子どもの特性を伸ばしてやれば、後々の知能の発達につながるんだという仮説を唱えた。そして、学年ごとの輪切り教育を止めて、先輩が後輩に教えたりするという、混成部隊方式にした。

これがモンテッソーリ教育の始まりなんだけれども、そこからたくさんの才能を開花させた人たちを輩出したものだから、アメリカやイギリスなどで実践されたときにはエリート教育の方法と受け止められた。でも、本当のモンテッソーリ・システムというのは「子どもの世界と大人の世界は違う」という世界観に基づいた教育方法であるわけだ。

私は何度かモンテッソーリ教育を行なっている保育園を見学したことがあるんだけども、それを見て思ったのは、この教育に向いていない職業というのが二つあると思った。それは警察官と自衛官だ。規律に従って、団体で動くというのはモンテッソーリ教育をやるとあまり得意じゃないだろうね。

それともう一つは、この教育を受けている子どもと一緒にいると、外国人と同居しているような気がするね。言語がちょっと通じなくて、文化も少し異なる人と同居している感じがする。でも、異文化交流をしていると思えば、そんなにストレスも溜まらない。

## クーンの念頭にあったのは進化論だった

さて、前置きはこのくらいにして進化論の話に移ろう。

クーンのパラダイム論の根っこにあるのは、さっきも言ったようにダーウィンの進化論だ。ダーウィンの進化論のアイデアは曖昧なところがたくさんあるから、いろんな解釈や適用が可能になる。その一つがパラダイム論という理解であり、これは学術的にも意味のある発展形と言える。

しかし、ここで私が扱おうとしているのは、進化論が悪い方向に発展したものなんだ。それはナチズムであったり、スターリニズムであったりするんだけど、なぜそういうことに関心を示すかというと、学校では「悪」を教えないからなんだ。

世の中には残念ながら「悪」が無数にある。そうすると社会に出てから本当の悪に直面したときに、それに対する耐性、抵抗力がないから引き込まれてしまいかねない。だから、高等教育の段階で、悪について学ぶのはひじょうに重要だと思う。

では、さっそく『世界大百科事典』の「ダーウィン」の項を読んでみよう。

## 一九一四年から科学が力を持つようになった理由

【ダーウィン　Charles Robert Darwin　1809～82】イギリスの博物学者。自

然淘汰による進化論を提出。著名な進化思想家E・ダーウィンを祖父とし、医者ダーウィン Robert Darwin（１７６６～１８４８）を父とする。母方は陶器製造で有名なウェッジウッド家。幼少年期より、昆虫採集、狩猟などに興味をもった。エジンバラ大学医学部に入学したが中途退学して、ケンブリッジ大学神学部に学ぶ。地質学、動物学に関心をもつ。A.von フンボルトの《南アメリカ旅行記》に魅せられ、探検旅行の夢をもつ。卒業後、海軍の測量船ビーグル号に無給の博物学者として乗船（１８３１～36）し、C・ライエルの《地質学原理》を学びながら南半球各地の地質、動植物を観察した。《ビーグル号航海記》（１８３９）、地質学的業績である《サンゴ礁の構造と分布》（１８４２）は、この航海の調査に基づく。（平凡社『世界大百科事典』江上生子）

ダーウィンは博物学者だった。博物学というのは、この自然界にあるものをたくさん集めて、それを分類していくという学問だ。この博物学を母体にして、近代科学――生物学も天文学も地学も化学も生まれてくる。つまり博物学というのは近代科学の未分化の段階にあるものと考えればいい。でも、未分化だから遅れているということでなく、むしろ哲学に近い学問だ。つまり、博物学は自然哲学であると定義することもできる。

自然哲学というのは、近代科学が出来上がる前にあった哲学で、自然現象をどのように理解すればいいかということを考えるわけだ。ヘーゲルなんかは自然哲学をすごく重視しているよね。ダーウィンの活躍した十九世紀においては、まだ我々がよく知っているような形での「科学」は存在しなかったとも言える。今の科学はさまざまに分化しているけれども、ダーウィンの時代にはそれが博物学、哲学という形で存在していた。未分化だった。

では、今のような形、私たちが親しんでいるような形の「科学」はいつ頃から有力になってきたのかといえば、それはここ一五〇年くらいのことだ。いや、もっと短く考えることもできる。その場合は一〇〇年くらいだね。さらに具体的に言うならば、一九一四年以後だ。

Mくん、なぜ私は一九一四年という年をここで持ち出したと思う？

(M) 第一次大戦が始まった年だから。

チャールズ・ダーウィン

そう、第一次大戦で大量殺戮（さつりく）・大量破壊が行なわれるうえで、科学技術が大いに有効だということが分かった。そこから近代科学は急速に発達している。だから、現代のように科学的な思考が強くなったのは、ここ一〇〇年くらいのことでしかない。

でも、今の私たちはその一〇〇年間の中でしか生きていないから、科学が昔から主流であったと思いこんでいるわけ。だから、ここではその一〇〇年よりも前の時代にタイムトラベルをしてみたい。そうすることによって、我々の思考のあり方を外側から観察できるということだ。

## 「要約」の重要性

さて、ここで別の資料を読むことにしよう。光文社版の『種の起源』下巻「第14章　要約と結論」のところだ。

> 種はよく目立つ永続的な変種にすぎず、個々の種はもともと変種として存在していた。この考えに立てば、ふつうは創造主によって造られたとされている種と、二次的な法則によって生み出されたと見なされている変種とのあいだに、明確な区分線が引けない理由が理解できる。これと同じ考えに立てば、一つの属が多数の種を生み出している地域や、多数の種が現在も繁栄している地域では、同じ種が多数の種を生み出しているのはどうしてなのかも理解できる。種の生産工場が活発に稼働していた地域では、一般則として、現在もなお稼働中であると考えられるからである。そして変種が発端種であるとしたら、まさにそうであるべきなのだ。さらには、大きな属に所属する種は、たくさんの変種すなわち発端種を抱える余裕があり、かなり変種に近い特徴を保持している。なぜならそういう種どうしは、小さな属に所属する種どうしよりも、互いの差異が小さいからだ。

大きな属に所属する近縁な種はまた、分布域が限られており、他種を囲む小さな集団を形成するようにかたまった分布をしている。この点でも、そうした種は変種に似ている。個々の種は創造主によって個別に造られたとする考え方に立つと、このような関係はじつに奇妙である。一方、すべての種はそもそも変種として存在していたと考えれば、すべて納得がいく。（光文社古典新訳文庫、渡辺政隆訳、373〜374ページ）

Wさん、これを四〇文字くらいで要約してみて。

Ⓦ……。

要約というのはむずかしそうに思えるかもしれないけれども、その文章の中で一番重要な文章を拾ってくればいいわけ。その点、この文章は分かりやすくなっている。冒頭に一つの仮説が提示されていて、結論で同じことがふたたび繰り返されているよね。

というと、どのように要約すればいいかは簡単に分かるよね？

Ⓦ「すべての種はそもそも変種として存在していた」？

その通り。

でも、普通ならばここで『種の起源』そのものを読んで勉強しようという話になるんだけれども、ここではそうしない。なぜかというと大学でやる講読というのはひじょうに重要で、たとえば哲学書を読む場合には一時間半の授業で三行くらいしか進まないということはざらにある。神学部の聖書学講義でも、一時間半の授業で一行しか進まないよ。そういうふうに、文章を一つずつ丁寧に、徹底的に読むということで学術書を読む訓練をしていくわけだ。

でも、ここにいるみなさんは哲学や神学を専攻するわけではないし、文献学の専攻でもないからそういう読み方はここではしない。その代わりにちょっと視点を変えて、この結論部のところを段落ごとに要約していく訓練をしてみよう。

要約の訓練をたくさんしておくと次に何ができるかというと、敷衍（ふえん）ができるようになる。敷衍というのは、英語でパラフレーズと言う。つまり、同じことを別の言葉で言うこと、それが敷衍なんだ。通常、同じ事柄を別の言い方で表現すると、分量は長くなる。だから敷衍は要約の反対だとも言える。

要約というのは長い文章を四〇字くらいに抜き出すということだ。それとは逆に、一つの文章が言い表わしていることを分かりやすく説明するのが敷衍だ。そのためにはいろんな例や喩（たと）えを付け加えていくことが必要になる。この敷衍の力を身につけることが高等教育では重要になる。高校の授業では文章の要約のしかたは教えるけれども、テストで「敷衍しなさい」という問題に出会ったことはないでしょう？　せいぜい別の言葉で言い換えなさいというくらいの話だよね。

われわれが神学でやっている仕事は、結局のところ、聖書に書いてある言葉を別の言葉に言い換えることに他ならない。だから神学の論文はすべて聖書的な根拠がないといけない。神学とは基本的には敷衍の作業なんだよ。

## 本全体のプロットを俯瞰していく

それじゃあ、続きを読んでみよう。

個々の種は指数関数的な増殖率を有しているため、個体数を際限なく増やす傾向がある。さらには、個々の種の変化した子孫は、習性と形態を分岐させているほど個体数を増加させることができる。そうなることで、自然界の秩序の中でさまざまな居場所を占められるようになるからだ。したがって、どの種においても、最も分岐した子孫が自然淘汰によって保存されるという一定の傾向が見られることになる。そういうわけで、長い時間をかけて変化が積み重ねられていく中で、同じ種の変種間に見られるわずかな差異は、同じ属の種間に見られる大きな差異へと拡大されていく。

改良されて新しく登場した変種は、必然的に、改良度で劣っている中間的な古い変種を押しのけて根絶させてしまう。かくして種は、相当程度に明確に定義される個別の存在となる。大きな属に所属する優勢な種には、新しい優勢な種類を生み出す傾向があり、その結果として、大きなグループはなおさら大きくなりやすいと同時に、形質をさらに分岐させる傾向が認められる。（前掲書、374〜375ページ）

Iさん、これを要約してみよう。かならずしも一つの要約ではなくて二つ出てくるかもしれないけど、どっちでもいい。もしアンダーラインを一ヵ所引けと言われたら、どこに引く？

（I）「長い時間をかけて変化が積み重ねられていく中で、同じ種の変種間に見られるわずかな差異は、同じ属の種間に見られる大きな差異へと拡大されていく」。

そこでもいいけれど、その前の「どの種においても、最も分岐した子孫が自然淘汰によって保存される」という、ここでもいいかもしれないよね。

さらにここの二段落をまとめて考えると、「大きな属に所属する優勢な種には、新しい優勢な種類を生み出す傾向があり、その結果として、大きなグループはなおさら大きくなりやすいと同時に、形質をさらに分岐させる傾向が認められる」というところでもいい。

繰り返しになるけれども、要約するというのは自分の言葉でまとめるということではなくて、その文章のどこにアンダーラインを引くか、ということ。そのアンダーラインを引かれたところが文章の中心であり、要約にもなる。

これを逆の側から見ると、私は作家だから物を書く。そのときにはプロットといって、大きな筋書きを作って、それをそれぞれの章に当てはめて、肉付けをしていく。それを普段からやっているから、こういう文章を見たら元のプロットも見えてくる。つまり、ダーウィンは最初、どのようなプロットを作っていたかが分かるし、それをより分かりやすくするために、どういう説明を付加させていったのかが見えてくる。だから君たちも本を読むときには、そういう作業をしてみたらいい。まず本全体のプロットは何かを考える。そして、それぞれの章では何を力点に語っているのかを想像する。

学校の先生の中には丁寧にレジュメを作ってくれる人がいるけれども、最初からレジュメをもらってしまったら要約を作る力がつかない。

だから私の場合はレジュメを作らない。みんなに読んでもらいたいところをスキャナーにかけて、その画像をコンピュータで読み取りする。といっても、今の読み取りソフトの解析率はせいぜい九割かそこらだから、誤字も多い。それを本文と照らし合わせながら、こうやって資料を作っていく。結構な肉体労働なんだけれども、わざわざそうしているのは、みんなに要約を作る力を付けてほしいからなんだよ。

## ホモ・サピエンスの中では優劣が生まれない

では続きを読んでみよう。

しかし、すべてのグループがそのようにして種数を増加させられるわけではない。自然は、そのすべてを抱えるわけにはいかないからだ。そのため、優勢さで上回るグループが、劣るグループを打ち負かすことになる。つまり、大きなグループは種数を増大させ形質をさらに分岐させていく一方で、避けられない結果として絶滅が多発することになる。このような傾向が存在することから、すべての生物は階層的に配列されることが説明できる。今も至る所で、いつの時代にあっても常に、小さなグループが大きなグループに包含されていき、最後は少数の大きな綱にまとめられてきたのだ。すべての生物はこのようにグループ分けできるという壮大な事実は、創造説ではまったく説明のつかないことだと思う。（前掲書、375ページ）

Nくん、ここを要約するとどうなる？

（N）「つまり、大きなグループは種数を増大させ形質をさらに分岐させていく一方で、避けられない結果として絶滅が多発することになる」。

それでも悪くない。でも、「優勢さで上回るグループが、劣るグループを打ち負かす」。これでもいいかもしれないね。

今、私が引用したところはダーウィンの意図とはまったく違う文脈で使われることになるんだが、Nくん、それは何だか分かるかな？

（N）人種差別主義とか、ナチズムとか……。

その通り。ダーウィンは人間については何にも言っていないよ。そもそも人間はホモ・サピエンスという一つの種だから、その中で優れているとか劣っているということは問題になるはずがない。

でも、この部分を我田引水（がでんいんすい）して使う連中が現われた。それがナチスだったり、あるいは新自由主義者だったりする。ナチズムの場合はアーリア民族が他の民族よりも優れていると主張したし、新自由主義では「勝者が総取りをする」ということが正当化された。でも、それはダーウィンの主張をまったく理解していない話だよね。このことについては、これからの講義の中で徐々に明らかになっていく。

## なぜ英米ではAO入試型が多いのか

ところで「人間には能力の優劣がある」と主張する人たちがいるけれども、学校の試験、大学入試では本当の能力なんて測れない。教科書に書いてある内容を理解せずにただひたすらに丸暗記しても、試験に合格できるかもしれない。でも、それだけが能力ではないよね。たとえば、他人の気持ちになって考えることができるというのも立派な能力だけれども、それは今の大学入試などでは測れない。

そういう意味では日本の大学入試は欠陥が多いとも言えるんだけれども、なぜこんな制度をいまだに日本は続けているんだと思う？　たとえばアメリカなんかは高校での学力試験はあっても、大学入試はない。日本で言うＡＯ入試みたいなものはあるけれどもね。ヨーロッパも基本は同じだ。一方、中国や韓国は日本と同じように大学入試に重きを置いているよね。いったい、これはどうしてだと思う？

（Ｎ）……。

その答えは「後進国だから」。日本の大学制度は明治時代に作られた。その当時の日本は何としてでも欧米にキャッチアップしないといけなかった。そのために必要だったのは創造力とか発想力とかではなくて記憶力だったんだ。そこで全国から記憶力のよい若者を集めるために今のような大学入試制度が作られた。

要するに促成栽培に適した人材が必要だった。だから、大学でも基礎知識を詰め込むだけ詰め込んで、それで社会に送り出す。でも、それでは実務能力などはないわけだから、そこは会社や役所で教え込む。今で言う、ＯＪＴ、オン・ザ・ジョブ・トレーニング。現場でたたき込むわけだ。そうしないと全国に警察署長、税務署長、郵便局長を送り込めない。外交官だってそうだよ。

だからついこの前までは官僚の世界では大学中退という人材がいちばん出世が早かった、要するに在学中に国家公務員試験に合格するくらいの学力があるというのが最も優秀とされていたんだよね。でも、こういう人の学歴は高卒で、学士号さえ持っていないんだ。こうした状態は異常だ。

これは一般企業に行っても同じ。研究職は別として、総合職としてマネージメントをやっている人の中で、Ph.Dを持っている人がどれくらいいるかな？　修士を取っている人だってほとんどいない。経営の決定権を持っている人にＭＢＡを有している人も少ない。

これは国際基準からすれば著しい低学歴社会だ。こうした状況はいずれ変わっていかざるをえない。

だから理系は当然としても、文系も大学院に入るということは重要になってくると思う。

ただ、幸いなことに同志社は関西の大学だから、就活に関しては東京に比べればゆるい。東京の就活っていつごろ始まるか、知っているかい？

（N）三回生の五月から……。

それに対して京都はたいてい三回生の十一月とか十二月くらいに先輩訪問をするくらい。つまり、関西にいるほうが専門課程の勉強を半年長くやれる計算になる。大学で就活をしないで、そのまま院に入ってから就職するとなると、その差はもっと開く。だから、関西の大学のほうが勉強をみっちりやるには有利なんだ。その間、高校時代に取りこぼしていた数学などの勉強をしたり、また英語に加えて、もう一つ、使えるレベルの外国語をマスターしたりする。そうやっていくと就職先でもずいぶん自分をアピールできることになるよね。

じゃあ先に行こう。

自然淘汰の作用は、小刻みに生じる有益な変異を蓄積していくだけである。そのため、大規模な変更や突然の変更を生み出すことはできない。ごく短い歩幅で緩慢に作用することしかできないためだ。「自然は飛躍せず」という格言は、新しい知見が付加されるたびにますますその正しさを増しつつあるが、自然淘汰説によってすっきりと納得できる。自然は変種についてはは気前がよいのに、革新に関しては出し惜しみするのはなぜなのかも、これではっきりする。ところが、個々の種は個別に創造されたものだとしたら、このような自然の法則が存在する

ことは、誰にも説明できないだろう。(前掲書、375~376ページ)

はい。これはどこに線を引く?

うん。それでいい。

(N) 一番最初の文章です。「自然淘汰の作用は、小刻みに生じる有益な変異を蓄積していくだけである」。つまり、新しい種が生まれたりするためには突然変異が蓄積していくことが必要だということだよね。

これは、パラダイムの考え方と基本的には一緒だ。パラダイムもまた、徐々に新しいものが生まれてくるのではなく、無数の蓄積があって、そこから何らかの飛躍が必要だとクーンは言っている。時系列で考えるならば、クーンはやはりどこかでダーウィンの影響を受けているんだよ。

## 「出来の悪い子を教えるのは進化論に反する」

では、もう少し進もう。

変異を支配する複雑な法則についてはほとんどわかっていないが、わかっている限りでは、いわゆる種特有の形態の生成を支配してきた法則と同じである。いずれの場合でも、物理的条件が与える直接的影響はほんのわずかだったようだ。

ただ、変種がどこかの地帯に入り込む際には、その種のうちでその地帯に適した形質を帯びるようになることもある。（前掲書、377〜378ページ）

ここで重要なのは「物理的条件が与える直接的影響はほんのわずかだったようだ」ということだろうね。「自然淘汰を人為的に止めさせようとしても、それはできないよ」という。では、これを人間に拡大するとどうなる？

（K）能力主義ですか。

出来の悪い奴に努力して教育を受けさせて意味があるのか？　資源の無駄遣いじゃないかという議論だね、学校の先生は成績のいい子だけを相手にしていればいい、出来の悪い奴は知らないという話になるね。

「外的な要因による影響はほんのわずかなんだから、教えても意味がない」と、こういうふうになるわけだ。でもはたして、それでいいのかという議論がもちろん出てくる。そもそもダーウィンが「物理的条件が与える直接的影響はほんのわずかだったようだ」と言っていることを前提にして正しいのか、ということだよね。

自然現象はダーウィンの時代から現代までそんなに変わっていないわけ。変わっているのは人間のほうなんだよね。コンラート・ローレンツが『攻撃』（みすず書房刊、日高敏隆他訳）の中でライオンについてどう言っているか知っている？

コンラート・ローレンツって近代動物行動学の祖だね。彼は著書の中で「ライオンは同族を殺さない。ライオン同士は喧嘩をするけれども、一方がお腹を見せて横たわると、それで抗争は終わってしまう」と述べた。実際、それはオオカミだってそうだよね。攻撃できなくなる。

ところが今では「ライオンは同族殺しをしない」というテーゼは否定されている。

ライオンは一夫多妻だよね。それで年寄りの雄のライオンが追われて新しい雄が入ってくるでしょ。そうしたら、前の雄との間の子どもは全部殺してしまうのが観察によって明らかになっている。となると、その理由をどういうふうに説明する？

つまり、新しくやってきたライオンは自分の遺伝子を遺したい。それには前の雄ライオンとの間にできた子どもは邪魔になる。子どもがいる間は雌ライオンは発情しないからね。だから、新しく来た雄ライオンは今いる子どもたちは殺してしまう。そうすると雌ライオンはまた子どもを作りたくなって発情する。そうやって、新しい雄は自分の遺伝子を受け継ぐ子どもを作れるというわけだ。

### 「種の保全」で進化は起きない

ローレンツはノーベル生理学・医学賞を受賞したような学者だけれども、彼が提唱した「種を保全する」ために動物は同種殺しをやらないという概念で今は見ない。

遺伝というのは、種を守るために行なうのではなくて、自分自身の、つまりその個体が持っている遺伝子をできるだけ後の世代に残すのが目的であって、種とは関係ない。そのように考えられている。

ここで少し、先回りをして話しておけば、あとで扱うことになる遺伝学者のドーキンスはその考えをさらに拡張して「遺伝子は自分の複製を後世に作るのが最大の目的であって、その遺伝子を持っている動物はただの乗り物のようなものだ」というテーゼを打ち出した。つまり、ローレンツは種を主体に考えた。ダーウィンは個体を主に考えた。そしてドーキンスは遺伝子を進化の主体に考えたというわけだ。

でも、ライオンの行動は変わっていないわけだよ。変わっているのは、見ている人間の視座だよね。たしかにライオンの行動の中で、他のライオンと向き合ってお腹を出したら攻撃してこない、というのはあるわけ。ライオンの行動の中で、他方、群れを乗っ取ったあと、前の雌ライオンが産んだ子どもたちをみんな殺しちゃうというのも、現象としてあるわけ。じゃあそういったことをどうやって整合的に理解していくかということだよね。今はドーキンスの仮説が有力だけれども、それよりももっと整合的な説明が可能な仮説が生まれれば、そちらにパラダイムがシフトしていく。そういうことなんだ。

## 「ダーウィニズム」の定義とは

さて、次は『世界大百科事典』のダーウィニズムの項を読んでみよう。

【ダーウィニズム　Darwinism】この語の意味は厳密にきまってはいない。まず第一の定義はC・ダーウィンの学説ということだが、それにもかかわらずかれの学説の中心であった自然淘汰説をさす場合と用不用説などを含めた学説全体をさす場合とがある。ダーウィンと同時に自然淘汰説を公にしたA・R・ウォーレスはのちに自著の表題を《ダーウィニズム》（1889）としたが、これは前者の場合にあたる。ダーウィニズムの語で進化論一般をさした場合もあり、とくに進化論が大きな思想的影響を与えつつあった時代には進軍の旗印の役もした。（平凡社『世界大百科事典』八杉竜一）

ダーウィニズムという言葉は、意味領域が広すぎて人によって話が違うので、ほとんど無定義の状態になっちゃっているんだよね。

これはキリスト教についても同じだ。キリスト教とは何かと問われても説明がひじょうにむずかしい。あるいは、マルクス主義とは何かと言われたときも同じ。だけれども、まったく定義をしないというよりは、暫定的な定義を与えておいたほうがいいだろうと、これらの言葉がしばしば使われる。ただダーウィニズムというのは本当に幅が広い言葉なので、ソリッドな形で「これがダーウィニズムだ」とは言えないということが重要だよね。

続きを読もう。

例えば19世紀後半以降アメリカでのプラグマティズムの哲学の成立と発展の時期においてである。進化の様相への全般的な見かたに関してこの語が用いられる

ことである。ダーウィンは進化を緩やかで連続的なものと見ており、そうした漸進的進化観をさすのである。（前掲書、同）

プラグマティズムって、どういう考え方か知っているかい？　じゃあ、ちょっとネットで検索してみよう。ジャパンナレッジが使えない場合は「コトバンク」という無料の検索サービスを使うのがいいよ。コトバンクには『ブリタニカ国際大百科事典』も入っているからね。

１８７０年代の初めアメリカのC・パースらを中心とする研究者グループによって展開された哲学的思想とその運動。ギリシア語のプラグマから発し、プラグマティズムとは、行動を人生の中心にすえ、思考、観念、信念は行動を指導すると同時に、逆に行動を通じて改造されるものであるとする。（ブリタニカ・ジャパン『ブリタニカ国際大百科事典 小項目事典』）

プラグマティズムはどういうことかといえば「正しいことというのは、行動によって示される」という考え方だよね。このプラグマティズムを唱えたのはW・ジェームズとかJ・デューイという人たちで、彼らがアメリカ哲学の中心なんだけれども、そうしたプラグマティズムは神学と結びつくようになる。

というのも、「実践の中にこそ正しいことがある」というのは、それを神様が望んでいる、選んでいるからだと考えるからだ。だからアメリカのプラグマティズムの背後には神学が隠れているというわけだ。

そのプラグマティズムでは、進化論から発想して、人間の知性というのは最初から与えられたものではなくて、自然環境との相関関係の中で発達してきたものだというふうに考えた。つまり知性というのは過酷な自然環境の中で生き抜くための「道具」にすぎないというわけで、これは後で話すことになると思うけれどもデューイの「道具主義」につながってくるんだ。

さて、話を戻して『世界大百科事典』のダーウィニズムの項の続きを読もう。


ところで1870年代よりA・ワイスマンは遺伝についてのダーウィンの見解を修正して獲得形質の遺伝を絶対的に否定し、その観念をもとに自然淘汰説を一本化したネオ・ダーウィニズム neo-Darwinism（新ダーウィン説）を唱えた。かれにより〈自然淘汰の万能〉の語も用いられた。1930年ごろより集団遺伝学の発展にもとづき自然淘汰の組織的研究およびそれによる進化要因の研究が基礎づけられ、新たな意味でネオ・ダーウィニズムの語が適用されるようになった。現在ではおもにこの意味で用いられる。進化研究のこの歩みは同時に生物学の諸分野の遺伝学を中心においた総合でもあるので、その道を進む研究者たちは総合学派と呼ばれ、その基本的な学問傾向はネオ・メンデリズム neo-Mendelism と称されることもあるが、ネオ・ダーウィニズムと結局は同義になる。なお自然淘汰

ないし生存競争の観念を社会の問題に適用したものは社会ダーウィニズムと呼ばれる。（平凡社『世界大百科事典』八杉竜一）

ここにはいろいろ重要なことが書かれているけれども、今のわれわれにとって重要なのはこの段落の最後に書いてある「社会ダーウィニズム」だ。ダーウィンの進化論を社会問題に無理矢理に当てはめたものが「社会ダーウィニズム」だけど、これは後の社会に、世の中に、本当に害悪をもたらすことになる。それは最終的にはヒトラーのナチズムや、優生主義思想といったものに帰着するわけなんだ。

## 社会進化論とは何か

そこで続けて「社会進化論」の項を読んでみよう。

【社会進化論　social evolutionism】今日、社会進化論は、社会はしだいに進化し進歩するという社会理論一般を指し、C・ダーウィンの進化論を直接社会現象の説明に適用するいわゆる社会ダーウィニズム social Darwinism とは別物であるとする暗黙の了解がある。しかし歴史的にみると、比較的最近になるまで両者の区別は存在しなかった。代表的な社会ダーウィニストといわれるキッド B. Kidd が著した本の題名が《社会進化論》（1894）であったのがよい例である。この社会ダーウィニズムをも含めた社会進化論は、ダーウィンの《種の起原》出版の直接の波紋が一巡した1870年代ころから多出しはじめ、第一次世界大戦あたりまでおおいに流行する。当時の人たちにとって進化論を認めることは、一科学理論の承認にとどまらなかった。進化論の承認は、キリスト教教理の否定ばかりか、これに立脚した世界観、社会観、生活規範の崩壊をも意味した。それゆえ進化論の啓蒙が成功すればするほど、旧来の体系に代わるものとして、高等といえども人間も生物である以上、これが織りなす社会にもダーウィン的原理は貫徹しているはずだとする信念も広まったのであり、これが社会進化論流行の基本要因である。（平凡社『世界大百科事典』米本昌平）

まず、ここで重要なのは「進化」が肯定的な意味に評価されていることだ。今日でも、進化や進歩というのはわれわれの常識では「良いこと」と捉えられるよね。でも、これはひじょうに近代的な現象なんだ。

進歩という言葉はその中に「時の流れが進むにしたがって変化が起きる」という意味をインプリケート（内包）している。昨日より明日、今年より来年になれば、世の中はさらによくなっていく。それが進歩という言葉のイメージだよね。

でも、時の流れが進むに従って、新しいもの、便利なもの、優れたものが生まれてくるという考え方が世界で一般的になったのは、つい最近のことなんだよ。

今の我々の思考では、時間というのは右肩上がりのイメージがある。時間が進めば——途中、戦争や流行病などで多数の人が死ぬようなことがあっても——世の中は進歩し、向上していくというわけだね。でも、それだけが時間の観念じゃない。

その一つは「時間は円環をなす」という考えだよね。

春夏秋冬というふうに一年が進んでいくと、また春がやって来て同じような一年が過ぎていくという形で時間が進んでいく。それをもっと大きなスケールで考えると、時代の流れにも春夏秋冬という形での変化があって、一時期は春や夏といった繁栄の時期を迎えた世の中も、徐々に衰えていき、ついに末世（冬）がやってくる。でも、そうした滅びた後に、新しい時代の芽が生えていく——こうした歴史観、時間の観念を持っているのがインドだよね。

インドの世界観では、我々の世界は永遠に同じサイクルを繰り返している。そこには進歩もなければ変化もない。

だから、インド人は長らく、歴史というものを持たなかった。同じことが繰り返されるのだから、歴史を記録しても意味がない。逆に言えば、歴史を遺すとは進歩を前提にした営為であり、学問だった。過去のことを参考にすることで同じ過ちを繰り返さない、というのが歴史の生まれた目的だからね。

したがって、そうした考えのないインドには歴史という観念がなかった。ブッダの生まれた年とか、そうした記録はまったく存在しない。今はだいたい、このくらいの時期に生まれただろうと言われているのは欧米人とか日本人が研究して分かったこと。それ以前にはブッダの生まれた年なんか調べても意味がないと思われていたんだね。

## 仏教における歴史観とは

でも、それよりももっとメジャーなのは「下降史観」だよね。つまり、世の中は時間の経過とともに悪くなっていく。すべての始まりの段階では調和が取れており、人々の争いもない。それがどんどん劣化していく。果物だって放置しておけば腐っていくように、歴史だって時間が経過すれば腐敗していく。それを日本人は「初心忘れるべからず」という表現で表わしたりもするわけだけれども、この下降史観が日本史上、最も力を持ったのは鎌倉時代だった。

その根拠になったのが仏教思想だ。

仏教では釈迦が悟りを開いて、仏教を直接教えたのがもっとも優れた「正法の時代」と言われる。釈迦入滅後の社会が「像法の時代」と言われていて、それがさらに劣化して、どうにもならなくなるのが「末法の時代」。仏教的な歴史観では、歴史をこの三つ（三時）に分ける。

この末法の時代には釈迦の教えは残ってはいるが、それを実践する人も制度もなくなってしまう――日本ではこの末法の時代が一〇五二年から始まると考えられていた。つまり王朝時代の末期、ちょうど前九年の役（一〇五一年）で、源氏が台頭してくるころにあたる。だから、鎌倉時代になると「現代は末法の時代だ」と認識する人が増えてきた。実際、その後には南北朝の争乱が起きて、日本の皇統が二つに分裂するという深刻な事態まで起きてくる。まさに「末世」という感じだよね。

こうした下降史観を持っている人は今でも多いよね。

昔は人情もあって、のんびりしていてよかった。放っておいても昇給があって、ボーナスが出たということをさかんに回顧するのは、まさに下降史観だね。果物だって放っておけば腐敗するわけだから、世の中も時間が経つにしたがって腐敗していくという考え方は生活実感にも近い。「昔はよかった」という人たちは下降史観なんだよ。

## 現代に甦った下降史観

現代において、この下降史観を甦らせた人は、たとえばシュペングラーだ。彼は『西洋の没落』（中公クラシック。村松正俊訳）の著者だ。もう少しあとだとオルテガ・イ・ガセット。聞いたことある？

（N）『大衆の反逆』を書いた人。

彼の主要著作は二つあるよね。『ドン・キホーテをめぐる思索』（未來社刊、佐々木孝訳）。もう一つは『大衆の反逆』（岩波文庫、佐々木孝訳）。『ドン・キホーテをめぐる思索』の中で、彼は「私とは、私と環境である」と。こういう規定をしている。私自身という意味で個人というのは存在する。だけど、環境は「私」につねに影響を与えているので、その相互作用でしか「私」というのはあり得ないんだと。これはひじょうにいい定義だと思うよ。

それから『大衆の反逆』ね。大衆社会になって、くちばしを挟んではいけないところに大衆が入ってくると、ろくな政治は行なわれない。芸術なんかもどんどん下品なものになって、ポルノみたいなものが横行してくるとか書いている。彼は古代ギリシャ詩人の言葉を引用して、「われわれの祖父母は、われわれの祖父母よりもレベルの低い父と母を残し、父と母は、父と母よりレベルの悪い私たちを残した。私たちはきっと、もっとレベルの低い子孫を残すだろう」と述べた。こういう下降史観を打ち立てていって、その文脈の中で、彼はスペインの現実の中にファシズムの誕生を見、ソ連の中にスターリニズムの隆盛を見るわけだよね。

オルテガ・イ・ガセットには、ある種のエリート主義があるけれども『大衆の反逆』は、その大衆が地上にどんどん増えることによって、人類の中の貴族的な部分がどんどん奪われていくことによって文明も崩壊に向かっていくと考えた。

もうちょっと「社会進化論」の続きを読もう。

これには二つの流れがあった。一方の代表はイギリスのH・スペンサーであり、彼は、社会は生物進化と同型の原因と理論によって、不可避的に進化し進歩すると考えた。（前掲書、同）

## 独学の人スペンサー

スペンサーというのは本当に独創的な思想家だ。公教育では全然教育を受けていない。全部独学の人です。ダーウィンは制度化された学問の人だよ。博物学の教育も受けているし、軍事学を受けているし、神学の講義も受けている。ハーバート・スペンサーは完全に自分だけで独自説を考えて、マスコミで活躍した人。そんな人だから、ハーバート・スペンサーは大衆受けをするわけなんだ。

もう少し続きを読もう。

南北戦争後のアメリカは保守的色彩が強まり自由放任経済が歓迎されたため、スペンサーの思想はイギリスでよりもアメリカで受け入れられた。A・カーネギーをはじめ多くの経済人や知識人が〈適者生存〉（スペンサーの造語）や〈生存競争〉ということばを口にした。アメリカのスペンサー主義の代表は社会学者W・G・サムナーであり、彼は経済社会への国家の介入は極力退けるべきだと主張した。（前掲書、同）

## アメリカ社会を理解する上で欠かせない「社会進化論」

サムナーの著作は一九七五年に研究社が出した『アメリカ古典文庫18　社会進化論』（後藤昭次訳）に収録されている。実は社会進化論はアメリカで決定的に重要なんだ。トランプとかを含めて、アメリカ人の基本的な発想にはこの社会進化論が今でも底流に流れている。たとえばアンドリュー・カーネギーもそうだね。アンドリュー・カーネギーはスコットランド移民だったんだけど、努力して一代にして「アメリカの鉄鋼王」と呼ばれるようになった。その彼が書いたのが「富の福音（ふくいん）」という論文。要するに富を集めれば集めるほど立派な人間になるというのが彼の主張だ。それに対応する形で書かれているのが「貧困の利点」。この二冊とも先ほど紹介した『アメリカ古典文庫18　社会進化論』に収められている。貧しくても他人から援助や福祉を受けないほうがいい。貧困の中でも頑張っている人が生き残っていくんだという主張だ。要するに他者から援助、福祉は必要ないという。ただ、その中で富豪になった人は社会に還元するのが正しいという、一種の俗物哲学、成功哲学なんだけれども、彼の思想がいまでもアメリカ社会の根底にある。

アメリカ人は哲学がないからね。アメリカだと、金を持っている奴は尊敬される。だから、大学は授業料が高ければ高いほど立派な大学と尊敬されるわけ。ハーバード大学だったら、今、年間八〇〇万円から九〇〇万円でしょ。年間だぜ。大学院まで行くと五四〇〇万円くらいだからね。そういう学校を卒業できるというのは「金がある家の子どもだ」と認識され、尊重される。

## ヨーロッパでは金持ちは尊敬されない

一方、ヨーロッパは金持ちというだけでは、全然尊敬されない。たとえばアメリカにはトランプ一家に象徴されるように、成り上がりの一家が「セレブ」として、マスメディアが注目するんだけれども、フランスで成り上がりの金持ちが尊敬されている、庶民の憧れになっているという話を聞くかな？　ヤキモチも混じってはいるけれども、とにかくものすごく侮蔑されるよ。

アメリカは、金さえ持っていればひじょうに快適に暮らせる。ヨーロッパは金だけ持っていても快適に暮らせない。Uさん、あなたフランスに行っていて、どうだった？ 楽しいところだった？

（U） 楽しいところもありましたけど……。

フランス人は結構人種偏見が強いよね。

（U） 強いですね。

特にあまり教育が高くない白人たちの偏見や差別はあからさまだ。教育の高い連中は心の中でそう思っていても、それを外に出さない。それだけタチが悪いとも言えるんだけどもね。

私もロシアとイギリスで仕事をしたけれど、イギリスよりもロシアのほうが心情的にひじょうに楽だったね。ロシア人は少なくともわれわれモンゴロイドに対する人種的偏見はゼロだから。

イギリスではトイレの清掃であるとか道路工事は、白人はやっていない。ところがロシアに来ると、いくらでも金髪碧眼の白人が肉体労働に従事しているし、管理職でモンゴル系の人がたくさんいたりして、全然抵抗感がない。そこのところは全然違う世界だったよね。

それはともかく、人種主義はこれから一層、出てくるだろう。

人種主義は第二次大戦で完全に封印されて、アメリカも公民権運動で封印されたということになっているけれども、それは建て前の世界だ。アメリカのテレビドラマを見るでしょ。そうしたら裁判官も陪審員も半分女性、半分男性で、なおかつ白人と黒人・ヒスパニックの比率もだいたい同じになっているでしょう？　実態においては絶対にそんなことはない。そういうアメリカの建て前はよく理解したほうがいい。見えないところに人種意識がある。

## 新自由主義の根っこは社会進化論

これはアメリカ学ではきちんと教えてくれないことなんだ。アメリカの人種偏見は単に路上で起きているだけじゃない。今はＢＬＭ運動とかでアメリカは騒乱状態になっているけれども、警察に撃ち殺されるという形での人種偏見は分かりやすい。でも、そうではなくて、社会の深層に潜り込んでいて、外からは見えない人種差別がある。それが、ここでいう社会進化論なんだ。いわゆる新自由主義経済思想だって、この社会進化論を根っこにしている。それだけアメリカ人のエリートにも深い影響を与えている。トランプ大統領の出現にしても、それはこの社会進化論に由来していると言える。

先ほど紹介した『アメリカ古典文庫18　社会進化論』は、サムナーの「社会学」「戦争論」「いくつかの自然権」「国家干渉」「忘れられた人々」「民主政治と金権政治」「富の集中」「世界を変革しようとする滑稽な努力」、ウォードの「動態社会学」「文明の精神的要因」「応用社会学」、カーネギーの「富の福音」「貧困の利点」といったあたりが収められている、いい選集ですよ。でも、こういうような俗物哲学は、普通は大学でやらないからね。しかし、下品だけども今でも影響力を持っている。思想のレベルの高さと社会的な影響力というのは、まったく独立しているからね。

## アーネスト・ゲルナーのマトリックス

思想のレベルと、社会的影響力については、イギリスの優れた社会人類学者のアーネスト・ゲルナーが『民族とナショナリズム』（岩波書店刊、加藤節訳）という本で次のように、マトリックスとして四つに分けている。

知的に洗練されていて影響力のある思想。
知的に洗練されていて影響力のない思想。
知的に洗練されていなくて影響力がある思想。
知的に洗練されていなくて影響力もない思想。

ここではとりあえず、二番目と四番目のは無視していいよね。世の中に影響がないわけだから。

知的に洗練されていなくて影響力のある思想というのは、わが同志社大学（中退）の百田尚樹さんが一生懸命そういったものを喧伝（けんでん）しているわけだけれども、知的に洗練されていないからといって、そういうのは無視できないわけなのよ。

こうした思想を「反知性主義」とラベリングするけれども、実はその中にはキリスト教会の偏狭な思想が入っている。

ハーバード大学の神学部を出たような知的エリートたちは実はこういう反知性主義を擁護して、「これらは民主的な運動だ」と評価しているけれどもダメだよね。日本でも国際基督（キリスト）教大学の森本あんりさんが、「『反知性主義』というのは知性万能で、新自由主義が蔓延するアメリカの現状に対抗しようとする思想なんだ」と弁護している。彼は反知性主義を保守という文脈で解釈しようとしているのだろうけれども、それは現代の問題意識の文脈を無視した議論だよね。

## 反知性主義とは何か

反知性主義というのは実証性・客観性を無視、もしくは軽視して、みずからが欲するように世界を理解する態度のことです。反知性主義者は、理性による説得がきかない。この人たちは基本的には理性自体を憎んでいる。「お前、何を理屈を言うんだ?」と、こういう話だから。

同志社の人には分かりにくい喩えかもしれないけれども、首都圏でも埼玉の北のほうとか群馬とか栃木とかあのへんに行くと、コンビニの前でウンコ座りをしてタバコを吸っている高校生がいるんだよね。一〇キロ圏内にイオンモールしかないような土地柄ね。

そういうところで「細かい理屈は分からないけどよ、今の日本は気合いが入ってないよな」とか言っている人たちが政治の中枢に入ってきたら困るんだよね。でも、そうした現象が今、アメリカだけではなく、世界中で起きている。

就活の中にも、こうした反知性主義が入り込んでいる。私は神学部の学生たちが就活で疲弊していくのを見て、つくづく同情しているんだ。斎藤環（さいとうたまき）さんの『オープンダイアローグがひらく精神医療』（日本評論社）という本が役に立つ。就活に直面する人は一度は読んだほうがいいかもしれないね。特に八章の「〝コミュ障〟は存在しない――開かれた対話と『コミュニケーション』」のところは必読だろう。

## 就活自殺はなぜ起きるのか

斎藤さんがひじょうに心配しているのが就活自殺だ。今、大学生の中で無視できない数の就活自殺が出ているわけ。彼はその就活自殺の原因は、一種の精神疾患がその中に隠れているという見方なんだよね。それは何かというと「承認依存症」。

斎藤さんは私とほぼ同じ世代なんだけども、私の学生時代だった前後には客観的な指標、たとえば「ナントカの試験に受かればいい」とか、あるいは自分の内面的な価値観――革命運動に従事するでも何でもいいよ――そういったものがあって、そのハードルを越えれば気分が落ち着けた。

でも、現代はそうした雰囲気が希薄になってしまっていて、自分でハードルを決めるのではなく「他者がどう評価をする」「他者から承認されるかということ」が死活的に重要になってきている。

かつて経済学者のケインズが「美人投票モデル」という話を書いた。「ここに一〇〇人の女性の写真があって、その中で一番美人だと思う人に投票してください。優勝者に投票した人にも謝礼を出します」という美人投票があったとする。

そうすると、投票者自身が最も美人だと思う人を投票するのではなく、他の人たちはどのような人に投票するのかというのを気にして投票する。他の人たちも同じようなことを考えて、いわば忖度(そんたく)による投票が行なわれる。「自分はちっとも美人とは思わないけれど、みんなが美人と思うのは、こういうタイプだろう」と、みんなが思うような人に票が集まる。

だから、本当に最も美人の人がミスコンテストで優勝するわけじゃないんだという話を彼の主著である『雇用・利子および貨幣の一般理論』の中で展開しているんだ。

この美人投票モデルが今やSNSの登場で拡大してきてしまった。

今(二〇一九年)は売り手市場だよね。だから、企業のブランドとか、大きさにこだわらなければそんなに就職するのは大変じゃない。実際、同志社大学卒だったら、問題なく就職先は見つかるだろう。

でも、今は「美人投票」の時代だから「自分はこれでいい」というのでは納得できなくて、「他の人たちは自分が就職するところをどう思うだろうか」ということを気にする。「やはり総合商社の方がカッコいい」とか「有名な新聞社がいいだろう」と、勝手に他者からの評価で決めてしまって、そこに入れないとなると、極端な例では「もう人生終わった」とか言って、自殺してしまう人もいる。

それはなぜかというと、まず第一に自分の価値がその会社に承認されなかったという絶望、それに加えて、理想の就職ができなかったために大学の仲間からも自分は受け容れられなくなるんじゃないかという不安……そういうことで「もう自分は価値のない人間だ」と思い詰めて、比較的簡単に自殺をする。ここのところは、承認依存という観点からメスを入れないと解決しないんだと斎藤さんは言うんだね。

本当のところを言えば、二十二歳や二十三歳程度の段階では、その人の本当の適性なんか分からないし、外から見ているだけじゃ、その会社の本質は分からない。見た目はみすぼらしくても世界で活躍している企業なんか、この日本にはまだまだ数え切れないほどある。そもそも日本の企業の九九パーセント以上は中小企業で、大企業に入るというのはごく少数の人でしかない。こういうことは冷静に考えれば分かることなのだけれども、承認依存症になっていると、それが分からなくなる。有名企業、大企業に入らないと人生が終わったような気がするんだけど、そういう企業よりもずっとホワイトな会社は中小企業の中にもいっぱいあるんだよね。

## 高齢化社会と承認依存

私はもうすぐ六十歳なんだ。サラリーマンで言うと定年退職の歳だけど、六十歳を回ったとたんに、しょぼくれる男は多いよ。それも年収一八〇〇万円くらい。つまり月平均で一五〇万円くらいの収入があった人たちが特にひどい。一気にしょぼくれちゃう。

年収一八〇〇万円といったら、サラリーマンの頂点ですよ。そういう人たちが六十で定年退職する。年金が出るのは六十五歳からだから、それまで働かないわけにはいかない。そこで元の会社に再雇用になるんだけど、それだと月給が三〇万円で固定。客観的には少なくはないけど、一気に月収が六分の一になるわけだから本人にとってもショックは大きい。でも、再雇用だと仕事は楽になるから、そんなところが相場になる。

私の周辺でも何人かいるんだけどね、「俺、人間の価値が五分の一になったみたいだ」と言うんだよ。しょせん再雇用なんて年金が出るまでの六十五歳までのつなぎなんだから、ひと月三〇万円入ればいいじゃないと言っても、全然そういう感覚になれない。本当にそこで老け込んじゃう。

あるいは、大学病院に行くでしょ。朝の六時くらいから六十代後半から七十代前半くらいの人たちが待っている。男が多い。何をやっていると思う？　病院の番号札を少しでも若いのを引きたい。それで「俺は何番だった」と自慢しているわけ。彼らは特に病気があって通院しているわけでなくて、病院で定期検査をするだけなんだけれども、そういう患者で午前十時くらいまで待合室が異常に混むんだよね。そんなところで競争をして、若い番号札を取るのに燃えている。それもまた承認依存症の一種だ。

東京の図書館は最近、警備員が入っているんだよ。なんでだと思う？　それは六十代の初老の人たちが来て、新聞争奪戦をやって、小突き合いとか怒鳴り合いをする。それを収拾するために警備員が必要になる。

というのも退職してしまうと、家でまず日本経済新聞を切られちゃうんだよ。「もういいでしょ、新聞は一つあれば」と奥さんから言われる。日経新聞の購読料は他の新聞よりも高いからね。でも、日経新聞を読んでいないと、ビジネスマンとしての沽券(こけん)に関わる気がする。だから図書館に毎朝通って日経新聞を読みに行く。そこで「早く読み終えろ」なんて争奪戦が起きて、怒鳴り合いとかになったりする。

これも一種の承認依存症だよね。承認依存は就活生だけでなくて、六十を越えた人でもたくさんあるわけだよ。こういうような病理現象の背景には、過度な競争原理がかならず忍びこんでいる。ダーウィンの進化論はこういうところにも影響を与えている。

### 「消費税は逆進性が高い」という議論の嘘

では、さっき読み上げたところの最終文を読んで見直してみよう。

> アメリカのスペンサー主義の代表は社会学者W・G・サムナーであり、彼は経済社会への国家の介入は極力退けるべきだと主張した。（前掲書、同）

経済社会への国家の介入を極力退けるとどうなる?
（N）完全に弱肉強食の世の中になります。
そう。弱肉強食になる。強者がどんどんどんどん強くなっていくということになるよね。日本維新の会とか名古屋の河村市長は、減税を主張しているでしょ。これは結果として、富裕層と貧困層のどちらが有利になる?
（N）富裕層。
減税は富裕層に有利になる。減税をすると、結果において所得の再分配が減るわけだから、貧困層は不利になる。ところが減税政策というと「とりあえず自分たちの可処分所得が増える」ということで貧困層が政策を支持しちゃうわけだよね。

ちなみに、消費税は逆進性が強く、弱者いじめになると言われているね。でも、この理論は間違えているんだ。どこが間違えていると思う?

たとえば消費税で弱者イジメを減らすために、食品については消費税一〇パーセントを軽減税率八パーセントにするという。でも、これではキャビアを一オンス四万円くらいで買う人も、グラム一〇〇円の豚肉を買う人も消費税額は同じ八パーセント。すると、結果的に得をするのはキャビアを買う富裕層だよね。キャビアを買うことで彼は八〇〇〇円の消費税を節約できるが、豚肉の人は二円の節約に過ぎない。

そこでみんな「消費税は逆進性があって、貧困層に不利だ」と言うわけだが、この議論には穴がある。どこかが間違っている。どこだと思う?
(N) 富裕層のほうが消費能力があるから。
そこはちょっと違う。だっていくらお金があっても毎日、キャビアを一キロ消費するかい?そんなことをしたらたちまち痛風になってしまうからそんなことは非現実的だ。いくらお金持ちになったからと言って消費するカネには限度がある。その点、貧困層は入っただけのお金を消費に回すから、消費税の負担は大きくなる。

そういう意味では消費税には逆進性があるんだけれども、日本だと消費税を一パーセント上げると、二兆五〇〇〇億円くらいの増収になる。それを再配分する形で貧困層に回せば、逆進性はかなり解消される。そのためには消費税を福祉目的税としてきちんと定義して、他のことに使われないようにするのが不可欠だけれどもね。

日本の政治家たちは福祉に関して、大きく二つのグループに分かれている。①低負担・低福祉、②高負担・高福祉がそれだ。

Nくん、①の社会福祉を採用している国はどこだ？

(N) アメリカです。

では、②のほうはどうかな？

(N) 北欧諸国でしょうか。

たとえばスウェーデンでは最高税率は五六パーセント。それで消費税は二八パーセント。両方合わせると八四パーセント持っていかれちゃう。典型的な高負担・高福祉国家だ。

では、日本の最高税率は所得税でどれくらいだと思う？　日本の最高税率は結構高くて四五パーセント。それで住民税は一〇パーセントでしょ。それから復興税。東日本大震災の関係で、今は二パーセントの税金を取られるだろ。復興税が二パーセント。消費税が一〇パーセントだから、そうするとわれわれ個人事業主は最大六七パーセントの税金を払っている。一万円入ってきても三三〇〇円しか残らない勘定だ。

## 大学入試は儲かるビジネスか？

そこで「これではたまらない」と思った私は宗教法人・三毛猫(みけねこ)崇拝教というのを作るとする。猫を通じて世界を平和にするというのが教義だ。

（学生一同）（笑）

そういうふうな宗教を作ったとしたら、そこのところで一〇〇万円が入ってきたら、税金はいくら払うと思う？　何パーセントくらい払うと思う？

（N）宗教法人だと少ないんですよね。

宗教法人は法人税は0（ゼロ）パーセント。お布施、献金のたぐいはすべて無税。せいぜい税金がかかるとしたら、何かおみやげものみたいなのを売ったときくらい。ではわが同志社大学では？これも0パーセント。学校法人も基本は無税なんだ。

Tさん、あなたはセンター試験で入ってきた人？　だったらいくら受験料を払ったか覚えているか。センター試験の受験料は一万八〇〇〇円。で、その次に同志社を受けるときに受験料を払ったかは覚えている？

（T）三万円くらいですか？

いや、さすがにそこまで同志社はがめつくないよ。私の記憶だと一万七〇〇〇円くらいだと思う。つまり合計で三万五〇〇〇円というわけだ。

さて、そのセンター試験の受験料のうち、いくら同志社大学はもらっていると思う？　Sさん、予想してみて。

（S）半分くらいですか。

正解は一万六四六〇円が同志社に入ってくる。センターのほうには五四〇円しか入っていない。意外でしょう？　これだと同志社にもし一万人の受験者があったとしたら、収入はどうなる？　一億六四六〇万円だよね。もし、三万人もセンター試験で受けてくれたら五億を超える収入が無税で入ってくる。毎年、ビルの一つくらいは建てられるね。

でも、実際のところ、センター試験からどのくらいの学生が受験してくれるかは分からない。そこで同志社の場合はあえてセンター試験の基準を高くして、なるべくセンター試験の依存度を高くしないようにしているわけ。もちろんそうすると経営的には厳しくなるよ。

明治や中央なんかは逆にセンター試験の比率を上げている。こちらのほうが経営は楽になるからね。でも、これは一種の麻薬のようなもので始めたらなかなか止められない。しかもそれを続けると第一志望の学生も減ってしまうという副作用がある。

## 真のリーダー、エリートとは

ちょっと話がズレてしまったけれども、資本主義システムというものは何事も、数字、つまりお金で換算していっちゃうからね。それはひじょうに怖い。と同時に、資本主義システムでは金儲けは否定できない。

このシステムの中で生きていくことは、すごくむずかしい。

このシステムは良くないのは分かっているし、このシステムの中で社会的に上昇していくことだけを人生の目標にしていくのは、けっしていい人生ではないよ。しかし、かつてのような階級社会と違って、どんな人にも社会的に上昇できる可能性がある。だから資本主義の日本で、君たちがより良い収入を得る可能性があるのだったら、その可能性は使ったほうがいい。

資本主義システムの中においてスペックをきちんとつけて、そして高収入な場所で社会的な地位が上昇するということは、それだけ可能性が広がるということだし、また高い所からでしか見えない世界はある。

それと、これは決してお世辞ではないけれども、私は東大でもモスクワ大学でも教えたし、早稲田と慶応も教えたし、いろいろなところを経験しているんだけども、同志社の学生たちの水準は東大生やモスクワ大生、あるいは早慶とまったく変わらない。ただ裾野はうちのほうがちょっと広いけどね。

関東の大学の場合には……ことにＭＡＲＣＨと呼ばれる、明治とか中央とか法政といったところの問題は何かといったら、関東では偏差値による序列が強くなった。その結果、本当に名門私立大学というところに特色がなくなってしまった。大学ごとに平均化してしまい、偏差値レベルで見ても、突出した数字の学生はいなくて、みんな金太郎飴になっている。

その点、関西の私大の場合は――特に同志社と関学は――学生のレベルの幅が広い。東大や京大、あるいは早慶クラスに進学してもおかしくない大学生がいる。しかも関西は東京に比べたら学ぶ環境に恵まれていて、勉強時間も長いよね。

同志社では二〇二一年を目標に教育寮を作る予定だ。この教育寮には将来のリーダーになりそうな学生を二〇〇人くらい入れて、もちろん寮費は大学が全部負担して、教員たちもそこに住み込んで、かなり高度な教育をやろうと考えている。こういう試みができるところも私学の良さなんだ。

このサイエンス・コミュニケーター養成講座（あとがき参照）にしてもその精神は同じ。私立大学にはまだ自由なところがかなりあるから学部横断的で、特にリーダーとしての資質があるというか、意欲があって能力がある人を引き上げるということを目的にしている。

ただ、そこのところで「我々は社会のエリート候補、将来が保証されている」と思うような、下らない人間を作ることがわれわれの目的ではないわけ。逆に高みに立ったら、そこから社会に還元できるような、そういった人間にならないといけないと思う。

もしエリート層がそういう人間じゃないと、その集団は滅びるよ。そんなメッセージを伝えたくて、この授業をやっている。そうした中で、今日、扱っているのが俗物哲学であるというのが面白い。世の中には、こういう発想で動いている人たちがものすごく多いわけだ。それで成功する人もいるし、諦めちゃう人もいるし。

ここではもちろん、そうした俗物哲学は全部変な考え方であって、それをどのように脱構築していくかということが最終的な結論になるわけだけれど、まずは寄り添って変な考え方の人たちに付き合おう。

## 競争原理を支えるもの

じゃあ「社会進化論」の続きを読んでみよう。

社会進化論は英米系が中心だという印象が強いが、社会ダーウィニズムをも含めて考えるとすると、もっと太い流れがドイツにあった。ドイツにおける進化論啓蒙の最大の功労者はE・H・ヘッケルである。彼においては、進化論はあらゆる現象の根本原理となり、世界のいっさいは一元的な〈もの〉の進化生成発展の結果だとする〈一元論〉を展開して、ドイツ思想界に圧倒的な影響を与えた。生得的能力差と生存闘争が人間社会の基本だとするヘッケルの社会観には、ドイツの社会ダーウィニズムの虚無的な性格がよく表れている。(略)欧米における進化論の啓蒙期と明治の西欧思想のとり入れ時期とが重なったため、日本には大量の西欧思想の一部として、最新の社会ダーウィニズムも流入した。その代表は東大総長、貴族院議員を歴任した加藤弘之である。彼は《人権新説》(1882)を著して、それ以前の自説を撤回し、人間においても生存闘争による優勝劣敗は必然であると力説した。(平凡社『世界大百科事典』米本昌平)

こういうように、日本にもダーウィンを換骨奪胎(かんこつだったい)した競争原理が入ってきちゃうわけだよね。

## いい学者を見つけるコツ

『種の起源』をみんなで読む場合には、渡辺政隆さんの訳(光文社古典新訳文庫)がいい。で、この人は本当に優れたサイエンス・コミュニケーターです。野口範子先生(同志社大学生命医科学部、学部長)のお友達ですよね。

（野口）昨日も会ってきました。

どんな感じの人ですか。

（野口）とてももの静かなんですけど、すごく知識が広いですし、最初のコミュニケーターをどうやって総括していくかということをすごく真剣に考えておられています。

なるほど。いい学者を見つけるというのは専門家のコツがある。翻訳書があるかどうか。監訳はダメよ。監訳は名義貸しだけの場合があるから。翻訳書がきちんとある学者は、特に人文系なんだけどね、若い頃にその分野にきちんと取り組んでいたということと、その対象を扱うだけの語学力があるということ。翻訳書がなくて気が利いたようなものを書いている人は危ない。だから私は学者を評価するときにはかならず翻訳業績があるかどうかを見る。翻訳は大変。訳をすればかならず誤訳が出てくるしね。文句をつけられるし。それから翻訳というのは印税が安いし、あまり売れないし、全然金儲けにならないからやりたい人しかやらない。

## なぜ日本では進化論が抵抗なく受け容れられたか

さて、このダーウィンの『種の起源』だけど、平凡社の『世界大百科事典』によれば、立花銑三郎（せんざぶろう）により『生物始源（一名種源論）（いちめい）』というタイトルで一八九六年に訳されたのが最初だという。オリジナルの『種の起源』は一八五九年に初版が出た。ただ、これはあまり読まれなかったようで、第二版以後、徐々に読まれるようになったと言われている。

Iさん、なんで日本では一八九六年という、ほぼリアルタイムで『種の起源』は訳されたんだろう。言い換えれば、なぜ日本ではダーウィンの仮説を知りたい、読みたいという需要があったのか。

（Ｉ）日本にはキリスト教の土壌がなかったからです。

その通り。キリスト教的な人間観というのはどこに特徴がある？　動物と人間の違いはどこにある？

（Ｉ）神によって創られた。

動物も人間同様、神によって創られた。海も山も神が創ったし、動植物も全部神が創った。ただし、人間だけは神様が創ったとき、その鼻に、口からフッと息を吹き込むんだよ。その「神が息を吹き込んだ」という事実によって、人間には特権的な地位があるという考え方をするのがキリスト教。

狼男というのはどういうもの？　狼男と化け猫はどこが違う？　狼男というのは、何かとんでもない悪い奴がいて、そいつが追放になると。それで森の中に行くんだけど、あまりにも悪い奴だから狼になっちまって、それで夜な夜な吠えて人を襲ってくるという話だよね。

つまり狼男は元々は人間であって、それは罰によって狼にさせられたという構造だよね。

一方の化け猫はどういう話？　たとえば鍋島（なべしま）藩の化け猫騒動では、殿様が碁が好きで家臣と指していたら敗けそうになったのが悔しくて、斬り殺してしまう。それを知った母親はその悔しさを猫に告げて自分も後追いで自殺してしまう。この母親の血を舐めた猫が化け猫になって、その殿様を苦しめるという物語だよね。

面白いことに、この鍋島の化け猫騒動のような話は欧米のキリスト教圏には存在しない。逆の狼男パターンはあるけれどもね。

つまり、日本にはキリスト教圏とは逆のベクトルがあるというわけだ。仏教の輪廻転生思想では人が動物に転生することもあるし、猫が動物に転生するという——つまりそれを畜生道に堕ちるというんだが——こともある。

また日本には異類婚姻譚(いるいこんいんたん)というのもたくさんある。有名なところでは「鶴の恩返し」、「鶴女房」だ。

あるとき貧しい男が、傷ついた鶴を救う。すると、ある晩、美しい女が男の家に訪ねてきた、泊めてくれと頼む。そのまま女は男の妻になるんだけれども、機織り(はたお)をさせてくれと男に言う。男は許すのだけれども、女は「一つだけお願いがあります。この機で織った織物を売ってカネに換えてほしいのだけれども、機織りをしているところだけは絶対に覗(のぞ)かないでほしい」という。でも、男はその約束が守れなくて、女の機織りを覗いたら、機を織っていたのは人でなくて、鶴で、鶴は自分の羽根を抜いて布を織っていたんだよ。それで女は「あなたは約束を守れませんでしたね」と言い残して、天に飛び立って二度と戻ってくることはなかったというわけだ。

### 「鶴の恩返し」に秘められたコード

この「鶴の恩返し」は面白い話だよね。

この自然界には掟がある。助けてもらった鶴は、助けてくれた人に恩返しをしないといけない。しかしそこにはコード（掟）があって、姿を見られたら戻らないといけない。

この話の舞台を現代に置き換えてみると面白いよ。親切な男だと思って恩返しに行ったら、妻の稼ぎに頼りっぱなしの、とんでもないDV男だった。お酒も飲むし、女郎屋にも行ったりする。それを見越して鶴は「絶対に中を覗かないで」というルールを作ると、やはり男はこの約束も守れない。そこで鶴としては「恩返しをすべし」という縛りから自由になって帰って行くという物語になるんじゃないかなと想像したりもするけれども、この手の話を昔から民俗学では「異類婚姻譚」という、日本人はここでも鶴のような動物が人間と結婚するという話に抵抗感がなかったことが分かるというわけだ。

### 国家の危機管理監だった陰陽師

あるいは、上京区にある晴明神社に行ったことはある？　祀られているのは平安時代の陰陽師である安倍晴明。映画の『陰陽師』（滝田洋二郎監督）は面白いから観てみたらいいね。野村萬斎が見事に安倍晴明をやっているよ。

安倍晴明というのは時の権力者である藤原道長のアドバイザーなんだよ。身分はそんなに高い家ではない。

そもそも陰陽師というのは、御所の中にあった陰陽寮に仕えていた人。陰陽寮には三人の博士が常駐している。一人は天文博士。これは文字通り、天体の運行を観て、それが政治にどのような影響を与えるかを研究する。いわば占星術のプロ。二人目は漏刻博士。彼は時刻を管理する係。漏刻というのは水時計のことなんだけれども、正しい時刻が分からないと天体の位置が分からないから大事な仕事だ。

ちなみにKさん、明治維新になるまで日本の時刻は一つ、二つ、三つと数えた。この「一つ」分は何時間に相当した？

（K）だいたい二時間くらい。

教科書にはそのように書いてあるけれども、日本の「一つ」は決まった時間の長さがなかった。それはなぜかな？

（K）暦が違うからですか。

暦が違うというのは、具体的にどこが違ったんだろう。江戸時代までの時の刻み方は、日の出と日没までを六等分、日没から日の出を六等分していた。もちろん季節によって、日の出と日没の時刻は異なってくるから、「一つ」の長さが違うわけだね。だから「約二時間」としか書けない。

でも、そんな曖昧なことでは正確な星の位置は測定できないから、水時計を使って絶対的な時の長さを測る。それが漏刻博士の仕事。

この天文博士と漏刻博士の仕事によって、国家の運営は決まってくるのだけれども、突発的に起きてくる国家に関する危機や災難を管理するのが陰陽師。陰陽師は式神と呼ばれる使い神を駆使して、災いをもたらす鬼などを退治するわけだ。

この式神はどこに住んでいるかというと、一条戻橋の下。というのも京都の中で最も化け物が出てくるのがこの一条のところ。

今でも京都の人たちは結婚式のときには一条戻橋は通らない。あそこを通るとかならず出戻りになると信じて疑わないんだ。今でも一条戻橋は京都の中でも一番のマイナスの「パワースポット」だからぜひ一度行ってみたらいいよ。

現代的な解釈をすれば、式神というのは超自然的な存在ではなくて、橋の下に住んでいた被差別民だろうね。彼らには彼らの情報ネットワークがあって、朝廷などではとても集められないアンダーグラウンドの情報を集めていて、それを陰陽師経由で藤原道長に報告していた。だから陰陽師というのは一種のインテリジェンス・オフィサーだったと思われる。最下層民を権力側が利用するというのはよく行なわれてきた手法だ。

で、この一条戻橋の下にいた式神が集めていたのは、分かりやすく言うと「人のヤキモチ」に関する情報だ。誰それが誰を恨んでいる。誰が誰に復讐をしたがっている……そういうのを聴き取っていたんだろうね。

なぜここでこんな話をしたかというと、この安倍晴明には「晴明は摂津国の阿倍野の武士であった安倍保名が和泉国の信太の森に棲み着いていた狐の化身とちぎって生まれた子である」という伝説があるからなんだ。安倍晴明は異類婚姻譚の典型で、だから人並み外れた能力を持っているんだと解釈されたわけ。つまり、日本では動物は超自然の存在で、動物と人との間に生まれた人間は畏敬の念の対象になっているわけなんだ。

こうした動物観、自然観があるから、日本人は進化論が入ってきてもまったく抵抗感がなかった。だから日本では一八九六年という、早い時期に最初の翻訳が出たし、それ以後もたくさんの翻訳書が発行された。

そこで大事なのは、日本における進化論は最初から「真理」として受け止められたということだ。ヨーロッパではそれが未だに「仮説」扱いされていて、今日でもアメリカの一部の州では進化論を教えなかったりする。

その代わりに教えられているのがインテリジェント・デザイン（ＩＤ）という思想。憲法上、アメリカでは公教育の場では聖書の『創世記』を教えることはできないから、「何か、インテリジェントな存在、知性を持った存在があって、この世界を創造したんだ」という説明だったら宗教は関係ないだろうというわけで、このＩＤ教育をしている学校がアメリカにはあるんだよ。そのくらい進化論は特にアメリカで拒否感が強い。

でも、日本では進化論に対する宗教的な拒否感はまったくないから、最初からストレートに「科学上の真理」と受け止められている。それが無批判に競争原理が肯定されるということにもつながっているし、さらにはそこから承認欲求が広がっているというふうに理解できるわけだよね。

## 日本の学生に勉強嫌いが多いのはなぜか

競争原理の受容、受け容れということに関して、ちょっとだけ話を広げると、韓国にも似た傾向があるんだけども、日本の大学生は世界の大学で際立って勉強嫌いが多い。それはどういうことかというと、高校を出るまでに徹底的に勉強嫌いにされちゃうわけ。

偏差値というのは何かというと、二つの要素があるんだよ。加熱と冷却。まず「偏差値を上げろ」と。特に高校入試だよね。高校入試の場合にはまず浪人になるという選択がない。ほとんどの人が浪人を選ばずに、どこかの高校に行く。そういう意味では大学入試よりプレッシャーが高いとも言える。だから中学在学の時点で、まず日本の若者は偏差値競争という形で、「勉強しないと大変なことになる」と親や教師から加熱される。

ところが、いざ高校入試という段階になると、そうした気持ちが急速に冷却される。君たちもそうだろうと思うけれども、入試が近くなってくると教師が偏差値データなどを持ち出して、「ここを受けなさい」と言われる。「この学校は君の身の丈にはちょっと高いから諦めて」とかまで言われるわけだよね。特に公立については一校しか受けられないから、なるべく安全なところを受験させたがる。一生懸命勉強してきたのに、自分が進学したい、受験したい学校を受けられないなんてひどいよね。でも、それが実際に行なわれていて、高校受験の段階で一度、気持ちが冷えてしまうわけ。

そのあとの大学入試も基本的には同じパターンだよね。過熱と冷却。就活のときもいろいろ就活情報サイトを回ってみて「ああ、うちの大学だとこれくらいか」ということで冷却させるでしょ。競争システムの中で常に加熱と冷却がついている。

同志社の松岡敬前学長と話していたら、彼は金属の専門家だから、加熱と冷却と聞くと

『焼き』を入れる」という話を連想する。「焼き」とは刃物を作るときに加熱と冷却を繰り返すことなんだけれども、焼きを入れることによって刃物は鋭利になるが、その反面、折れやすくもなる。

それと同じで、日本の受験生は心が折れやすくなっているんだ。つねに偏差値という形で他人からの評価にさらされる。しかもその偏差値が加熱にも冷却にも使われる。そういう中で模擬試験なんかをやっていたらどうなる？　自信がつくかな？　それとも折れやすくなる？　こんな精神状況ではいくら勉強をしても記憶に定着するはずはない。

これでは大学に入っても、もう前向きな気持ちにはなりにくい。たしかに合格できてラッキーだとは思うけれども、あまりにも焼きを入れられすぎているから、大学で学ぶことに対してモチベーションを持てなくなってしまっている。しかも、ぼんやりしていると今度は就活だという話になる。そしてここでも加熱と冷却が起きる。これでは学知が身につくという話にならないよ。

ヨーロッパやアメリカは日本に比較すると大学に進学する比率は少ない。よく私のところにも「大学の新歓で講演してください」「何を学ぶべきかのレクチャーをしてください」という依頼が来るけれども、欧米ではそれはありえない。何を学ぶかのテーマが決まっていないで大学に進学する人はいないわけだから。

こうした現象が起きるのは、後進国というポジションから発展した日本という国の、まだ一五〇年の発展の歴史しかないというところから起きる構造的欠陥なんだと思う。

これを克服するには根底から脱構築しないといけないわけだけれども、しかし、この現実の競争の中で勝ち抜かなくてはいけないという直近の問題もある。二つの問題に君たちは直面している。

そこのところは大学の先生も分かってはいるんだろうけれども、このどちらかの問題にしか触れない。「競争に負けるな」という人もいるだろうし、「この現実のほうに問題があるんだから、無理して競争に参加しなくてもいい」という人もいるだろう。しかし、両方ともいい先生ではないと私は思う。両方の現実と向き合わなくてはいけないと思うんだ。

そのことは追々(おいおい)話していくことになるけれども、その現実認識をここでは持っていってほしい。

第2講

# 今も残る「社会進化論」の害毒

## ハーバート・スペンサーとは何者だったか

さあ、いよいよハーバート・スペンサーの話だ。少し、彼についての記述を読んでみよう。

【ハーバート・スペンサー Herbert Spencer 1820〜1903】19世紀イギリスの哲学者、社会学者。ダービーに教員を父として生まれた。学校教育を受けず、父と叔父を教師として家庭で育った。ロンドン・バーミンガム鉄道の技師（1837〜45）および《エコノミスト》誌の編集部員（1848〜53）を経て、1853年以後死ぬまでの50年間はどこにも勤めず、結婚もせず、秘書を相手に著述に専念した。大学とは終生関係をもたない在野の学者であったが、著作が増えるにつれて彼の名声はしだいに高まり、とりわけその社会進化論と自由放任主義はJ・S・ミルや鉄鋼王A・カーネギーをはじめ多くの理解者、信奉者を得て、当時の代表的な時代思潮になった。晩年は栄光に包まれただけでなく、その思想はアメリカにW・サムナーのような有力な後継者を見いだして、1920年代アメリカの社会学、社会思想の中枢をなした。（平凡社『世界大百科事典』富永健一）

スペンサーは在野の思想家なんだよね。日本でも時々そういう在野の思想家はいるよ。たとえば、みなさんの世代だと知らないかもしれないけれども、山本七平なんていう人がそうだよね。アカデミックなトレーニングを受けてはいないけれども、特殊な影響を与えることができるような人たちがいる。続きを読もう。

彼の主著は膨大な《総合哲学体系 A System of Synthetic Philosophy》（1862～96）で、全10巻の構成は、第1巻《第一原理》（1862）、第2～3巻《生物学原理》（1864～67）、第4～5巻《心理学原理》（1870～72）、第6～8巻《社会学原理》（1876～96）、第9～10巻《倫理学原理》（1879～93）となっている。

ハーバート・スペンサー

その哲学観は、実証的科学の提供する知識以外のところに何か哲学固有の知識の領域があるということはなく、諸科学の分化した知識を包括し統合することが哲学であるという、科学中心主義の哲学である。（前掲書、同）

## 形而上学と実証主義は対立する

スペンサーの思想は哲学を志向しているけ

れども、形而上学ではない。哲学と形而上学の違いはどこだろう、Sさん。

（S）……。

形而上学はメタフィジカ。「フィジカ」つまり自然学の上、「メタ」にあるのが形而上学なんだけれども、たとえばSさんには愛している人がいるかい？

（S）います。

じゃあ愛情って何だろう？　今この場で愛情を絵に描ける？

（S）描けません。

世の中には目には見えないけれど、確実に存在するものがあると想定するのが形而上学。こういうものがある世界があると想定するのが形而上学。たとえば三角形がどんなものであるかをあなたは知っている。でも、三角形の全部を描くことはできないでしょう。つまり、三角形という概念は形而上学の領域に属する。目に見えるこの世界と、見えないけれども確実に存在する概念があるという考え方が形而上学の基本だ。

だがその形而上学を認めないのが近代的な実証主義の特徴なんだよね。ちょっと衒学的に言うと、「形而上学を認めないという形而上学」があるくらいなんだけどね。ここのところはとても重要で、スペンサーが「実証的科学が提供する知識以外のところに何か哲学固有の知識の領域があることはない」と言っているのは、要するに彼の考える思想には神は存在しないということなんだ。

スペンサーの社会学は、有機体システムとのアナロジーによって社会を〈システム〉としてとらえ、これを維持システム、分配システム、規制システムに分かち、社会システムの〈構造〉と〈機能〉を分析上の中心概念とした点で、現代社会学における構造-機能分析の先駆とされる。（前掲書、同）

さて、ここで「アナロジー」という言葉が出てくる。Wさん、コーヒーは好き？

Ⓦ　はい、好きです。

今日も飲んできた？

Ⓦ　はい、自宅で飲んできました。

今日、飲んできたコーヒーの味と香りを説明してみて？

Ⓦ　酸味より苦味が強いタイプで……。

その苦さっていうのは言葉に表わすとどうなるだろう？

Ⓦ　ちょっとむずかしいですね。

たしかにあらゆる現象や状態を言葉で表現するのはむずかしい。そこで使われるのがアナロジーという手法だ。

たとえば、苦味そのものを言葉で表現するのはむずかしいよね。だから「キレのよい、野性味に溢れた苦味」なんていう、味覚関係の語彙（ごい）とは違うものを持ってきて説明する。それをアナロジー、アナロジカルな表現という。さらに、そこで普通では思いつかない表現を持ち込むとメタファー（隠喩（いんゆ）、暗喩（あんゆ））になる。アナロジーやメタファーは学校では教えないけれども、我々のやっている神学のようなジャンルでは重要な技法だ。

ここではスペンサーは社会を有機体システム、つまり生物ないしは生物界として捉えたということを言っているわけだよね。

## 社会進化論の系譜

またその社会進化論に裏打ちされた自由放任主義、すなわちいっさいの人為的な規制を廃することが最大の進歩を実現するという考え方は、自由放任という経済政策上に発する概念を、社会全般に拡大したものとして重要な意義をもち、とりわけ政府規制を好まないアメリカで熱狂的に迎えられた。また同じ理由から、彼の諸著作は明治10～20年代の日本で自由民権運動の思想的よりどころとして迎えられ、数多くの訳書が出版された。（前掲書、同）

日本は後発資本主義国だから、明治以後、今日に至るまで国の強力な指導で資本主義化してきた。だから規制があちこちに多いわけだよね。日本においては社会進化論はむしろ体制の論理としてよりも、反体制のほうの論理として受容されてきたんだ。つまり経済部門、産業部門を放っておいて、あとは進化するのを待つというだけの時間の余裕はないと、時の政府は考えた。癒着（ゆちゃく）だと言われようと、産業界に積極的にコミットして経済を育成する道を選んだ。そこで、それを批判する側の反政府主義者たちのほうが社会進化論を持ち出して、経済は自由放任にさせたほうがいいんだとしたわけだよ。

では、つぎに、もう一人の社会進化論者サムナーのところを読んでみよう。

ウィリアム・サムナー

【サムナー William Graham Sumner 1840〜1910】アメリカの社会学者。ニュージャージーに生まれる。1863年イェール大学を卒業し、ヨーロッパに留学して神学を修め、一時聖公会（せいこうかい）の牧師となる。72年母校の政治学、社会科学教授となり、73年アメリカの大学で最初の社会学の講座を担当する。サムナーは、スペンサー、ダーウィン、J・リッペルトらの進化論に大きな影響を受け、社会生活における文化的側面に関心をもった。1907年に刊行された《習俗論 Folkways》では、社会関係、因襲、社会制度がその社会的性格のために個人や社会生活を支配・統制する原動力をもつとした。この膨大な民族的資料に基づいた習俗論は、実証的学風をアメリカ社会学に導入した先駆でもある。そのほか内集団、外集団、エスノセントリズム（民族中心主義）の概念を明らかにし、それぞれの集団がみずからの価値を強調することに着目した。彼の遺稿はA・G・ケラーによって《社会の科学》（1927～28）としてまとめられた。（平凡社『世界大百科事典』若井康彦）

聖公会ってどこの教会か分かる？

Ⓢ イギリスです。

イギリスの国教会のことだね。日本だとどの大学が聖公会系かな？

Ⓢ 立教大学です。

その通りです。次はウォードを読もう。

【ウォード Lester Frank Ward 1841～1913】アメリカで最初に体系的な社会学を講じた社会学者。正規の教育を受けず苦学のすえ官吏となり、65歳で初めてブラウン大学教授となる。アメリカ社会学会の初代会長。初めは地質学、古生物学を専攻したが、のちに社会学に転じた。コント、スペンサーに代表されるヨーロッパの進化論的な社会発展説を受け継ぎ、社会の本質に関する理論的究明と現実社会の改革に関する実践的な研究とをあわせた、包括的な総合社会学の体系を打ち立てた。（小学館『日本大百科全書』杉政孝）

スペンサー、サムナー、ウォード――こういうつながりになっているわけだね。今の同志社では、アメリカの社会進化論というのはほとんど扱われていないし、出版界を見渡しても概説書もそんなにたくさんは出ていない。しかし、これがアメリカを動かしている思想なんだよ。

それでアメリカのトランプ大統領は――もちろん、われわれには選挙権がないけれども――事実上の、世界大統領だからね。だからアメリカ人たちは何を考えているかということは、われわれの生活に直接影響してしまう。だから、アメリカの論理は知っておく必要があります。

## 社会を有機体として捉える、とはどういうことか

さて、これからはいよいよハーバート・スペンサーの社会進化論そのものに取り組んでいきます。ここでは彼の『進歩について――その法則と原因』を読んでいこう。

> 私は、ドイツの生理学者たちによって有機体発展の法則として発見されたものが、あらゆる発展の法則であることを明確に示し得たと信ずる。相次ぐ分化の過程を経て単純なものから複雑なものへ向かう発達というのは、推理により遡ること(さかのぼ)の出来る宇宙の太古の変化にも、また帰納的に確証し得る変化にも等しく認められる。それは、地球の地質的気候的進化にも認められる。それは、地球上の一つ一つの有機体の展開にも、有機体の種類の増加にも認められる。それは、人類――教養ある個人であれ、人種の集合であれ――の進化のうちにも認められる。

それは、社会の政治的、宗教的、および経済的体制という意味での社会的進化にも認められる。そしてそれは、日常生活の環境を構成する人間活動の有形無形の数限りない産物の進化にも認められるのである。科学が洞察し得る最も遠い過去から昨日起こった新しい出来事に至るまで、進歩の本質は、同質が異質に変わって行くことにある。（『世界の名著36　コント　スペンサー』中央公論社刊、清水禮子訳、420ページ）

スペンサーはこの文章の中で「有機体」という単語をたくさん使っている。有機体発展の法則は個別の生命体だけでなく、人類社会の発展にも通用すると言っているよね。

この有機体を『大辞林』第四版（三省堂）で引くと「生命現象をもっている個体、つまり生物。有機体においては各部分が互いに関係をもつとともに全体との間に内面的な必然的連関をもち、単なる部分の寄せ集めではない一つの統一体をつくる。広義には、こうした有機体の本質に類比させて社会・国家・民族をもいう」と解説している。

これに従えば、社会を構成する我々個人はどうなるだろう？

有機体の代表である生命体に当てはめるならば、ある人間は有機体である社会の脳髄に当たるかもしれないし、手足になるかもしれない。でも、その場合、有機体たる社会の責任は誰が取るんだろう？　あなたが人をいきなり殴ったとする。その場合、責任は手にあるのか、それとも脳にあるのか。あるいは体全体にあるのか？

Kさんはどう思う？

（K）やはりそれは脳にあると思います。

でも、かりに脳が殴れと命じても、手足が言うことをきかなければ殴れないよね。ということはやはり手足にも連帯責任があるんじゃないのかな？

一九七五年、昭和天皇は日米記者クラブの公式会見で「戦争責任についてどのようにお考えですか」と問われた。それに対して昭和天皇は「そういう言葉のアヤについては、私はそういう文学方面はあまり研究もしていないのでよく分かりませんから、そういう問題については お答えができかねます」と答えた。

これに対して柄谷行人（からたにこうじん）という優れた評論家が、天皇は「有機体的なものの考え方がよくできている」といった趣旨のことを述べているんだね。つまり、国家というのは有機体であるという国家観に立ったときに、天皇に戦争責任を負わせることが可能か。つまり「殴ったのは、脳みその指令があったからだ」と単純に言えるのか、「手や足の責任はどうなるのか」という話にならないのか。

だから、天皇陛下は「そういう言葉のアヤ」については研究していないので答えができないと返答した。つまり自分個人の戦争責任があるかないかを問うのは科学的、法学的ではない、文学の領域に属する問題であると言ったわけ。まあ、はっきり言うと「それは全体責任だろう」というのが天皇自身の考えであったわけだ。全体責任は無責任という言葉もあるけれどもね。

それはとにかく、スペンサーは社会を有機体であると考えたところが重要なんだよね。続きを読もう。

## スペンサーの人種偏見

人種のさまざまな区分や小区分の多くは進化ならざる変化を受け、また、確かに若干の人種の類型は退化したかもしれないが、他の人種では類型の異質性は明らかに増加している。開化したヨーロッパ人は、未開人に比べて脊椎動物の類型からの隔たりが遥かに大きい。それゆえ、進歩の法則と原因は、地球上の古い生命形態については証拠不足のために仮説として主張せざるを得なかったけれども、最新の生命形態については事実として主張することが出来る。（前掲書、434ページ）

ここの記述は偏見以外の何物でもないよね。ちなみに、我々ホモ・サピエンスの前に地上にいたネアンデルタール人というのはどういう人たちだった？　Sさん、ネアンデルタール人について何か知ってることはある？

Ⓢ 死んだ人たちに花をたむける。

花をたむけたし、どうも死者を食っていたみたいだ。食っていたのは宗教儀式として食っていたのか、食糧として食っていたのか、よく分からないんだけれどもね。

それはさておき、ネアンデルタール人は筋肉の量がわれわれの倍あると言われている。ということは、標準的なネアンデルタール人の女性でもプロレスラー以上の腕力があるということだよ。

ネアンデルタール人の男性は身長一六〇センチから一七〇センチ。われわれの標準よりもほんのちょい低いぐらいだよね。ところが、脳は小さい。ネアンデルタール人とホモ・サピエンスの間に子どもは出来ると思う？　できないと思う？
(W) 出来ない。
出来るんだ。われわれの祖先は元々、地上のどこにいたと想定されている？
(W) アフリカ。
ネアンデルタール人もアフリカなんだ。しかも、彼らのほうが先に地上に暮らしていた。そこに我々ホモ・サピエンスが生まれたわけだけど、遺伝子を解析してみると我々の遺伝子の中にはネアンデルタール人のそれが含まれていることが分かったんだ。

人類は大きく言うと三つのグループに分かれる。ネグロイド——いわゆるアフリカ系黒人、そしてコーカソイド、つまり白人、そして我々黄色人種のモンゴロイド。

このうち、ネアンデルタール人のDNAが入っているのはコーカソイドとモンゴロイド。ネアンデルタール人とホモ・サピエンスはおそらくヨーロッパ大陸で出会って、そこで混交し、子どもを作ったんだ。

でも、このネアンデルタール人はやがて滅びてしまう。彼らはさっきも言ったようにそれなりに体力も強かった。なのになぜ滅亡したんだろうか？
(W) 知恵で負けた……。

動物行動学者、進化学者の長谷川眞理子さんに聞いたら、ネアンデルタール人の身体能力は我々よりも何段も優れている。たとえば駆け足ものすごく速いから、ネアンデルタール人の男に襲われて逃げようとしてもあっという間に捕まってしまう。でも、知能においては我々のほうが優れているから、追いかけられて捕まっても、上手に足払いをかければ逃げられる。

でも決定的だったのは気候変動だね。地球がどんどん寒冷化していく中でホモ・サピエンスは知恵でそれを乗りこえたけれども、ネアンデルタール人のほうは対応することができなかった。それで食糧不足のために滅んだのだろうと言われている。

まあ、そういう大筋においてはスペンサーの言っていることは間違いではないのだけれども、しかし、だからといって、もし、今でもネアンデルタール人が生きていたとして、人を殺して焼いて食うことは許されるのかと考えたら、そう簡単な話ではないよね。でも、スペンサーの立場では、きっとそういう話も出てくると思う。なぜならば、彼らはキリスト教的な価値観を否定しているから、劣等民族は何をやっても許されるんだというロジックが生まれてくるわけだよ。

### 「能力差があるから進歩がある」

じゃあ、スペンサー論文の続きを読んでみよう。

より大なる異質性に向かう人間の発達を、一つの原因による多くの結果の産出に帰することが可能であるならば、より大なる異質性に向かう社会の発達も、同じ仕方でいっそう明確に説明されるであろう。産業組織の成長を考えてみよう。たとえば武器のような一般に使われる物品は、昔は各人が自分で作っていた。しかし或る部族の或る一人に武器を作る非常な才能があると、彼は武器製造者として分化することになる。すべて戦士であり猟師である仲間たちは、出来る限り良い武器を持ちたいと思うから、その腕の立つ人に武器の作製を強力に持ちかけるに違いない。彼の方は、非凡な才能に加えて武器作りが非常に好きであるから〔職業のための才能と職業への愛情は一般に相携える〕、適当な報酬を受けて依頼に応ずる。名誉欲も満たされればなおさらである。この最初の機能の専門家が一度始まると、それは明確さを増して行く。武器製造者は絶えず作ることで腕を上げ、作品の優秀性が増す。依頼人の方は、作らなくなったために腕が落ちることになる。したがって、この分業を決定する力は二つの仕方で強まり、そして普通、最初の異質性は少なくともその世代にとっては不変的なものとなる。（前掲書、434〜435ページ）

この段落を要約するとしたら、最初の三行をまとめる形になるだろうね。つまり平易な言葉に直せば「人類の能力には個人差があるから、その社会は多様なものになっていくことで発達していくだろう」ということだ。言い換えれば、人間にはかならず能力差があるので、能力のある人のところに富も尊敬も力も集まってくるという話だ。ここでは「武器を作る」という例で描かれているけれども、いい武器を作ればそれだけ多くの依頼が集まって、腕がますます上がる。それと同時に収入もどんどん増えて、世間からも尊敬される。一方、そうでない、技術も巧みではない人はどんどん下流になっていって、成功した武器職人に使われるというわけだよね。

## 「社会の酵素」とは

こういう仮説というのはアメリカに渡って学問の装いをとると、どういうふうになるか。そこでウィリアム・グレアム・サムナーの論文を読んでみよう。

社会というものは、内部に酵素をもつ必要がある。情熱的な妄想や冒険的な愚行が、その目的に応えてくれるときもある。近代世界においては、その酵素は、経済上の機会と贅沢の希望によって供給される。また別の時代には、その酵素はしばしば戦争によって供給されてきた。そのため、一部の社会哲学者たちは、人間世界の最良の成りゆきは平和と戦争が交互にくることだと主張してきた。また一部の社会哲学者たちの論じるところによれば、実現しうる人類の唯一の統一は、武器による戦争や、慣習の闘争や、産業組織への適応性から生じてくる競争における、最適者の生存によって実現されるにちがいない、という。原住民が、過去においてそうであったように、将来においても大量殺戮されることはありえないが、たとえばわがインディアンのように、宿命的なディレンマに迫られると、事態はそれ以上に悪い。彼らはもはや今までのやり方では生きてゆけない。慣れぬ労働や機械技術によって暮らしてゆくことをおぼえなければならない。そこでディレンマに直面する。つまり文明的な産業組織に入ってゆくべきか、それとも死に絶えるべきか。人間が今もなお、文明がなくとも平和に暮らしてゆくことが可能であるならば、人間は文明など作り上げなかったであろう。人間を無理強い(むり じ)してきたのは、自然作用という鉄の拍車であり、自然作用の一つの形態は、一部の人間が自分たちより弱いものを攻撃することであった。（研究社刊。『アメリカ古典文庫18　社会進化論』所収「戦争論」後藤昭次訳。72〜73ページ）

さて、冒頭で「酵素」という言葉が出てきた。T君、酵素って何？

（T）反応の活性化を促進させるものです。

酵素というのは生体内で起きる化学反応の触媒として機能する物質だ。触媒とはなんだか、分かる？

（T）自分自身は変化しないんだけど、化学反応を活性化させる物質です。

その通り。じゃ、この酵素がないと人間はどうなるかな？　あるいは酵素不足に陥ったりすると何が起きる？

（I）タンパク質が分解されなくなったり、結合できなくなったりします。

つまり酵素がないと人間は生きてはいけないということだね。

その酵素という存在に相当するものが人間社会にもあるとすれば、それは何だろう？　これはアナロジー、類比の能力が問われるわけだが、それについてサムナーは何と書いているかな？

（I）「人間社会の酵素は経済活動や戦争によって供給されてきた」と言っています。

そう。サムナーはいきなり酵素をきな臭い話に結びつけるわけだ。彼によれば戦争は酵素であり、経済競争は酵素であるというわけだ。でも、その根拠は？　どうして酵素であると言える？　もちろん、それは実証できないよね。彼の仮説にすぎないんだから。こういうのを「反証不能な命題」と言う。

## 文明と文化の衝突

サムナーは戦争によって、文明社会、人間社会は進歩していくんだということをここで主張している。で、その戦いにおいて負けた側は滅びるか、勝利した側に従属して、奴隷のように働くしかないと言う。

でも、実際にはいわゆる「負け組」であっても、生き残っている種族はいくらでもあるよね。たとえば、アメリカには「アーミッシュ」という宗教グループがある。彼らは絶対平和主義で、戦争を否定しているんだけれども、その生活はだいたい十七世紀か十八世紀の段階で止まっている。つまり電気も使わないし、自動車にも乗ったりしない。彼らの住んでいる集落は観光名所になったりしているね。

ところでIさん、文明と文化の違いは説明できるかな？

（I）……。

Iさんは出身はどこ？

（I）京都です。

あなたの家でお正月にお餅を食べるとき、丸餅？　角餅？　切り餅？

（I）丸餅です。

丸餅を食べるのは文化？　それとも文明？

（I）文化だと思います。

そうだよね。では、日本では日本語をしゃべるでしょ。日本語は文化？　文明？

（I）文化。

文化だよね。じゃあ携帯電話は文化？　文明？

（I）文明です。

今、Tシャツを着ているよね。洋服は文化？　文明？

（I）文明？　文化？　よく分かりません。

成人式のときに着物を着たか。着物は文化？　文明？

（I）文化。

ここまでの会話で、着る物、衣服は文化のカテゴリーに入るように感じるだろうけれど、そう簡単には決まらない。たとえば、我々はこうして洋服を日常的に着ているわけだけど、なぜ古来からの和服を着ないんだろう？　もちろん、先斗町（ぽんとちょう）とか祇園（ぎおん）あたりに行けば、着物を着ている人もいる。でも、たいていの人は洋服だよね。それはなぜ？

（Ｉ）明治維新のときに……。

明治維新のときには散髪脱刀令といって、ちょんまげを結ったり、刀を持ち歩いたりするのを禁じられているけれど、洋服にせよという命令は出ていない。でも、徐々に日本人が洋装をするようになったのは、そうしたほうが産業社会と合致するからだ。

たとえば着物を着て電車に乗ったり、工場の機械を操作したりしたらどうなる？　着物の裾や袖が機械にからまって大変なことになりかねない。また下駄や草履を履いて仕事をしていたのでは、機敏に動くことができない。和装は産業社会に合致しないから、徐々に着られなくなった。

つまり、衣装には文化的な側面もあるけれども、文明的な側面も大いにあるということだね。文化も文明もその語源はキウィタス、つまりラテン語の「都市」とか「国家」という言葉から来ているんだけれども、文化は移植することがむずかしい。それこそ着衣にしても、ある都市の服装を別の都市の住民に広げるというのはなかなか抵抗があってむずかしい。でもそれが文明だと簡単に移植できてしまう。文明と文化の違いと共通性については、今のところはこのような説明で理解してください。

でも、今言ったように文化はなかなか他に移植されない。受容されにくい。そこから文化は遺伝子のようなものなんだという仮説が生まれた。リチャード・ドーキンス（本書第7講）は「利己的な遺伝子」という概念を提唱して有名になった人だけれども、彼は「文化はミームである」とも言っている。ドーキンスは生き物は遺伝子の乗り物のようなもので、遺伝子を複製していくことが生き物の目的なんだと唱えているわけだけども、文化という遺伝子であるミームも自分を複製することが最大の目的ということになる。

彼は、たとえば避妊をすることなんかもミームの役割だと言っている。

今や先進国などを中心に避妊をすることが当たり前に行なわれている。カトリック教会はまだ避妊に反対という立場だけれども、実質的に避妊は行なわれているわけだ。でも、避妊をする、なるべく子どもの数を増やさないようにするというのが遺伝子の働きであったとしたらどうなる？

そうなると、避妊を志向する遺伝子はどんどん絶滅していってしまうことになるよね。避妊をして子どもを作らないことにすれば、避妊の遺伝子は次世代に残らなくなる。それじゃあ、一種の自己矛盾だよね。

そこでドーキンスはミームという概念を考えた。ミームは遺伝子のように自己を増殖させようとするわけだけれども、それは肉体とは関係ない。あくまでも文化的な遺伝子だ。それだったら「避妊をする」という性向は少子化になってもなくならない。ドーキンスは人類の存続には遺伝子だけでなく、ミームも関係しているんだと言っている。

## なぜ少子高齢化社会が生まれたか

ちなみに、少子高齢化の原因って社会学的には何だと思う？　少子高齢化を解決する最良の策ってある？　これはあくまでも仮説として聞いてほしいんだけれども、女性の高等教育を禁止すれば少子高齢化はすぐに解決する。

エマニュエル・トッド（歴史人口学・家族人類学）なんかも言っているけれども、少子高齢化が起きるのは女性が高等教育を受けるようになったから。高等教育を受ければ、その女性のキャリアパスは広がっていくよね。せいぜい読み書き算盤程度しか教育を与えなければ、女性の社会進出の可能性はほとんどないに等しい。となれば、女の仕事は「子どもを産んで育てることだ」という話が常識になってしまう。でも、高等教育を受けるようになれば、男性と同じように働くことができる。そうすれば子育てをするエネルギーや時間は否応なく削られていくから、女性は子どもを産めなくなるし、育てられなくなる。だから少子化が起きる。

実際に、アラブ社会なんかはいまでも少子化とは関係ない。ムスリムの世界では女性は家庭にいて保護されるべきものであるとされているから、高等教育なんか受けさせてもらえない。

ドーキンスの考えによれば、我々の細胞の中にあるＤＮＡは自己増殖をするのが目的だから本来ならば、少子化なんていう現象は起こりえない。なのに実際に先進国で少子化が起きているのは遺伝子よりもミームの働きの方が優勢だからだと解釈するわけだ。しかし、ここまで来ると、もはや自然科学の領域ではなくて、社会科学でのモデル設定の話だよね。ある種の仮定をすることによって、どちらのほうがより現実を説明できるかということだから、ドーキンスの議論は自然科学ではなくなっているとも言える。

## 新カント派の科学理論

　ここのところで重要なのは「科学」には二種類があるということ。これは大学ではきちんと教えてくれないんだけれども、実は十九世紀末から二十世紀にかけて、ドイツでリッケルトを中心に新カント派というグループが台頭してきた。

　彼らの主張の中で重要なのは「科学には二種類ある」という主張だ。

　一つは実験で追試が可能な科学。これは言い換えると、法則定立型とも言うんだけれども、その名の通り、まず法則という形で仮説を提示する。こういうインプットをすると、このようなアウトプットがかならず出てきますよと提唱して、しかもそれを実験で再現してみせる。君たちが知っている「科学」はこちらのほうだよね。

　ＳＴＡＰ細胞事件のときに、小保方晴子（おぼかたはるこ）さんたち理研グループの研究が全否定されたのは再現不可能だったから。普通の細胞に負荷をかけると、細胞の働きがリセットされて万能の細胞になるというストーリーは魅力的なんだけれども、それを誰も再現できなかった。小保方さん以外はね。だから、彼女たちの研究は「科学」ではないとなった。

　でも、こうした「科学」に対して、もう一つの「科学」が存在するというのが新カント派の考え方だ。それは人文科学系の科学。歴史学とか社会学とか経済学というのは基本的に実験することはできない。なぜならば「歴史」は一方向にしか流れていなくて、再現不可能だから。よって、これらの科学においての目的は法則の定立ではなくて、個性の記述にあるというのが彼らの主張なんだ。

歴史には法則性はあるけれども、それを一定の法則で記述できるのではなく、個々の出来事の記述になる。それを新カント派では「個性記述型の科学」と表わした。

こうした科学の二分法は、今日に至るまでアカデミズムにおける主流になっている。主流すぎて、かえって教えられることが少なくなっているきらいがあるかもしれないが、議論においては、まずここをきちんと押さえておく必要がある。

## 文科系の考えるサイエンス、理科系のサイエンス

ことに文理融合の場合、サイエンスという単語を使うときにはどちらの意味で言われているかを確認することは重要なんだよね。

いわゆる理系の人たちは再現可能な法則定立的な科学を考えているけれども、文系の人、ことに哲学や神学のひとたちは再現性や法則定立ということについてはまったくといってもいいほど関心がない。それよりも話、いわゆるナラティブ（物語）として成立するかどうかに力点が向かっている。

だから特に理科系の人に注意してほしいのは、みんながみんな客観的に立証可能なデータに基づいて会話をしていないということ。サイエンス・コミュニケーターとして活動する場合に

は、相手がどちら側にいる人であるかを注意する必要がある。そこが分かっていないと、相手が分かってくれているものだと誤解したままで話が進む可能性がある。

## KGBの盗聴技術

このことは社会に出たら実に重要になる。自分自身の専門分野について、専門外の人に語ることはひじょうにむずかしい。話が通用しないことがいくらでもある。

たとえばこんなことがあった。

私がモスクワの日本大使館に研修生として赴任したのは一九八八年のことなんだけれども、その大使館の中には不思議な部屋がある。ドアを開けると、その中にもう一つ壁に囲まれた部屋があって宙に浮いているんだ。特別会議室という名称で、その部屋には特別の空調があって、椅子も壁もみんな透明なアクリルでできている。つまり、中に何かを持ち込んでも隠せないようになっているわけだね。

で、その「特別会議室」で会議を行なうときには、ものすごい雑音のテープが流されていて、その中でミーティングをやる。それで盗聴を防止しようというわけだね。

でも、私は警戒心が強いから、その部屋の中にラジオを持ち込んでスイッチを入れてみたら、外の電波を拾うんだね。ということは、この部屋は電子的に遮蔽されていない。盗聴器をカバンやスーツの中に仕込んだら簡単に盗聴ができてしまう。

そこでさっそく大使館のナンバー3に当たる統括参事官——この人は東大を出た優秀な人

だった――に「この部屋は安全だと思いません」「電子的な遮蔽がなされていません」と報告した。

私は小学生時代にアマチュア無線の免許を取っているから、簡単な無線機くらいは自分で組み立てられたし、また一九八八年当時、ボールペンの先くらいの大きさの発信器は秋葉原なんかで普通に売られているのも知っていた。だから「ここで会議をするのは危険です。いくらノイズを流しても盗聴されてしまいます」と言ったら、ものすごく叱られた。

「君は研修生の分際(ぶんざい)で、本省の専門家が作った施設に文句を付けるのか」というわけだ。

そう言われれば、もう引き下がるしかない。「出過ぎた真似をしました」と言って黙るわけだけれども、その部屋では重要な話はいっさいしないことにした。実際、KGB(カーゲーベー)(ソ連国家保安委員会=秘密警察)に盗聴されていたと思うよ。

ちなみに盗聴を防ぐ、もっとも確実な方法は何か? それは歩きながら話すこと。そうすると今の技術でもほとんど盗聴はむずかしい。レストランみたいな、賑やかなところで話せば安全な気もするだろうけれども、外交官が行くようなレストランには外交官専用のテーブルがあってね、そこにはかならず金属製の灰皿が置かれる。もちろん、そこには発信器が仕込まれている。「私はタバコを吸わないから要らない」と言ってもかならず持ってくる。だからしょうがないから、その灰皿をカンカン、フォークで叩いていたらKGBの奴に後で叱られてね。

**(学生一同)**(笑)

「あまりKGBを刺激するものじゃない」「盗聴しているやつの耳が潰れちゃうじゃないか」

と言うんだ。だから、そのレストランでも重要な話はしないことにした。聞かれてもかまわないことだけを話す。

その点、ファーストフード店は安心だ。決まった座席なんかないから盗聴器も仕掛けられない。横に変な奴が座ってきたらすぐに分かるしね。でも、そこでもやりすぎるとよくない。むしろ「そこまでやるんだったら重要な情報を持っているんだろう」と疑われて、かえって厳重な監視下に置かれる。

君たちは日本は民主国家だからそういうことはないと思っているだろう。でも、そんなことはない。これはという監視対象にはずっと張り付いている。ただし、日本の警察は話の内容には興味がないんだ。それよりは誰と誰が結びついているかとか、不審な物品の受け渡しをやっていないかだけを観ている。だから、日本の場合はモスクワのように盗聴の用心をする必要はない。普通にオープンスペースで会っていたほうがむしろ疑心暗鬼を生じないからいいんだ。

さて雑談が続いてしまった。サムナーの「戦争論」の先に進もう。

## 文明化のツールとしての戦争

二〇世紀の初めに至って、偉大な文明国は、互いに極端に妬みあいながら、地球のはてまでも強奪しようとあせっている。互いに競いあって、他国の襲撃から自分たちの割り前を護ってくれる海軍を作っている。どうなるであろうか。こうして人の準備をしているからには、やがて間違いなく戦争を起こすだろう。戦争類は文明化されてゆくであろう——だが、未開人の根絶によってである——もし二〇世紀の人間が、これまでに考え出されたどの案よりも優れた、原住民を扱う案を考え出すことができないかぎりは。血と文化が極端に異なる二つの人種が、双方に満足のゆく一つの社会に融合されうるような方法を見出した者は一人もいない。明らかに、ごく近い将来に横たわるこの問題では、力と流血に代わる唯一のものは、より多くの知識と、より多くの理性である。(前掲書、74ページ)

アメリカって、なんでしょっちゅう戦争をすると思う？　戦争はアメリカにとっては一種の公共事業だから。定期的に戦争をしないとアメリカ経済は成り立たない。戦争が起きれば失業率も下がるしね。

アメリカは日本にもたくさん兵器を買わせているけれども、これも一種の失業対策だよね。新兵器は数年も経てば陳腐化しちゃうから、定期的に買い換え需要が起きる。そのたびに日本に新しいミサイル防御網を売りつけたりする。そうすればそのシステムのメンテナンス要員も兵器メーカーから派遣されるからね。日本がアメリカの言いなりになって兵器を買わされていると言う人もいるけれども、日米貿易摩擦を解消するには兵器システムを買うのがいちばん合理的ではある。

戦争は経済を発展させるだけでなく、文明をも発展させるんだという思想は、アメリカの中には根強くある。そこのところは注意深く観察しないといけないところだね。

では、続きを読んでみよう。

## 「留保条件」は無視して読む

したがって、国民が産業主義の悪徳と平和の弊害に陥ることがないように、一定の時期に戦争をすることはよいことだなどと、どこの政治家がいうであろうか。答えは決まっている、否！　戦争は、日常的法則によって取り上げられ応用されうる、手っとり早い救済策などではけっしてない。しなくてもよい戦争は、敵はいうまでもなく、戦争を続行しなければならない国民にとっても正当なものではない。戦争は他の弊害に似ている。しかたのないときには戦争はしなければならず、戦争から取り出すことのできる利益は、なんとしてでも獲得しなければならない。理性と熟慮に照らしてみれば、戦争は残念ながら、一時しのぎの手段以外の何ものでもない。同じ目的のために合理的な手段を見つけ出すことは、政治家の任務である。戦争を方便として提案する政治家は、自らの無能を認めているのである。当事者たちの勝負に、戦争を対立物として利用する政略家は、犯罪者である。（前掲書、同）

ここのところでサムナーは、「戦争をやるべきではない」「戦争をやる奴は犯罪者だ」と言っているけれども、先ほどの引用箇所では戦争を肯定的に評価しているよね。どうして？　どういう論理だろう？

ここで鍵になるのは「戦争を方便として提案する政治家は、自らの無能を認めているのである」というところだよね。要するに政治家が無能だと、戦争しか選択肢がなくなってしまうということだ。

有能な政治家が行なう戦争ならば、そこから成果が生まれてくるけれども、無能な政治家が行なう戦争には正当性もなく、また利益も生み出さないということをスペンサーは言っている。だから、一見すると前の文章とこの文章は矛盾しているかのように見えるけれども、そうじゃない。留保条件として「無能な政治家がやる戦争は無価値だ」ということを書いているだけで、この留保条件にこだわっていると本筋が分からなくなる。だから論文の読解においては留保条件は落としてしまってもいい。そうしないと本質が分からなくなってしまうからね。

では続きを。

## 国家性悪説

平和は普遍的なものでありうるのか。そう信ずるべき理由はない。平和集団を次第次第に拡大してゆくことによって、ついには平和集団が全人類を容れることができると考えるのは誤謬である。それではどうなるかといえば、平和集団が大きくなるにつれて、利害関係の多様化のため、相違や不一致や対立や戦争が集団内部に発生する。悪念が人間性の一部で、いつの時代にもすべての社会に存在す

るものであるかぎり、社会のエネルギーの一部は、たえずその抑圧のために費やされる。（前掲書、74～75ページ）

T君、スペンサーは「平和集団が大きくなるにつれて、利害関係の多様化のため、相違や不一致や対立や戦争が集団内部に発生する」と書いている。人間の平和集団というのはなんで大きくなっていくと、結局は戦争が起きちゃうわけ？

（T）価値観が多様化して整理がつかなくなるからです。

でも本質的に人間が合理的だとすれば、価値観の衝突を調停して戦争を避けるということができるんじゃないかな？　なぜそれが戦争に結びついてしまう？

（T）分かりません。

それは根っこにキリスト教的な人間観がすり込まれているからだよ。人間には「原罪」がある。その「原罪」が形となって現われるときに悪が生じる。したがって、人間の集団においても原罪は存在し、それが形となって悪となって、ついには戦争となる。こういう論理の組み立てだよね。要するに性悪説だ。

近代的な国家、権力分立というのは「国家は悪いことをする」という前提から生まれている。国家性悪説に立っているのが憲法の原理だよ。国家というのは最大の暴力装置だから、それをいかにして規制するかという、そこの発想が生まれてくる。

ところが日本の場合には、こういった性悪説的な人間観は希薄だよね。そうすると逆に、国家というのは良いものだと、こういう発想になってくるから、良い日本国家をますます良くするために憲法があるんだと思ってしまう。

だが、「戦後の憲法には権利ばかりが書いてあって、国民の義務が書いてない。これはけしからん」と言う人たちが現われるわけだが、それは国家観において認識が一八〇度違うことから生まれているんだ。

## ソ連は「過渡的国家」「半国家」であるとしたレーニン

ところで歴史的に、性善説に立つ国家というのが比較的最近まであった。それがソ連だ。

そもそもマルクスは究極的には国家を認めていない。彼の考え方は基本的にはアナーキズムと一緒だ。つまり、国家というのは支配者階級の抑圧機関に過ぎないというのがマルクスの考えだった。

だが、そのマルクスの思想のもとに作られたソ連は「ソビエト社会主義連邦」という形で、国家の形式を採った。国家を否定する人たちが国家を作ったわけなんだよ。それはなぜか分かるかい?

ソ連というのは将来において革命の根拠地になるための「場」であると共産主義者は考えた。だから本質的にはソ連は国家であることを目指していない。しかし、ソ連の周囲には「国家」、それも帝国主義国家が蝟集している。帝国主義者は総掛かりでソ連を「殺し」にかかっている。このような状況においてはソ連も対抗上、国家という形態を取らないといけないという結論になった。だからこれをレーニンは「過渡的国家」と呼んだ。

また彼は「半国家」とも呼んでいる。レーニンによれば国家には二つの側面がある。一つは国民の利害調整をやる機能。もう一つは国民の抑圧機関としての国家。ソ連は国民を抑圧することがない。というのも、ソ連は人民が権力を代表しているから、権力が国民を抑圧することなどありえない。その点で、国家としては半分の機能しか持っていないので「半国家」だというわけだ。まさに性善説だよね。

でも、その結果、生まれたソ連はどういう国家だったか？　言うまでもないが、国家が国民生活のありとあらゆる側面を監視し、国民の行動を抑圧する一方で、国家の行動については誰からの規制も受けないという、中央集権の独裁的国家が生まれた。ソ連の作家、ソルジェニーツィンはそれを「収容所群島」と表現しているけれども、国家全体が強制収容所になってしまった。

ソ連は性善説で国家を作るという大実験をしたわけだけれども、それは大失敗だった。

でも、これは日本だって他人事じゃないよ。戦時中の日本は「大東亜共栄圏」という名の国家連合を作ろうとした。これはみんなを「天皇の赤子（せきし）」、つまり天皇の子どもであるとして、一つの家族的な国家を作ろうとした。これもまた基本は性善説だった。でも、そこで生まれたのは、日本人が諸民族を収奪するという仕組みだった。このために今でも韓国をはじめとしてさまざまな国に禍根を遺している。

一方、イギリスやフランスのような帝国主義国家は「自分たちは悪を行なっている」という意識があったから、日本ほど恨まれていない。そういう意味ではイギリスは歩留まりのいい植民地支配を行なえていたわけだ。

## イギリス、フランスの植民地支配の方法

イギリスの植民地政策について、アーネスト・ゲルナーは『民族とナショナリズム』（前出）でイラク統治の話を書いている。第一次大戦と第二次大戦の間、イギリスは今のイラクに当たる地域を委任統治していた。しかし、当時のイラクには当然ながら議会を作ったり、裁判制度を作ったりした経験はない。というよりも、部族ごとで集団を作っていて、それぞれが対抗しあっていたから「国民国家」という段階ではなかった。

みんな、サダム・フセイン政権が崩壊したときのことを覚えているかな？　あのときにはイラクの治安が崩壊してしまって、フセインの宮殿とか、あちこちの大使館に暴徒が乱入して、略奪を働いていたよね。実はあれがイラクの実情で、隙（すき）あらば他の部族から略奪を行なうというのが、二十世紀初頭のイラクだったんだ。

このイラクを統治するに当たって、当時のイギリスはどうしたと思う？　襲撃計画があるならば、事前にイギリス人が運営している警察署に届けを出すこと。そして、それが終わったあとには殺した人間の数、略奪したもののリストを提出せよ。そうしたら、お咎（とが）めなしにするという方法で管理をしていた。つまり、イギリス人には民主主義や法治主義をイラク人に教えようという発想はどこにもないわけ。イラクを統治するならば、イラクのやり方で統治をする。

「ローマにおいてはローマ人のごとくせよ」というわけ。ここが性善説のアメリカ人との決定的な違いだね。

たとえばこのところシリアはずっと、情勢が混迷しているよね。このシリアは一九二〇年から一九四六年までフランスの委任統治下にあった。

このときにフランスがやったのは、アラウィー派と呼ばれる人たちを植民地行政の幹部に指名した。それが現在のアサド政権の源流になるわけだけど、このアラウィー派はシリアの人口の一二パーセント程度しかいない少数派の山岳民族で、しかも被差別民だった。

アラウィー派というのは今でこそシーア派系と言われているんだけれども、これは一九七三年にレバノンのシーア派指導者を脅し上げて、無理矢理にシーア派の認定を受けたからで、アラウィー派は本来は独自の山岳宗教で、いちおうイスラム教の要素もあるけれども、メッカへの巡礼もやらないし、キリスト教徒のようにクリスマスのお祝いもする。また、輪廻転生説を信じていて、悪いことをするとトカゲのような動物に生まれ変わると考えていて、そこはインド風なんだ。さらに同宗派内での結婚しかしない。こんな宗教だからアラブ社会では差別をされて、山の中とかに暮らしていたわけだね。

そのアラウィー人をフランス人はどんどん行政機関の幹部に命じた。中でも警察の権能はアラウィー派に全部任せて、人口の約八割を占めているスンナ派のムスリムや、九パーセントくらいのキリスト教徒を統治させた。

つまり、かつての被差別民を一気にエリートにしたわけだから、これでは国民国家なんて意識は生まれないよね。アラウィー派、スンナ派、キリスト教徒……それぞれが他のグループに敵対心を持っている。だから、いわゆる「アラブの春」の影響で、アラウィー派の出身だったアサド政権が揺らいだからといって、他のアラブ諸国のように民主政権が生まれるわけでなく、それぞれの勢力が武力を持ち出して、内戦状態が起きることになった。「分断して統治せよ」というのはローマ帝国の格言だけど、フランス人もシリアを分断して統治していた。それだから今でも内戦が続いているわけだね。

## 原罪感なき日本の植民地支配

では、そこで日本の植民地統治はどうだったかというと、イギリスやフランスのような、いわば性悪説に基づく、シニカルな統治ができなかった。

なぜ戦後七〇年以上も経って、朝鮮半島の植民地統治がいまだに日韓関係に影を落としているかというと、日本人は「内鮮一体（ないせんいったい）」といって、朝鮮人を同化して日本人と同じようにしようとした。それが朝鮮人の幸せだと本気で思っていた。

それだから朝鮮人には昔から「檀君（だんくん）」という始祖神を祀っていたわけだけど、それを止めさせて朝鮮神宮というのを作って、天照大神（あまてらすおおみかみ）を拝ませる。もちろん言葉も日本語を子どもたちに教える。将来的には朝鮮半島の法令を内地と一緒にして、朝鮮人に日本人と同じ権利を与えようと考えていた。

その意味においては、日本人は主観的には「アジアの解放」という意識を持っていたわけだけれども、でも、その一方で日本は後発の帝国主義国家で、欧米に比べたら国力は弱い。だから、日本を強くするために朝鮮人や台湾人を一刻も早く同化して、朝鮮や台湾を内地並みにする。そうやって国力を付けようとしたわけだ。

だから朝鮮人や台湾人がそれに抵抗しようとしても「日本人はあなた方を救うためにやってきた。こうした制度改革や教育改革は言ってみれば手術のようなもので、たしかに痛みはあるかもしれないが、これを耐え忍べば、幸せが待っていますよ」というロジックだから、現地の人たちからしたら無茶苦茶な文化破壊をどんどんやってしまう。でも、日本人の側にはそれについての罪悪感はない。むしろいいことをやっていると思っている。

その点、欧米人たちはもともと人間とは悪いものだという「原罪意識」を持っているから、植民地統治をやるのでも後ろめたい部分があるから、「そこそこのところで止めておこう」「なるべく手を汚さない方向でやろう」という歩留まりの姿勢があるわけだ。

戦争観に関しても同じで、人間には原罪があるからどんなに文明が発展しても平和な世界を作ることはできない、かならず戦争が起こるという建て付けがあるから、「じゃあ、実際に戦争が起こったらどうするか」というところから、戦時国際法を作ろうというアイデアが出てくるわけだね。戦争はやるけれども、やりすぎないように自制をする。そのためのルールが必要だというわけだ。こうした人間観は日本人にはないから、その理解はひじょうに重要になる。

## なぜアメリカの学校には「世界史の授業」がないのか

では話を戻そう。次に挙げているのがレスター・ウォードの「動態社会学」だ。

生物に進歩があったように文明にも進歩があったが、それは最高で最良のものが選ばれて保護され、最低で最悪のものが消滅したからである。端的にいって人間は、人間期以前の、有史時代以前の進展的動物として、その時期に達してからも進展的動物であることをやめなかった。人間の進歩は自然の進歩であり、永続的で宇宙的な運動であって、技術の進歩でも、先見と知的傾向の結果でもなかった。
（研究社刊『アメリカ古典文庫18 社会進化論』所収「動態社会学」後藤昭次訳。160ページ）

結局、ウォードが言いたいのはここだよね。つまり「生物に進歩があったように文明にも進歩があったが、それは最高で最良のものが選ばれて保護され、最低で最悪のものが消滅したからである」。ここだ。

アメリカの義務教育には世界史の授業がない。アメリカ史の授業もない。単に「ヒストリー」という科目があるだけ。これはどうしてだと思う？

その意味は「世界史は最終的にアメリカ史に収斂されていく」と考えているからだ。アメリカの歴史が世界史だから、分ける必要はない。

これは旧ソ連も一緒だった。旧ソ連にはソ連史しかなかった。彼らも世界史は最終的にソ連史に包摂されると考えた。ソ連もアメリカも発想は同じ。

ちなみに二〇二四年度から学習指導要領が改定になって、日本でも世界史・日本史の区分をなくして「歴史総合」という科目が生まれる。これは日本史の中に世界史を取り込んでいこうとするのか、それとも逆に世界史の中に日本史を取り込むのかは分からないけれども、日本でも同じようなことが起きようとしているのは、注目しておいたほうがいい。

続きを読もう。

レスター・ウォード

## ウォードの社会進化論とナチズムの親和性

要するに、人間は今も変わらずに動物であり、外なる自然の支配下にあるのであって、自己の精神の支配下にあるのではない。知性を創造したのは自然淘汰である。知性を現状にまで発展させたのは自然淘汰であり、人間を現段階にまで導いたのも、自然淘汰の産物としての知性である。人工淘汰の原理は、人間が自然から教えられたもので、人間はこれを科学としてよりも技術として他の動物に応用しておおいに有利なものであったが、人間はこの原理を人間自身にも応用することには、かつて考え及んだことがない。そこまで考えないかぎり、人間は本当に他の動物と違うとはいいきれないはずである。（前掲書、160ページ）

「人工淘汰の原理は、人間が自然から教えられたもので、人間はこれを科学としてよりも技術として他の動物に応用しておおいに有利なものであったが、人間はこの原理を人間自身にも応用することには、かつて考え及んだことがない。そこまで考えないかぎり、人間は本当に他の動物と違うとはいいきれないはずである」。

これはつまり、人間はこれまで自然淘汰の原理に任せて発展してきたけど、より主体的に進化しないといけないというわけで、これはよりナチズムとの親和性が高まってきているよね。つまりアーリア人同士を掛け合わせて、より純潔なアーリア人を作ることによって世界を統治する——こういう発想になるわけだ。

引き続き、ウォードを読んでいこう。

### すべてを利得で説明する人間観

人間性の基本法則、したがって政治経済学の基本法則は、人間はすべてどのような環境のもとでも最大の利益を求める、ということである。この法則に対して申し立てられてきた例外は、すべて見かけ倒しのものばかりで、これまでの無数の経験からして、それらの例外は公共政策の基礎としてあてにはならない。（前掲書、161ページ）

ここのところは分かりにくいかもしれないが、「人間はつねに利益を追求している存在だ」ということだね。「先生が私にいろいろと指導してくれるが、これはいったいどういう利益を求めているんだろう」「私は出版社に就職希望だから、将来、編集者になったらこき使ってやろうと思って、今は優しくしているかもしれない」（一同笑い）と、物事をつねに損得で考えるというのがウォードの人間観だ。

したがって彼から言わせれば、共感とか愛情というのも一種の論点外しで、本当はその根底には利益を求めるという動機があるという話になる。たしかに、そのように考えて打算的に行動することによって成功することはできるかもしれないけれども、でも、これだと誰からも尊敬はされないよね。

しかし偉大な社会運動の知性と倫理とが分離している場合、倫理の方が知性を支配しようという自己拡大の誘惑にさらされるのはまったく抗しがたい。その誘惑は拒絶されたためしはなく、拒絶されるものと期待するのも愚かであろう。したがって、そのような運動においては、個人一人一人が自ら一つの勢力とも牽制力ともならなければならない。(前掲書、161ページ)

さっきも言ったように、知性による利害得失の判断よりも、倫理のほうが「誘惑度」が高いから、ここで負けたらダメだということをウォードは力説している。

でもこれも、変数を入れればいいんだよね。たとえば、お金を儲けるというのは単に私腹を肥やすことではない。お金持ちになれば、貧乏人にはできない慈善活動もできるようになる。そうすれば利害を追求することと、他者からの承認というのは両立できるんだという説得は可能だ。つまり、「承認欲求」を変数に加えると、利害vs倫理という対立軸にならずに済む。

## エリート主義からナチズムが生まれてくる

しかし誰の目にも明らかであるように、知的活動は、情熱と結びつくとき、それだけでは物質や自然の力を利用しようという大目的を完遂することはけっしてできない。もちろん本来ならば、この大目的さえあればこの運動を起こすことはできるであろう。しかし誰でも一人ではそのような仕事を始めることはできない。発起人は、共鳴して盛り立ててゆく者に比べて、つねに少数でなければならない。(前掲書、161〜162ページ)

なんで発起人、イニシエーターは少数でなければならないの？　なぜなら、そういったことを思いつくのはエリートだからだよ。特に優れた人が新しい思想を提起して、それに共鳴してもり立てていく人たちがたくさん現われるのだけれども、しかし、新しいアイデアを出すのはつねに少数派で、彼らがエリートとなって社会を引っ張っていく――これはナチズムと通じる発想だよね。ナチズムでは文化創造的な民族と、文化を維持することができる民族と、文化破壊的な民族の三種に分類するけれども、ウォードの思想はそれに通じるものだね。

## 人間を人工的に淘汰する

もう少しウォードの思想を追いかけてみよう。

この例は動植物にある例にも比較できる。動植物の多くは今なお発展段階にある。植物界は何百万年にわたってゆっくりと海草から苔（こけ）へ、苔から羊歯（シダ）へ、羊歯から蘇鉄（そてつ）へ、それから松へ、そしてさらに樫（かし）や林檎（りんご）へと発展してきた。それと同じように動物界も、単細胞生物から人間に至るまでに、次から次へとより高級な組織をもつ形態をあらわしつづけてきたのだから、植物界も動物界も、おそらくはある一定の期間、この発展的分化を続けてゆくものと考えられる。しかし、自然状況だけだとしたら、人間の努力が育ててきた麦やトウモロコシや林檎を発展させるのに、どれだけの期間が必要であろうか。エアシャー種〔乳牛〕やデヴォン種〔肉牛〕やチェヴィオット種〔羊〕を生むのにはどれだけの期間か？　そして、人間の選ぶ性質をかならずしも自然も選ぶとはかぎらないのであるから、右の例は厳密には同じではない。が、もし自然淘汰の代りに人工淘汰が行なわれていたならば、人間進歩はおおいに速められていたであろうと、右のことからかすかに想像することはできる。（前掲書、162ページ）

この発想の延長上には、優秀な男性と女性を国家がペアリングさせて、子どもを産ませる。その子どもを育てるのは優秀なプロ集団に任せて、エリート教育をしていくというアイデアが待っている。「人間牧場」の発想だ。

## ノルウェーで行なわれた人体実験

ナチスは実際はそれに近いことをやっていたんだ。どこでやったと思う？　ノルウェーなんだよ。

ナチスはアーリア人こそが最高だと言っていたわけだけれども、アーリア人はドイツだけにいるわけじゃない。スウェーデンにもノルウェーにもアーリア人はいる。だから、これらの国々で優秀な子どもを育てるのはきわめて重要なことだとナチスは考えた。

当時のノルウェーの大統領はクヴィスリング。彼はヒトラーの友達だった。お父さんはルター派の牧師で、彼自身は士官学校に入って軍人の道を選んだ。その後、政治家に転身してノルウェーの大統領になった。

そのクヴィスリングの指導体制のもとで、ノルウェーはナチの同盟国になった。そして、親衛隊と金髪碧眼のノルウェーの女性との間で子どもをつくって、アーリア人種を保全していくという活動をしていた（レーベンスボルン計画）。

ちなみに、ノルウェーでは戦前に死刑を廃止したんだけど、ナチス・ドイツが崩壊したときにはまだクヴィスリング政権が続いていたので、「このまま連合国が進駐してきたら、ノルウェーはナチスと同様に扱われてしまう」と焦って、クヴィスリング政権の要人たちをみんな逮捕し、憲法改正をして死刑を復活させて、彼らをみんな死刑にしてしまったんだ。で、それが済んだらまた憲法を元に戻して、死刑を廃止にした。

ヴィドクン・クヴィスリング

これで「すべてはクヴィスリング一派が行なったことで、彼らのせいでノルウェー人はみんな酷い目に遭った」というレジスタンス神話を創り出すことに成功したんだよ。一種の歴史改変だよね。だから、ノルウェーっていうのは実はちょっと危ない歴史がある国なんだ。最近も、ブレイビクというネオナチの男がたった一人で七七人も殺害したけれども、そういうことが起きる土壌が昔からあるんだ。

続きを読んでみよう。

> 私はここで、動植物に実施されているような、人類の肉体的資質の向上を目的とした発生淘汰のことをいっているのではない。もっともこれは、今では世界を指導してゆく人たちの重大な関心事とならざるをえない、重大問題の一つであると私は考えているのだが。（前掲書、同）

ウォードは「私はここで、動植物に実施されているような、人類の肉体的資質の向上を目的とした発生淘汰のことをいっているのではない」と否定しているけれども、その直後の文章を読むと、やはり人類にも発生淘汰を行なうべきであるとほのめかしている。こういう危ない言説をする人はいろんなテクニックを使って、「自分は過激なことを言っていませんよ」と予防線を張って責任回避をしようとするわけです。だから、ここの部分で言っていることはすべて無視して読んだほうがいい。詭弁（きべん）に引っかからない読解力は重要だよね。

続いて読んでいこう。

## 戦後にも遺された、日本の優生思想

要するに、本当に必要なのは「認識」である。認識とは、知性によって捉えられる真理にほかならない。聡明な精神は、認識によって強化された場合、指導力の唯一の頼りうる形態である。この目的にふさわしい唯一の認識は、自然の物質や力から獲得されうる認識である。当面の目的を達成できるのは物質や自然の力のほかにはないのであるから、それらのものについての認識は、人類進歩を求めようとする人間的情熱を望ましい方向へ導くにあたって、まず第一に必要なものである。したがって、この種の認識が人類大衆に普及することこそ、自然がその淘汰過程を通して与えてくれるものよりも、偉大な社会進歩を確保しうる唯一の希望である。しかし、ここでいうところの認識は、まさに「科学」ということばに包含される認識であって、それが普及するということは、教育の名で通っている過程である。したがって真に進歩的な組織体の第一要因は「大衆的科学教育」である。（前掲書、162〜163ページ）

ここでウォードが言っていることを要約するならば、「大衆的科学教育を通じて、人種淘汰理論を広めていくのが最優先課題である」ということだね。つまり、プロパガンダを通じて、優生思想で大衆を洗脳していこうという話で、あとはすべてレトリックで、無視してもいい。

優生思想というのは何もナチスや社会進化論者だけのものではない。日本でも戦後長らく「優生保護法」というものが猛威をふるっていたのは最近のニュースでも聞いているよね。つまり、精神障害を持っている人が子どもを作るのは社会にとって好ましくないという考えから、不妊手術や人工妊娠中絶が行なわれていた。これはハンセン病患者についても同様で、それに対する国家としての謝罪がようやく最近、行なわれたのはみなさんも知っていると思う。

でも、こうした優性思想に基づく不妊手術や中絶が許されてきたのは、「大衆的科学教育」が行なわれてきたから。「ハンセン病は怖い伝染病だから隔離しないといけません」といった話が繰り返しなされてきたから、国民も疑問に思わないわけだね。だから、サイエンス・コミュニケーターとしては、こうした大衆教育に注意を払わないといけないということ。「そんな非科学的な話は誰も信じないだろう」と思ったりしないで、ネットでの言説をはじめとして本気で向き合わないと、また同じようなことが起きるかも知れない。

ただし、その時代ごとにパラダイムというものがあって、ある時代においては今日から見れば間違った知識が常識だと信じられているという状況はありえるので、簡単に断罪するのも間違っている。むしろ、どうしてこのような誤ったパラダイムが長らく信じられてきたかを、その内在論理にまで遡って考えて、追体験していくことが重要になるよね。

## 二十世紀の終わりは一九九一年だった

ところでWさん、十九世紀って何年から何年?

(W)一八〇一年から一九〇〇年まで。

それは暦の上での十九世紀だね。歴史的意味からすると、十九世紀はもっと長いというのがイギリスのエリック・ホブズボームという歴史学者の主張だ。彼は『20世紀の歴史』という、すごくいい本を書いているから読んでみてごらん。今は、ちくま学芸文庫に収められているから読んでみてごらん。

この『20世紀の歴史』の中で、彼が言っているのは「世界史における十九世紀は、暦の上での十九世紀よりずっと長い」ということ。彼によれば十九世紀は一七八九年に始まって、一九一四年に終わったと言うんだけれども、一七八九年というと何があった年かな？
(M) フランス革命の年です。
では、一九一四年は？
(M) 第一次大戦の始まった年。
それではホブズボームは二十世紀はいつからいつまでと言っているだろう。スタートは一九一四年だとして。ヒントは冷戦。
(M) うーん、分かりません。
それは一九九一年。Mさんはその時、まだ生まれていなかったか。
(M) はい。
この年にソ連が崩壊して、東西冷戦が終わった。私は三十一歳だった。外交官として一番活躍していた頃だ。

一九九一年八月十九日の朝、在モスクワ日本大使館の一等書記官から電話がかかってきた。「今、東京から電話があって、ゴルバチョフが執務不能になった」と。それで「ヤナーエフ副大統領が大統領代行に就任したということだけど、クーデターじゃないかと思われる」という話だった。

そこですぐにテレビをつけた。そうしたら通常の番組はやっていなくて、バレエの「白鳥の湖」が放映されている。しばらく見ていると、ときどきニュースが入ってくる。「非常事態国家委員会の声明」。「ミハイル・セルゲイビッチ・ゴルバチョフソ連共産党書記長兼大統領が健康上の理由により執務不能に陥ったため、ヤナーエフ副大統領が大統領代行に就任した」。「それで全土に非常事態を布告する」。「国家非常事態委員会が創設された」。

その短いニュースが終わるとまた画面は「白鳥の湖」になる。その後、チャイコフスキーのコンサートをやっていたけれども、テレビはそれしかやっていないわけだよ。

それでホワイトハウス(ロシア共和国最高会議ビル)に行ってみたら、当時のエリツィン・ロシア共和国大統領たちが立て籠もり、人がものすごく集まっているわけ。

## 「ゴルバチョフは生きているか?」

事件の後で分かったのだけれども、ヤナーエフ副大統領がゴルバチョフ大統領に辞任を要求したんだけど、拒否され、それでゴルバチョフ大統領は軟禁された。ヤナーエフたちが権力を掌握して、モスクワに戦車部隊を出した。これに対してエリツィンは「これはクーデターだ」と言ってホワイトハウスに立て籠もった。そうしたら戦車で囲まれたわけ。いつ突入があって大激闘になるのか分からないという、そういう話になったわけ。

私はその年の初めからソ連体制がものすごくガタガタ来ているんじゃないかと見ていた。モスクワの日本大使館に八七年から勤務しているから、四年目だよね。その年の一月にリトアニアのヴィリニュスでソ連軍と独立派の流血があって、それ以降、ひじょうに不安定な状態にあることが分かっていたので、アンテナを張っておいた。

ゴルバチョフ派とエリツィン派と、それからさらにこのクーデターを計画していた、ソ連共産党の守旧派、その三つに私の友達がいたわけ。ゴルバチョフ派は機能不全になっているし、エリツィン派のほうはどんどんどんどん情報を発信している。問題はゴルバチョフを捕まえているクーデター派なのよ。クーデター派は西側を警戒していて、私にも全然会ってくれない。

それでクーデター派のロシア共産党の二番目に当たるイリインという人がいる。彼に電話してね。「ゴルバチョフは生きているのか」と端的に聞いたわけね。

そうしたら「電話で話せる内容じゃない」と。それで「話せるときになったらかならず連絡する」と。でも連絡は来ないだろうと思っていたら、クーデター二日目の八月二十日の朝十時過ぎくらいに、電話がかかってきた。「午後の一時に会う」と言うわけ。

それで大使館から車で行くと、モスクワのボリショイ劇場のあたりにさしかかったら、もうすごい人波で、デモ隊も大量に出ている。車は全然動けない。

ボリショイ劇場の真ん前はマルクス広場といって、カール・マルクスの銅像があるんだけれども、そのマルクスの銅像に落書きがしてあるんだ。しかも、ものすごく下品な内容のものがね。これまでどんなデモでも、こうしたことは一度もなかった。それで「今回の騒ぎは今までのものとは位相が違う」と分かった。ソ連共産党の権威が地に落ちつつあると分かった。

そこで車を乗り捨てて、クーデター本部のあるソ連共産党の中央委員会まで歩いて行くことにした。距離としては一キロくらいだからね。

で、クーデター本部のところに行ったら、裏口から通してくれた。そこでイリイン第二書記が出てきた。一緒に出てきた秘書が私に「メモは取らないように」と言う。当時のソ連では誰もがメモを取るんだけれども、今回はダメだと言う。

## 「ラジクリート」

そこで私は端的に聞いたんだ。「ゴルバチョフを殺したんですか?」。すると「いや、殺していない。だが彼は明日、連邦条約というものに署名することになっている。もし、それが署名されたら、もはやソ連は存在しなくなる。ソビエト体制が崩壊して、各共和国はバラバラになって、ソ連共産党の優位性がなくなる」と言ったことを話すわけだ。「我々がゴルバチョフのペレストロイカ政策を支持したのは、それがソ連を立て直し、共産主義体制をより強化するものだと思ったからで、ソ連を崩壊させるためじゃない。こうなったらゴルバチョフを排除する形でペレストロイカを進めたいんだ」と、こういうふうに言うわけだよ。

で、イリインさんは「今のゴルバチョフは病気で、執務できないんだ」というのだけれども、にわかには信じられない。「何の病気だ」と聞いたら「ラジクリートだ」という。私はその単語を知らなかったので記憶することにした。本当はメモを取りたいのだけれども、それはダメだからね。

この「ゴルバチョフは生きている」という情報はものすごく価値ある情報なんだ。何せ、当時はアメリカもゴルバチョフは殺されているだろうと思っているからね。だから私としては一刻も早く東京に連絡したい。

しかし、イリインは「ちょっと待ってくれ」と言って席を外した。帰るわけにはいかないから、待っていると紙を何枚か持ってきて見せるわけ。「これを渡すわけにはいかないが、見てごらん」と。そこには「ソ連国民への声明」ということが書いてある。つまり、これはクーデター委員会の声明なんだ。

「明日、『ソビエツカヤ・ロシア』という新聞にこれが掲載されていれば、我々の勝利ということだ」

「ただし、状況はひじょうに流動的で油断ができない。なぜならば民主化の策動を許してしまったからだ」

この話もきわめて重要な情報だ。クーデター派が「これは失敗するかもしれない」と思い始めているという話だからね。

そこでようやく解放されて、ありがとうといってクーデター本部を出た。赤の広場を文字通り、突っ切って行くとロシアホテルというのがある。そこに知り合いのマフィアの白タク運転手がいるんだ。

モスクワの中心部は騒乱状態だ。普通に車を走らせたら日本大使館に戻るのに二時間かかってもおかしくない。それではせっかくの情報も意味がない。だからマフィアの運転手に聞いたら知恵が出ると思った。

で、「いくらでも払うから特急で日本大使館に行きたい」と言ったら、運転手が「いつもお世話になっています、佐藤さん」とか言われて、それで車に乗せられたら、運転手が青い非常灯を出して屋根に取り付けた。要するに覆面パトカーに偽装したわけだ。それでサイレンを鳴らしながら道をかき分けて走ったら一〇分で大使館に着いた。

そこでまずやったのは「ラジクリート」の意味を調べること。そうしたら「ぎっくり腰」と書いてある。ぎっくり腰のために執務不能なんてありえない。そこで大至急、東京に電報を打った。そうしたらひじょうに評価された。

当時は鈴木宗男さんが政務次官だったんだけれど、後で「アメリカにすぐ情報を知らせたら、アメリカもつかんでいない情報だった」と教えてくれた。

話は長くなったけれども、これが一九九一年で、クーデターは結局失敗し、ソ連は解体されて米ソ冷戦の時代は完全に終わったというわけだ。そのとき、私は三十一歳だった。

## 究極的な状態で、人は自分のなしたことを他人に伝えたくなる

余談になるけれども、クーデター事件が終わって三週間くらい経ってからかな、イリインさんから電話がかかってきて、二人で飲むことになった。モスクワに新しい家をもらったというので、そのマンションに行った。

すると、イリインさんが斜め下の、灯りのついた部屋を指さすわけ。

当時のロシアでは三階以上の部屋ではカーテンを付けない。カーテンをしていると何か隠し

事をしているんじゃないかと思われるから、寝室くらいしかカーテンを付けないわけなんだ。

その指をさした部屋には誰か人がいて、動いている。「あれはエリツィンの家だ。あそこにいるのはエリツィンの奥さんだよ」と教えてくれる。そして「私のフロアのすぐ下に住んでいるのはエリツィンの首席秘書官なんだ」と言うんだ。イリインさんはエリツィンに反対の立場なのに、みんな同じ所に住んでいるわけだね。「会ったら挨拶くらいはするよ」とイリインさんは言うわけ。

「今、イリインさんは何をしているの？」と聞いたら、「検察官から国家反逆罪で取り調べを受けたんだけれども、取り調べでは否認した。別に盗みや強盗をやったわけじゃないからね」と言う。検察官は「国家転覆罪を認めれば許してやる」と言うんだけれど、絶対に認めない。犯罪者呼ばわりされることは何もしていない。でも「エリツィンの側には、頼み事をしているんだ」と言う。

それはどういうことかというと、共産党の、自分たちの下で働いていた下級職員たちはみんな職を失ってしまった。タイピストとか、運転手とか、電話交換手とか、そういう政治に関係していない裏方の人たちの再就職をお願いしていると言うんだ。自分たちがやった政治的な活動に巻き込まれた形で失職するのは気の毒だ。で、それについてはエリツィンの側もすごく柔軟に対応してくれていて、再就職先を見つけてくれていると言うんだね。

それを聞いて「ロシア人はスケールが大きいな」と思った。イリインさんは共産党の中でもひとかどの立場にあった人で、エリツィンとは正面からぶつかったわけだけど、それは信条の違い、政見の違いだから、それについては遺恨を残さず、対応しているんだからね。

で、そのときに「なぜ、あの事件のときに私に機微に触れる情報を教えてくれたんですか。私は大いに助かったけれども、でも資本主義国家の外交官ですよ」

そうするとイリインさんは「究極的な状況に立つと、人は自分がやってきたことを誰か理解してくれる人に伝えたいという誘惑に駆られるんだ。そのときに、マサル、君に伝えるのが一番いいと思ったんだ」と言ってくれた。

「世の中には仕事を方便、生活としてやっている人と、仕事と信念を一致させているタイプの人がいて、君は一致させているタイプの人と見た。実はロシア共産党のイデオロギー専門家の中で、君の評価はひじょうに高いんだ」

「君みたいなイデオロギー部員がいれば、ソ連はもっと長持ちするのになあ」と、みんな冗談半分で言っていたくらいだ。日本政府の立場にひじょうに忠実でありながら、なおかつソ連を本気で理解しようとするという、そういう思いが伝わった。だから君に伝えておこうと思った」と。

## ソ連は欲望の力に敗れた

そのとき、イリインさんが言ったのは「我々は欲望の力に勝てなかった。だから失敗したんだ」ということだった。たとえば、ロシアホテルにはバスキン・ロビンズの経営する「サーティワン」が開業した。あれが敗北の原因だというんだね。

「それはどういうことですか?」

「マサル、ソ連のアイスクリームは何種類あった?」

サーティワンが上陸するまでのソ連のアイスクリームというと、スタカンチクというカップアイス、エスキモーという白くコーティングされた棒アイス、あと、白いボンボンアイスと、ウェハースの入っているアイスと四種類だけだった。いずれもおいしいんだよ。乳脂肪分が二十何パーセントもあって、値段は安い。

私がそう言うとイリインさんは「そこだよ」と言う。

バスキン・ロビンズのサーティワンには、文字通り三一種類のアイスクリームがある。それを二段重ねにして食べれば、三一掛ける三〇で九三〇種類の味の組み合わせが楽しめるとなれば、みんな昔のアイスには目もくれない。それが欲望の力なんだ。

ブレジネフがなぜ優れていたかというと、フルシチョフによって米ソ間が雪解けムードになって、国境が開きかけたときに断固としてそれを拒否した。それは資本主義イデオロギーが怖いんじゃない。大量消費文明がソ連に入ってくるのを恐れた。それに対抗するようなイデオロギーをソ連は作れないということをブレジネフは分かっていた。だから国境を閉ざして、ソ連人の欲望が爆発しないようにした。

ところが、ペレストロイカでゴルバチョフは「物質的な刺激を与えれば、人々はより働くようになって、共産主義社会を立て直せる」と思って国境を開いてしまった。その結果、欲望は際限なく大きくなって、「自分たちだけが豊かになればいい」という人間が生まれてしまった。

我々は七〇年かけても、社会主義的人間、共産主義的人間を作りだせなかった。

私はイリインさんが言っていることがひじょうに腑に落ちると同時に、我々はすでに同じ大量消費文明の中にいるわけだから、ソ連体制とは違うけれども、多くの大事なものを失っているんじゃないかという思いを持った。

結局イリインさんは、その後、アルコール依存症になってしまった。モスクワで開かれた私のお別れの会にも来てくれなかった。それから二年ぐらい経ってイリインさんと親しい人をモスクワに訪れたときに、「彼はどうしていますか?」と言ったら、「死んだよ」という返事だった。アルコール依存症がひどくなって、病院に入院して、何回か退院できたんだけれども、あるとき自分の別荘の庭で車を運転していて木にぶつかってそのまま死んだと。だいぶアルコールを飲んで、なかば自殺のような死に方だったと言っていた。

## イリイン氏の人間観

イリインさんのことをここでみんなに話したのは、今はソ連は存在しないけれども、その体制の中には、それなりにその体制の理念を信じていた、誠実な人たちが少なからずいたということを伝えたかったんだ。でも、それは同時に、性善説に依拠して作られた社会はいかに脆いかということでもある。

さて、そこで今度はすごくシニカルな形で、つまり、人間は善でもなく悪でもなく中立的な存在で、強い者と弱い者がいるだけだと考え、弱い者は強い者にただ従っていく宿命にあるということを、首尾一貫して信じ続けたヒトラーという人間について扱ってみたいんだよね。

政治家はしばしば「自分は命懸けで仕事をしている」と永田町で言っているけれども、私は全然評価しない。だって、命懸けということだったらヒトラーもそうだったからね。しかも、永田町の先生たちはまだ生きているけれども、ヒトラーはその結果、命を落とした。命懸けという言葉は、政治を評価するうえで何の基準にもならない。

ナチズムは「異常な思想」として片付けられているんだけれども、ヒトラーと彼の思想をここでちょっと普通とは別の角度から眺めてみたい。

ほとんど知られていないけれども、ヒトラーは結構な読書家だった。そのヒトラーの蔵書が今はアメリカの議会図書館に収蔵されていて、それらの本の内容や、ヒトラー自身の書き込みを見ることで、ヒトラーの思想がどのように生まれてきたかを解明したのがここで紹介する『ヒトラーの秘密図書館』（文藝春秋刊、赤根洋子訳）という、アメリカの歴史学者（ティモシー・ライバック）の本なんだ。そこでもヒトラーの思想がハーバート・スペンサーや、その流れを汲むアメリカの社会進化論にひじょうに親和性が高いことが描かれている。

ということは、つまりヒトラーの思想は今日でも形を変えて、しょっちゅう生まれているということを意味している。日本でも『人は見た目が9割』とか、あるいは『言ってはいけない』といったベストセラーが出ているけれども、これは人間は生まれながらにして可能性が決まっているという、優生思想に他ならない。それが今、日本でも普通に流布している。ここのところをしっかり捕まえておかないといけない。

また、それと同時にヒトラーのナチズムというのは、いろんな思想のアマルガム、つまりごった煮みたいなものである。さっき「ヒトラーの思想は首尾一貫している」と言ったけれども、それは彼の頭の中での話で、思想としての体系として見た場合には、アマルガム、つぎはぎでしかない。その意味では、ナチズムはデタラメで、知的な水準としては取るに足らないほど低いのだけれども、その思想が世界を破滅の危機にまで追いやったわけなんだ。そのことを次回の講義で勉強していきましょう。

第 3 講

# ナチズムの父はダーウィンだった?

## 総統とは「国家を運転する者」という意味である

まず『世界大百科事典』で、「ヒトラー」の項目を読んでみよう。

【ヒトラー　Adolf Hitler　1889〜1945】ドイツの政治家。ナチス（ナチ党）党首（1921〜45）、第三帝国の総統（1934〜45）。オーストリアのブラウナウに税関吏の息子として生まれる。小学校卒業後、実科学校に進学、成績不良のため中退。1908年ウィーンに居住し、その前後に2度、造形美術大学を受験して失敗する。定職につかず、両親の遺産や孤児年金を支えに芸術家気どりの生活を送り、のち肉体労働や絵葉書を描いて生計をたてる。13年ミュンヘンに移住。（平凡社『世界大百科事典』中村幹雄）

「第三帝国の総統」とあるね。総統といったらドイツ語ではフューラー。イタリア語ではドゥーチェ。ロシア語だとウォージ。ロシア語でワジーチェリといったら何？

（S）運転手。

運転手だよね。だからウォージには「国を運転する」という意味がある。フューラーも同じだ。指導者、領導者という意味で、だから「すべてを統御する」という意味で総統という名前になった。

で、ここで大事なのはヒトラーはオーストリア人だということだ。生粋のドイツ人ではない。後にヒトラーはドイツの総統としてオーストリアを併合する。オーストリアの歴史では、オーストリアはナチス・ドイツの被害者だという物語になっているけれども、そう簡単な話ではないんだ。当時のオーストリアには「大ドイツ主義」といって、自分たちも偉大なるドイツ民族の一員だという思想があった。ドイツのオーストリア併合には、そういうバックグラウンドもあるんだ。

14年第1次世界大戦が勃発すると、バイエルン軍に志願して従軍。戦功により、第1級鉄十字勲章を授与される。大戦後も、バイエルン軍にひきつづいて勤務し、兵士に反社会主義的、国粋的な政治思想を注入する任務に従事した。1919年ドイツ労働者党(ナチスの前身)に入党。21年党首に就任し、党指導の全権を掌握する。ベルサイユ条約の廃棄、激烈な反ユダヤ主義を唱えて注目をひく。23年11月ミュンヘン一揆を企てて失敗、党は解散され、自身は禁固刑に処せられる。(前掲書、同)

この禁固刑に処せられたときに獄中で書いたのが『わが闘争』だ。ヒトラーを考える際の基本文献だ。ただ『わが闘争』を読んでも、ほとんどこれは彼の妄想をそのまま文字にしたもので、整合的で、体系的な思想はない。だから、まともに解析してもなかなかよく分からない。

ちなみにこの『わが闘争』の著作権は今はどこにあると思う？

ヒトラーには子どもがいないし、親族もいない。死の直前に愛人のエヴァ・ブラウンと結婚したけれども、彼女もヒトラーと一緒に死んでしまった。

というわけで、彼の死後、『我が闘争』の著作権はドイツのバイエルン州が引き継ぐことになった。ドイツは分権制だから、ドイツ国家ではなくて、彼の選挙区であったバイエルンが主体になるんだ。でも、バイエルン州は当然、『我が闘争』の出版を許さないから戦後のドイツではこの本は海賊版以外では読むことができなかった。

ところがその著作権の期間は七〇年しかないので、ヒトラーの著作権はすべて彼の死んだ一九四五年の七〇年後である二〇一五年で消滅してしまった。そうなると、かりにネオナチが彼の本を復刻しても法的には問題がないわけになる。

そうなることを予想してバイエルン州が行なったのは、ミュンヘンにある現代史研究所に、学術的な校訂を付した形での『我が闘争』を出版させることだった。これは二〇一六年に出版されたのだけれど、ものすごく分厚い。日本で言うと、研究社の『英和大辞典』あるいは大修館書店の『ジーニアス英和大辞典』くらいの厚さで、それが二巻本になっている。

なぜそうしたかというと、普通の人が簡単に買ったり、携帯したりできないようにするため。技術的に言えば、進んだ印刷技術を用いれば、もっと小さく、薄くできたかもしれない。でも、あえてそうしなかった。そういうわけで、『わが闘争』は今でもドイツではタブーで、議論することがむずかしい。そういう書籍なんだ。

では、次に「ナチス」の項目を読んでみよう。

【ナチス Nazis】ドイツの政党。正称は国民社会主義ドイツ労働者党 Nationalsozialistische Deutsche Arbeiterpartei（NSDAP）。国家社会主義ドイツ労働者党とも訳す。ナチスという呼称は、国民社会主義者 Nationalsozialist の略称ナチ Nazi の複数形である。

〈党結成からミュンヘン一揆〉1919年1月5日ミュンヘンの国有鉄道中央工場の仕上工ドレクスラー Anton Drexler（1884〜1942）が労働者をナショナリズム、反マルクス主義、反ユダヤ主義の立場に獲得することをめざして、同僚の労働者24名とともに結成、党首に就任した。最初ドイツ労働者党 Deutsche Arbeiterpartei と名のり、《ミュンヘン・アウクスブルク夕刊》紙のスポーツ担当記者ハラーの仲介で反革命結社〈トゥーレ協会 Thulle Gesellschaft〉の援助を受け、かつ活動もハラーの方針に従い小規模な人数の演説集会に終始した。19年9月ヒトラーがドイツ労働者党へ入党、宣伝担当の役をまかされる。党の大衆化の方針をめぐってヒトラーはハラーと対立、20年1月ハラーは離党。これによりドイツ労働者党は、トゥーレ協会の後見から独立することとなった。（平凡社『世界大百科事典』中村幹雄）

ナチスの正式名称は国家社会主義ドイツ労働者党。国家とか社会主義とかドイツとか労働者とか、いろんな要素が入っている。国家を大切にして、労働者を大切にして、それで社会主義政策を実現するという、モザイク的な名前だよね。

で、当初は学生サークル、職場サークルのノリと大して変わらないところから始まっていったのが徐々に数を増やしていった。そこにヒトラーが入ってきて主導権を握るようになってからだんだんグループの性格が変わっていくわけです。

## マルキシズムとファシズムの違い

続きを読もう。

20年はじめ国民社会主義ドイツ労働者党と改称。同年2月24日ヒトラーとドレクスラー共同執筆の25ヵ条からなる党綱領を発表、大ドイツ国家の建設、ベルサイユ条約反対、反ユダヤ主義の主張と並んで、中間層や労働者の利益を考慮した要求（不労所得の廃止、利子奴隷制の打破、トラストの国有化、大企業の利益への参加、大百貨店の自治体への移管、土地改革、地代の廃止）を盛り込む。21年7月ヒトラーが党首に就任、選挙による上級指導者の選出、合議制の機関を廃止し、党首を頂点に上下の厳格な命令・服従関係が刻みこまれた党運営の原理（〈指導者原理〉）を樹立する。党活動のスタイルとしては演説集会を重視し、20年末

> ～21年1月にかけてミュンヘン市内で46回の演説集会を開催、6万2000人の聴衆が参加した。ヒトラー個人を例にとれば、ミュンヘン市内において22年11月30日に5ヵ所の会場で、12月13日には10ヵ所の会場で演説を行い、聴衆の間にナチスへの支持をつくりだすために精力的に活動。他方で21年11月に突撃隊Sturmabteilung（SA）を結成、褐色の制服を着用する突撃隊による街頭でのポスターはり、ビラまき、ミュンヘン市中での示威行進、また他の都市に〈進軍〉して示威行進や左翼勢力との乱闘（22年10月、コーブルク市）を通じて、大衆の注目を引くことに努めた。（前掲書、同）

ヒトラーが「国民社会主義ドイツ労働者党」と改名してからの党綱領が重要。トラストの国有化、大企業の利益への参加、土地改革、地代の廃止……つまり、これはどういうことかというと、労働者の地位向上と経営者の利益、その双方を同時に図っていくという話で、これがファシズムの経済学の特徴。要するに放っておくと格差が広がっていくから、国家が資本主義を統制しないとならない。

これに対してマルクス主義は資本主義そのものをなくして、新たなシステムを作る、つまり社会主義、共産主義の革命を起こすことによって格差を解消していくというアプローチになるんだけれども、ファシズムの場合は資本主義はそのままにしたうえで、国家という暴力装置によって労働者の利益を保全するという考え方に立つ。

すなわち資本家の利潤の一部を国家の強制力で労働者に再配分し、その代わりに労働者にはスト権を認めない。また雇用に関しても、国家がそれを調整して、資本家に雇用を確保させる。こうしたコーポラティズム、一種の協同組合主義として、ナチスの経済政策は始まっているわけだ。

この理論的な支柱となったのはヴィルフレド・パレートという経済学者。今でも経済学の教科書を開くと「パレート最適」という単語がゴシック体で印刷されているくらい重要な概念で、第二次大戦後の社会福祉政策もパレートの理論が大きな柱となっているわけだけど、戦前や戦中の百科事典などで彼の名前を調べると「ファシズムの理論家」として紹介されている。ちなみにパレートはムッソリーニの先生でもあった。

つまりこれはどういうことかというと、ファシズムも福祉国家政策もともに国家が私的な経済活動に介入して、富の再配分を行なうという点においては共通であるということなんだ。このところは重要だからよく覚えておいてほしい。

ではさらに読み進めていこう。

## ヒトラーを支えたのはホワイトカラーだった

20年4月ナチスの運動はミュンヘン市外に拡大し、ローゼンハイムに最初の支部が設立され、翌年7月には運動はバイエルンの境を越え、ハノーファーに支部が結成された。またニュルンベルクに本拠をおくシュトライヒャーのドイツ社会主義党 Deutsche Sozialistische Partei や北部ドイツの反ユダヤ主義の小政党を吸収合併し、党員数は23年10月までに5万6000人に達した。しかし党組織は、基本的にはミュンヘンを中心とするバイエルンにまだ限られていた。この当時、ナチスの激烈な反マルクス主義、反ユダヤ主義、反ベルサイユ条約の宣伝は、一部の労働者の支持を獲得できたが、第1次世界大戦後の混乱の中で経済的にも心理的にも窮迫した中間層(手工業者、商人、ホワイトカラー)や失業軍人の間に大きな共鳴盤を見いだした。19年から23年のナチス党員における労働者の比率は21・7%であったのに対し、中間層は68・5%であった。(前掲書、同)

ここの記述で注目すべきは、ナチスの支持者は社会階層的に言うと、底辺の労働者とかではなくて、中間層(手工業者、商人、ホワイトカラー)だったということだね。強いて言うならば「自身の生活が没落することを恐れている中間層の運動」がナチスだったと表現できる。

その気分は君たちにも分かるんじゃないか。つまり、「これ以上、努力して上昇したいとまでは思わないけれども、今より生活が苦しくなるのは不安だ」という心境だ。そういう意味では、今の日本でもナチズムが生まれてくる土壌があるということだ。

では、次に【ナチス】の中にある「党の組織化・大衆化」という小項目を読んでみよう。

## なぜナチスには綱領がなかったのか

ヒトラーの入獄中、ナチスは〈大ドイツ民族共同体〉（エッサー、シュトライヒャー）、〈国民社会主義解放運動〉（ルーデンドルフ、G・シュトラッサー、フェーダー）、〈戦線命令隊〉（レーム）の三つのグループに分裂した。この対立の結果、24年7月ヒトラーはいっさいの党指導からの引退を表明し、同年12月末ヒトラーは釈放され、25年2月にナチスを再建。議会を通じての合法的な権力獲得へと戦術を転換する。26年11月突撃隊も再建、ただし武器の携行は禁止された。このような戦術転換は、ヒトラーとルーデンドルフ、レームとの分裂を招いた（レームは1931年1月突撃隊幕僚長として復帰）。ヒトラーの入獄中に独自な行動の気風を身につけた北部・西部ドイツのナチス指導者たちは、G・シュトラッサーを中心に25年9月〈ナチス北部・西部ドイツ大管区指導者労働共同体〉を結成、同年11月と翌26年1月の2回にわたりハノーファー会議を開催、20年2月の25ヵ条綱領にとって代わるシュトラッサー起草の綱領草案を審議した。これに対しヒトラーは26年2月南部ドイツのバンベルクに会議を開催、北部・西部のナチス有力指導者の動きを封じこめるのに成功、同年5月ミュンヘンの党員総会で25ヵ条綱領の不変更を宣言して今後の綱領問題の討議を禁止し、また〈指導者原理〉を再確立した。（前掲書、同）

ヒトラーはなぜ、時代状況に合わせて綱領を作ろうとしなかったんだろう？　それはいったん綱領を作ると、それに縛られてしまうから。アドルフ・ヒトラーという人間の中にナチスの行動原理がすべて体現されているということにしたほうがいい。そのほうがずっと状況に対応しやすくなるからね。

それはヒトラーが後年、一党独裁制を樹立したあと、ワイマール憲法をなぜ廃止しなかったかということとつながってくるわけ。

## なぜワイマール憲法は残ったのか

オットー・ケルロイターという法学者が戦前に岩波書店から『ナチス・ドイツ憲法論』という本を出しています。彼は中曽根康弘総理の先生だった、政治学者の矢部貞治の友人で、その縁で戦前、東大法学部の客員教授もやっている人なんだけれども、彼は『ナチス・ドイツ憲法論』の中で、ワイマール憲法をいじる必要はないという理由を縷々解説している。

それはどういうことかというと、イギリスには成文法としての憲法はないよね。イギリスの場合はマグナ・カルタ以来のさまざまな法律の集積が全体として憲法を成していると言われている。

それと似たように、ドイツにもドイツの血と土による非成文法がある。それは具体的にはどういうものかといえば、ヒトラーだというわけだ。つまり、ドイツの法はヒトラーの人格として体現されている。だからヒトラーが制定したさまざまな法律、たとえば「血の純潔法」とか

「国防法」とか「優生保護法」とかそういった法律はワイマール憲法よりも優越するから、わざわざワイマール憲法を廃止して、新たなナチス憲法、ヒトラー憲法を作る必要はないんだと説明しているんだ。

### イギリスにもファシスト政党があった

では、今度は「ナチズムの影響」という小項目を読んで見よう。

北欧においては、スウェーデンに、1926年に〈ファシスト闘争団〉が結成され、29年〈国民社会主義人民党〉と改称。ナチスの突撃隊と類似の制服を着用、また類似の綱領を制定した。デンマークでは、30年に〈デンマーク国民社会主義労働者党〉が結成され（指導者はクラウセン）、その突撃隊は褐色の制服を着用、ナチスの25ヵ条綱領をほぼ全文、借用した。ノルウェーにおいては、33年5月クビスリングが〈国家統一党〉を創立、反マルクス主義、反ユダヤ主義をとなえ、階級闘争と政党政治の絶滅を強調。42年はじめ、第2次世界大戦中のドイツ軍占領下にクビスリングは首相に就任、また突撃隊の充実に努力した。

西欧においては、ベルギーに、ドグレルの率いる〈レクシスト〉があり、政党政治を攻撃、中間層の支持を基盤に、36年5月の議会選挙で200議席中、21議席を一挙に獲得、注目をあびた。オランダには、31年ムッセルト Anton Adriaan

Mussert（1894〜1946）により〈国民社会主義運動〉が結成され、黒シャツ着用の防衛隊も出現した。37年5月の議会選挙で4議席を獲得。ドイツ軍占領下でムッセルトはオランダ民族の〈指導者〉に任命された。イギリスでは、32年10月モーズリー Oswald Ernald Mosley（1896〜1980）により〈イギリス・ファシスト同盟〉が結成され、反マルクス主義、反ユダヤ主義をとなえ、黒色の制服着用の〈ファシスト防衛隊〉による派手な街頭宣伝が展開され、34年時点では大きな注目をひくのに成功した。フランスには、30年代に指導者原理を掲げ、制服を着用し、旗をかざして行進するピュカール指導の〈フランス主義党〉やナチス・ドイツとの協力を主張するデアの〈国家人民連合〉が活躍した。（前掲書、同）

ナチズムの影響はそれこそヨーロッパ全土に及んだわけだけれども、特に重要なのはイギリス。イギリス・ファシスト同盟を作ったモーズレーは元々、保守党にいたんだけれども途中で労働党に鞍替えした。というのも、保守党は退役軍人の面倒を見ないから。そこで彼は社会主義者になったわけだけど、労働党の政策でも物足りない。政府の経済への介入が不徹底で、失業者対策をやっていないということから新党としてイギリス・ファシスト同盟を作った。

ただし、この政党はナチスとは違って反ユダヤ主義には立たないんだけれども、彼の政党は戦前はかなりの支持者を擁していた。一時期は五万人ぐらいいたと言われているくらいで、戦時中にはこの政党の支持者たち一万数千人はイギリスのマン島に強制隔離されていた。敵国ナチスに情報を流すかもしれないというので、島流しにされたんだ。これはイギリス史の中ではほとんど語られない事実だけど、このようにイギリス人でもナチズムに傾倒する人がいた。

## 燎原の火

では、ドイツの近隣であった中欧や東欧ではどうだったか。続きを読もう。

中欧では、スイスに31年T・フィッシャーに率いられた〈ナチス・スイス人同盟〉が出現。議会主義、民主主義に反対し、全ドイツ的鉤十字運動を主張した。チェコスロバキアとオーストリアには、30年代後半にヘンラインが率いる〈ズデーテン・ドイツ党〉、ザイス・インクワルトが率いる〈オーストリア・ナチス〉が活躍した。

南東欧においては、ギリシアに〈ギリシア国民社会主義党〉があり、ブルガリアには、ナチスを模倣して32年にクンチェフにより〈国民社会主義ブルガリア労働者党〉が樹立されるが、いずれも発展しなかった。ユーゴスラビアでは、34年11月ナチスに強い共感を寄せる〈ユーゴスラビア民族運動連合〉が誕生、党員は右手をあげて敬礼し、古代スラブ社会のシンボルであるクロウタドリの徽章を着用。これとは別にクロアチアには、〈ウスタシャ運動〉があり、その指導者A・パーベリチは41年4月政権を樹立、深緑色の制服を着用する運動の行動隊を結成していた。ハンガリーでは、32年はじめバサルメーニイによって〈国民社会主義ハンガリー労働者党〉が創立され、運動のシンボルとして鎌十字を採用。まもなく、この党からフェチェティチの率いる〈ハンガリー国民社会主義労働者・農民党〉が分裂して成立し、矢十字をシンボルとして掲げ、党員は緑色の制服を着用した。さらにF・サーラシが35年に〈国民の意志・ハンガリー主義運動党〉を創立、同じく緑色の制服と矢十字のシンボルを採用した。全体主義、反ユダヤ主義を標榜し、39年夏の総選挙で大きく躍進した。ルーマニアでは、激烈な反ユダヤ主義を掲げる〈大天使ミカエル軍団〉がコドレアヌ Corneliu Zelea Codreanu（1899～1938）により結成され、団員は緑色の制服を着用した。この運動から30年に〈鉄衛団〉が成立する。37年11月の総選挙で躍進、第三党の地位に進出し、翌38年コドレアヌは政府により射殺された。彼はヒトラーに強い親近感をいだいていた。

日本では、1938年にA・ローゼンベルクの《20世紀の神話》が翻訳されたのをはじめ、ナチスの農本主義の主張者ダレーの《血と土》（1941）、ヒトラーの《わが闘争》（上・下、1942）などが翻訳、出版されている。（前掲書、同）

長い引用になったけれども、どれだけ中欧、東欧において、ナチズム政党が躍進したのかを、ここでぜひ知っておいてほしいから読んでもらった。まさに、ナチズムやファシズムの支持率はヨーロッパ全土で圧倒的に伸びたんだ。

## なぜファシストは制服を好むのか

ところで、今、引用したところでも分かるように、ナチスやファシストの流れを汲む政党はなぜ制服が好きなんだろう？

（K）格好いい印象を抱かせるから？

でも、最初はみんな滑稽に思ったんじゃないか。軍人でもない、大の大人が揃いの制服を着て、町中を歩いているようすは、どこか子どもじみているよね。

そもそも制服って何のためにあると思う？

（I）団結心を見せるため。

では、なぜ制服を着ると団結心が増すんだろう？　私服じゃ、なぜダメなんだろう。

それは制服を着ることによって貧富の差が分からなくなって、均一化するから。

貧富の差が顕著に表われるのが衣服だよね。毛沢東の中国でも一時期はみんなが人民服にしていたけれども、それも同じ発想。みんなが同じ服を着れば、貧富の差は消えてしまう。ファッションはブルジョア的だと言うわけなんだ。

戦間期、第一次大戦と第二次大戦の間の時期は世界的な不況の時代だったから、人々は制服に憧れた。ナチスはそれを最大限に利用して、ドイツ国民だけでなく、ヨーロッパ中に「制服の輪」を広げていくわけだ。でも、本当のところ、制服の先駆けはイタリアのファシスト党なんだけれどね。

## ヒトラーの人種三分法

ところでヒトラーは『わが闘争』の中で人種を三つに分けている。文化創造民族と文化維持民族と文化破壊人種。ナチの場合、民族と人種はだいたい一緒の概念なんだけれども、M君、日本人はどれに属すると思う?

(M)文化維持民族。

そう。文化維持民族という認定。ヒトラーは日本人はみずから文化を創ることはできない劣等民族だと思っていた。日本人は欧米の、ことにアングロサクソンの模倣ばかりをしている。だから、もし日本がアングロサクソンと縁を切ってしまったら――ヒトラーの理論だとアングロサクソンもアーリア人種で、だからヒトラーはイギリスと本当は友好関係を持ちたかった――日本人はあっという間に封建時代に戻ってしまうだろうというのがヒトラーの見方なんだ。

実は日本人への批判は『我が闘争』上巻でも明確に書いているんだ。だから、戦前に出された三種類の『我が闘争』の日本版は全部、抄訳にせざるを得なかった。全訳をしたら日本人についての項目を訳さなくてはならない。そうしたら、日本人を劣等民族と決めつけているヒトラーのドイツと軍事同盟なんか結ぶことはできないからね。

ところが、戦前に蓑田胸喜(みのだむねき)という変わった学者がいた。彼は東大を出たあと、国士舘大学の教授をやっていたんだけれども、ルサンチマン(怨念(おんねん))の塊のような人物で、一九三〇年代の国体明徴運動のときに、次々と他の学者を槍玉に挙げて、大学から追放していった。
最初に彼がやったのは滝川事件で、京都大学の滝川幸辰を「自由主義者」だと告発して大学から免官にしたのを初めとして、次々といろんな学者を指弾していく。その中には天皇機関説の美濃部達吉もいるし、矢内原忠雄、宮沢俊義、津田左右吉……と名だたる学者をみんな弾劾して、日本のアカデミズムはボロボロになった。あまりにもそのやり方が過激なので蓑田胸喜ではなくて「蓑田狂気」と陰口をたたかれていたくらいだ。

蓑田はそういう男、ルサンチマンの塊のような男なんだけれども、東大卒でドイツ語はよく読めた。それでヒトラーの『我が闘争』を原書で読んでいたら、「これは日本人を侮辱している」と怒って、ドイツ大使館に抗議に行ったという話が残っているよ。でも、彼の論理だと「ヒトラー総統にこういう嘘を囁いている奴がいる。それは日本人に違いない。日本人の敵は日本人なんだ」というふうになるところが面白い。今でも保守を名乗っている言論人たちで「日本人の敵は日本人だ」「中国や韓国に密通している国賊的日本人がいる」と騒いでいる人がいるけれども、その伝統は戦前からあったわけだ。

ちなみにこの蓑田胸喜は戦後は故郷の熊本に帰って自殺した。そういう意味では命懸けで時代に殉じた人だったとは言えると思う。

## 日独伊三国同盟を正当化するために作られた映画

話を戻せば、ナチス・ドイツは国防上、日独伊三国同盟を結ばなくてはいけなくなった。今までは劣等民族と見なしていた日本と同盟を結ぶのだから、大変に困った。

そこでドイツ人の意識を変えるために映画を作った。それが『新しき土』という作品で、主演は原節子。日本人とドイツ人が監督をしている。

原節子と言っても君たちは知らないよね。戦前、戦後と、ものすごく人気のあった女優で、映画では小津安二郎の作品にたくさん主演していたんだけど、四十歳過ぎで突如として引退して、死ぬまで鎌倉で隠遁生活を送って、いっさい取材やインタビューにも応じなかった。そういう意味で、伝説の女優なんだよ。二〇一五年に亡くなった。

で、この『新しき土』は、まだ彼女が本当の新人女優、まだ十六歳だったころに見いだされて主演に抜擢された。この映画のDVDは書店なんかで売っている。「原節子十六歳」とか大きく印刷されているから、エッチなビデオかなと思ったりする人もいるみたいだけれども戦前の真面目な映画（笑）。

で、この映画は日独合作というか正確には競作映画で、監督も日独から二人選ばれた。ドイツ側はアーノルド・ファンクといって山岳映画で有名な人で、日本側は伊丹万作。この人の息子は伊丹十三といって、若い頃は

蓑田胸喜

俳優をやったんだけど、後年にはやはり映画監督をやって『お葬式』とか『マルサの女』という作品を撮っているよ。今、残っているのはドイツ版で、アーノルド・ファンクが監督したほう。

この映画の総指揮をしたのがナチスのゲッベルス宣伝大臣。それだけナチスとしても力の入った映画なんだけれども、内容をものすごく簡単にまとめると、富士山の裾野あたりに暮らしていた若い青年がいて、才能を見込まれて東京の金持ちの家に養子に行くんだけど、そこで原節子と出会って婚約をする。

で、その若者は帝大を出て、ドイツに留学するわけなんだけれども、勉強を終えて日本に帰国してきたときに、ドイツ女性を連れて帰る。ちなみに、その女優の兄さんはナチスの親衛隊員で、本人も筋骨隆々のアーリア人タイプなんだ。

彼はドイツ人が自由恋愛で結婚しているのを見て、日本のように家長が結婚相手を決めるのはおかしいという考えになって、それでそのドイツ女性と勝手に婚約してしまったんだ。もちろん、それを知った養父母はものすごく怒る。でも、彼はどうしても結婚すると言って聞かない。

で、その話を聞いた原節子はどうしたかというと、かねてから用意していた花嫁衣装に一回だけ袖を通して、それをまた畳んで片付けてから「どうぞお二人で幸せになってください」と言い残して、浅間山で自殺をしようとする。

それを知った主人公の若者が浅間山まで行って彼女を助け出すわけだけれども、これを見たドイツ人の婚約者が「日本人とは、それほどまでに名誉や家庭を大切にするのか」と感動して、日本人は東洋のアーリア人種だと認識するようになり、身を引いて、ドイツに帰ってしまう。で、残った二人はどうしたかというと、満洲に渡って開拓をすることにする。最後はトラクターで広大な土地を耕すところで終わる。

だからタイトルは「新しい土」というわけなんだけれども、この、満洲に行くというところが重要なところで、ナチスはレーベンスラウム、日本語に訳すと「生存圏」という主張をしていた。当時は世界恐慌の時代で、アメリカ、イギリス、フランス……それぞれの大国はみな植民地を持っていて、独自の経済圏の中で自給自足経済を行なっているが、敗戦国であるドイツにはそれがない。ヒトラーはアーリア民族が生存していくための空間として東方に進出して「生存圏」を構築するという主張を行なっていた。だから、このプロパガンダ映画で日本人が満洲に行くというところを見ると、ドイツ人は「これは日本にとっての生存圏だ」「我々と同じ主張を持っているのか」と納得できるようになっているわけだね。

だからこの映画はものすごくドイツではヒットしたらしい。原節子自身もドイツに行って、大変な歓迎を受けた。

でも、正直なところ、日本では今ひとつウケがよくなかった。というのも、映画の中の描写、特に地理関係がめちゃくちゃで、東京の家を出て、皇居の横を通るとすぐに富士山があって、その先に金閣寺や厳島神社（いつくしまじんじゃ）があるとか、馬鹿らしくて日本人にはとうてい受け容れられない描写がいくつもある。

まあ、これはエドワード・サイード（文芸評論家）の言うところの「オリエンタリズム」だよね。つまり本当の日本をそのまま描くのではなくて、「ドイツ人が考える日本」をそのまま映像化している。そういう意味で、一見の価値はある。一〇〇〇円くらいで売られているから、ぜひ見てみたほうがいい。

でも、映画の力というのは強いんだ。日本人から見れば「オリエンタリズム」丸出しだし、客観的に見ればロジックとしては低劣なんだけれども、でも、それを映画というパッケージにして見せられると、「アジア人は劣等人種だけれども日本人は例外」という神話がすり込まれるんだね。そうしたプロパガンダの力を知る上でも重要な教材だから、ぜひ観てほしい映画なんだ。

## ヒトラーの秘密図書館

ところで、なぜこの講義で『我が闘争』にすぐに触れないかというと、我々に必要なのは、ヒトラーのような、いわばイカれた思想というものは、まず最初に科学の装い(よそお)いをまとって出てくることを知ってほしいからなんだ。つまり、『我が闘争』というのはいわば二次文献であって、その前提になる基礎文献を知っておいたほうが耐性がつくし、また、『我が闘争』のような本に出会ったときに、その出典がどのあたりにあるのか察しがつくようになるんだ。

ちなみにヒトラーは読書について独自のルールを持っていて、自分の書棚の本を一ヵ月に一回、入れ替えをやっていたらしい。一番、目につきやすいところに今、関心のある本を持ってきて、読んだ本は端っこに置く。これは自分の頭の中を整理するにはとてもいい方法だと思う。これから読んでもらう歴史研究家のライバックの『ヒトラーの秘密図書館』でそれを知ってから、私も本の入れ替えを頻繁に行なうように心がけている。

そうやって本を並べていくと、今、自分の関心領域はどこにあるかが可視化されてくる。もっといいのは、それをそのたびに写真として記録しておくことだろうね。そうすると振り返って、自分の中に知的な樹形図がどのようにできつつあるかを確認できる。

さあ、そこでこの『ヒトラーの秘密図書館』を読んでみたい。ライバックは世界全土に散逸してしまったヒトラーの蔵書を追いかけて、この本を書いたんだ。

ヒトラーの現存する蔵書の中で、一九二五年に出版されたマディソン・グラント著『偉大な人種の消滅――ヨーロッパ史の人種的基礎』のドイツ語版ほど、ヒトラーの思想、ひいては最終的には彼の行動に明確な、ないし測定可能な影響を与えた本は少ない。黄色のクロス張りの表紙に茶色の文字でタイトルが書かれたこの大型美装本は、二〇〇ページ足らずと比較的ページ数は少ない。それぞれわずか二〜三ページずつの二八章に分けられ、各章に、「人種の身体的基礎」「人種と居住地」「人種間の競争」「人種と言語」「北欧の祖国」「人種的素質」といった、それぞれの内容を表すタイトルが付けられている。「頭部指数」といったいわゆる実証科学的方法論――「長頭型」をゲルマン的北欧人種、「丸頭型」をアルプス人種と分類するような、頭蓋骨（ずがいこつ）の形状から人種の起源を分類する方法——が理論的裏付けとして使われ、青銅器時代から現代に至る五〇〇〇年間に及ぶ、さまざまな人種の拡大・縮小・混淆を示した地図が添えられている。オリジナルの英語版の地図が淡い緑、黄色、赤で色刷りされているのに対して、ドイツ語版の地図は白黒で、矢印や陰影や交差する線によってさまざまな民族移動が表されている。（『ヒトラーの秘密図書館』文藝春秋刊、赤根洋子訳、１４０ページ）

## ヘーゲルが否定した頭蓋論

頭蓋骨の形によって、その人間の性格や思想が決まる——たとえば犯罪者気質なども頭蓋骨で分かるなんていう「頭蓋論（とうがいろん）」が十九世紀の初めに流行していたんだ。

ちなみにヘーゲルは自著『精神現象学』の中でわざわざ多くのページを割いて、「こうした頭蓋論はまったく根拠がない」と、完全に否定しているんだよね。私は初期のヘーゲルにおいて、この頭蓋論のくだりはひじょうに重要なところだと思うんだけれども、あまり研究されていない。たいていの研究者は「なぜ、こんなに細かく頭蓋論なんてインチキ科学のことを扱っているのか」と当惑するだけ。でも、ヘーゲルが頭蓋論を完膚なきまでに否定したのは、やはりそれだけ後のナチズムにつながる、エセ人種理論に対して危機感を抱いていた表われだと思っている。

この本は、ヨーロッパ大陸全土及びユーラシア大陸の残りの大部分は数千年間にわたって北欧人種の侵入を受け、支配されてきたのだが、その後、北欧人種は他の人種に取って代わられるか、あるいは吸収されてしまった、と述べているのである。ここから学ぶべき、歴史の重大な教訓がある。衰退した「偉大な人種」とともに、断固たる行動を取ることが必要である。人種的国境線を決定し、人種そのものを浄化しなければならない、と。人種浄化に関して、グラントは明確に述べている。「神の法と信じられているものに対する誤った配慮と人命の神聖さに対する感傷的信条とが、障害児の排除及び共同体にとって無価値な成人の断種の障壁となる傾向がある」とグラントは書いている。「自然の法則は、不適切者の消滅を求めている。そして、人命は、それが共同体あるいは人種にとって有用であるときにのみ価値があるのである」(前掲書、142ページ)

ここで重要なのはもちろん、障害児の排除や、「共同体にとって無価値な成人の断種」という思想だね。後者は言うまでもないが、知的や身体的に障害を持っている人たちのことを明確に指している。

障害を持った子どもや成人というのは、自然界においては淘汰される存在であって、それをわざわざ社会として保護していこうというのは、自然淘汰に逆らうことだという考え方を、アメリカ人の優生論者マディソン・グラントが書いて、それがヒトラーの愛読書になった。そして、彼は後にそれを実行することになる。それが一九三九年から一九四一年まで行なわれた「T4作戦」で、それ以後もナチスは精神障害者や身体障害者を強制収容所で組織的に殺害していった。

これでも分かるように、ヒトラー優生思想の源流はアメリカにあるんだ。なぜかというと、それは社会進化論が最も支持されたのがアメリカだったから。優生思想は社会進化論の重要な柱なんだ。

だから、「人命はみな平等だ」とか「障害を持った人たちに親切にすべきだ」とかいった感情は、進化論的に見たらまったく不合理で、むしろ進化に逆らう考え方で、そうした思想にかぶれた民族は滅びる運命にあるんだということをナチスが言うようになったのも、元々はアメリカに起源があるんだね。

## 生涯現役というのはナチスの思想

こうした障害者の排除、精神病者の排除という思想とセットで出てくるのが「生涯現役」という思想だ。

今、テレビショッピングなんかで健康食品やサプリメントの宣伝をするときに「生涯現役」という言葉がしょっちゅう使われるよね。でも、これは元々はナチスの思想なんだ。

なぜか。

この言葉は裏を返せば、「現役でなくなったら価値がない」ということだから。つまり社会の役に立たない老人はさっさと死んだほうがいいというわけだ。ナチスはどこまでも人間を有用性の観点で見ていた。ナチスのキーワードは「生産」だからね。生産に貢献できないものは意味がない。アートなんかも、アーリア民族を褒め称えるもの以外は、全部、非生産的で、堕落したものだから、そんなものは焼却したほうがいいんだというのがナチスの芸術観なんだよ。

ちなみに我々の戦後的な価値観、民主的な社会における価値観は三つの原理から成り立っている。第一は個人主義、二番目は生命至上主義、三番目は合理主義だ。

## 戦時中の日本には「合理性」だけがあった

マディソン・グラント

この観点から見たとき、戦時中の日本においてはどうだっただろう。個人主義はなかった。生命至上主義もなかった。ただし合理主義はあった。というのも、特攻攻撃というのも倫理などの問題を抜きにすれば、航空機燃料や爆弾が少ない中で最大の結果を出すという点では、限定的ではあるけど、合理的だった。ちなみに、特攻隊員に選ばれたのは学徒動員された大学生が少なくなかった。それはなぜだと思う？

（T）一人で飛行機を操縦できるから？
飛行機の操縦は大学を出ていなくてもできるようになるよ。

M君、木から落ちてくる猿にボールをぶつけようとする場合、気をつけるのはどういう点か分かるかな？
（M）ボールが届くときに、猿がどのあたりを通っているかを予想する。
まさにその通り。特攻でもそれは同じで、相手は動く艦船だから、最適な場所に突っ込むには、激突する時点での位置を計算できないといけない。

これは爆撃でも同じだよ。爆撃する飛行機は高速で飛んでいる。そこから落とされる爆弾は飛行機と同じ速度で前方に進みながら落下していく。だから、目標のずっと手前で爆弾を落とさないと意味がないから、計算が必要になる。

そういう計算は算数で解けるかな？
（M）うーん、解けない。
そう。爆弾の位置は進行方向に向かっては等速直線運動だけど、下に向かっては重力によって引き寄せられるから、時間の二乗でスピードが増えていく。それが合成されて落下曲線が導き出される。

戦争の初期、真珠湾攻撃の頃にはこうした計算ができるし、訓練も十分に積んだ優れたパイロットがたくさんいた。対米戦争を行なうために、日本のパイロットは相当に特訓されていたから、そのころは人材がたくさんいた。

ところがミッドウェー海戦以後、どんどん腕利きのパイロットが死んでいく。新しくパイロットを養成しようにも燃料のガソリンもないし、そもそも飛行機が足りない。でも、現場ではパイロットを送れと言ってくる。

そうした事情を一気に解決するのが特攻だった。特攻ならば必要なのは離陸の技術だけで、着陸は訓練しなくていい。練習の際は着陸は教官が代わってくれる。ガソリンも片道飛行だから必要ない。ただ、重要なのはちゃんと敵艦にぶつかれるかどうかということ。これは単に勘でやっていたのではダメだから、高等教育を受けていて、微分法が分かる人材でないと困る。だから学徒出陣した若者を航空兵にした。

でも、そうやって死ぬための訓練をするのっていうのは普通だったらできないよね。どうやって戦前の日本軍は若者に特攻をさせたと思う？

(M) 宗教？

たしかに宗教も利用した。天皇陛下のため、悠久の大義のために死ぬのは光栄なことだというふうに洗脳した。しかし、洗脳だけで本当に死ぬところまで持って行けるだろうか？

そこで日本軍が利用したのは薬物なんだ。つまり、覚醒剤。覚醒剤を注射すると、自分が無敵なように感じる。実際、三日間くらい寝なくても働けるようになるわけだからね。でも覚醒剤は麻薬とかと違って、理性は麻痺しないから微分計算はできる。そこにもってきて、特攻で死ねば英霊になれる、悠久の大義と一体化できるというぐあいに教え込むことによって、特攻機に乗せたわけだ。

だから特攻隊を美化する人たちがいるけれども、少しも美談ではないよ。むしろ悲劇であり、恐ろしい話なんだ。しかも、戦時中に大量に作った覚醒剤は戦後、闇市とかに流れて、覚醒剤中毒、ヒロポン中毒の患者がいっぱい生まれたわけだから、何重にも悲劇を生み出しているわけ。

では、話を続けていこう。

## 人種主義で近代精神を超克したヒトラー

この本の中でグラントは、社会的ダーウィニズムや当時新興の研究分野だった優生学において盛んにおこなわれていた人種のステレオタイプ化を民族移動及び歴史と結びつけ、人種の発達に関する、独特ではあるがまがい物の理論を作り上げている。この目的を達成するため、グラントはずさんな一般化を多用し、歴史を恣意的に選択し、うさんくさい手法やデータを駆使して、これらすべてを確信的かつ残酷な、あからさまに人種差別的なメッセージにまとめ上げた。これこそ、ヒトラーに訴えかけるたぐいの知的態度であった。そして、これがヒトラーの目を新たな観点へと開かせることになった。（前掲書、142〜143ページ）

我々は、こうした誤った思想を戦後は合理主義、生命至上主義、個人主義によって超克したということになるわけだけど、でも、この三つのイデオロギーだけで我々は現実に立ち向かっていけるかという問題もある。

その最たるものは福島第一原発の事故だよね。フクイチではメルトダウンが起きてしまって、どうにも制御できなくなった。このままフクイチに残っていたら放射線障害になって死んでしまうかもしれない。東京電力は民間企業だから、別に死ぬまで忠誠を誓う必要はない。経営者と労働者は原理的には対等だから、原発のオペレーターが「こんな危険な現場で働くことはできませんから、今すぐ辞めさせていただきます」と言って、その場から離れたとして、それを止めることは東電の会長や社長にだってできないよ。

でも、自衛隊員はどうだろう。辞められるかな? 福島第一では消防士も駆り出されたよね。また現場一帯の封鎖には警察官が出動した。

これら自衛官、消防士、警察官の人たちは「危ないから辞めます」と言えるだろうか? どう思う? 辞めさせてもらえると思う?
(T) できないと思います。

**無限責任を負う軍人**

たとえば自衛隊員。自衛隊法によれば、現場を勝手に離れたり、あるいは指示された現場に行かなかったりしたら、自衛隊法一二三条によって七年以下の懲役または禁固刑に処せられる。つまり勝手に辞めるわけにはいかない。軍事用語で言えば、敵前逃亡、あるいは脱走だから、軍隊においては罪になる。

でも、懲役とか禁固で済むのは日本の自衛隊が軍隊ではないからで、戦前の軍隊、あるいは現代のどこの国の軍隊でも軍法会議で最悪、銃殺刑だよ。日本の場合、そもそも軍独自の法廷、つまり軍法会議は憲法上の規定で作ることができないから、普通の裁判所が扱うという形になっている。

このように、どんなに危険な現場においても出動しないといけないというのは、言葉を換えると「無限責任を負う」ということになる。

このような職業として、今、自衛官、消防士、警察官を挙げたけど、他にどんな職業がそれに当たると思う？

（T）お医者さんですか？

医師にはそのような義務はない。たとえばエボラ出血熱みたいに危険な疫病の患者がいて、自分に感染するおそれがあるとしたら、その場を離れることは正当であると見なされる。

こうした職業は日本にはあと二つある。一つは海上保安官。彼らは海の警察だからね、無限責任を負う。

そしてもう一つは実は外交官なんだ。

外交交渉で相手国に乗り込んでいく場合、もし交渉に失敗したら自分の国が攻撃されるという局面があったとする。これはものすごい重い責任だ。とても個人で引き受けられるようなものではない。でも、だから逃げ出せるかというと、それは許されないよね。命令があれば、命を張ってでも相手との交渉に臨まないといけない。

そういうわけで、自衛官、警察官、海上保安官、消防士、外交官、公安調査官……こういった仕事は無限責任を負わざるをえない仕事なんだけれども、でも、日本国憲法にはそうしたことは書いてない。本来ならば、規定されてしかるべきなんだけれども、そこが曖昧になっているのが日本の現状ではある。

でも、そう考えると福島第一原発で働いていた東京電力の人たち、あるいはその下請けや協力会社の人たちはほんとうによくやってくれたよね。実際、東電本社の経営陣は撤退命令を出しかけたんだからね。「この原発のことは自分たちじゃないと分からない」という使命感があったから、撤退しなかった。この判断は、生命至上主義や個人主義を超えたところにあるわけで、そういう尺度で行動しないときがあるのは事実なんだ。

でも、こうした生命至上主義や個人主義の軽視が当たり前になった社会が七〇年とちょっと前にあったのも事実。そこのところをよく考えてもらいたい。

## 大量殺人はイデオロギーなしにはなしえない

でも、お隣の朝鮮民主主義人民共和国に行ったら、それが今でも標準だよね。労働党総書記のために死ぬとか、党のために死ぬとか、そういったことはごく普通だよね。そういう国って、今でもたくさんある。

人間というのは表象能力を持っているから、生命観なんて根本的な価値観ですら、外部から上手に操作されたら簡単に変わってしまう。誰かのため、国家のために簡単に死ねるようになる。でも、今の日本はどうだろう。就活に失敗した、友人からハブられた……そのくらいのことで簡単に死んでしまうなんてと、周囲は思うけれども、当人にとってはそれらのことは死に直結するくらい深刻なことだったりする。考えようによっては、人間の命ってものすごく脆いものなんだ。

そこに目を付けて、たとえばISなんかは自分の命を簡単に投げ出すテロリスト、大量殺人犯を作り出す。殺人事件の動機について、よく「怨恨が元で」というけれども、恨みのためだけで人は大量殺人はなかなかできない。でも、国家のため、民族のためという大義を与えると自分の身を投げ出すという気構えを持たせることができる。そういう人にとっては自分の命はものすごく軽いものになっているから、必然的に他人の命の重さもどんどん軽くなっていく。だから彼らは大量殺人ができる人間になるんだ。民族対立でも、イデオロギー対立でも、宗教対立でも「勇敢な戦士」を作るには、戦前の言い方で言えば「自分の命は鴻毛(こうもう)よりも軽い」、つまり鳥の羽よりも軽いと信じさせるのが、いちばん手っ取り早いわけ。

では、続きを読むよ。

## アメリカ建国の精神における平等とは

ヒトラーが所有していた『偉大な人種の消滅』は、一九二五年に出版されたドイツ語版である（英語の原書の初版は、当時成立したばかりのアメリカ優生学に寄与する一冊として、一九一六年にニューヨークのチャールズ・スクライブナー

ズ・サンズ社から出版された)。(前掲書、144ページ)

このチャールズ・スクライブナーズ・サンズ社というのは、日本で言うと岩波書店みたいな感じのところ。アメリカの、学術書を出す老舗書店だ。この『偉大な人種の消滅』という本は現在で考えるとトンデモ本だよね。でもそういう本が、高度な学術書を出す本屋から出されていた当時においては、それは通説であったわけだよ。それがわずか一〇〇年前のことなんだ。続けよう。

著者グラントが明確に述べているように、この本は、アメリカが拠って立つ北欧人種の基礎を浸食している(とグラントは主張する)ばかりでなく、アメリカ建国の父たちによって掲げられ、独立宣言に明記されている価値観を損なってい る移民の洪水のごとき流入を食い止めるべく、アメリカ人に対する高らかな宣言として書かれた。

「『すべての人間は平等に創られているという真実を、我等は自明の理と見なす』という言葉を書いた男たちは、自分自身は奴隷を所有し、先住民を人間以下の存在として見下していた」とグラントは言う。(前掲書、同)

たしかに、これはグラントの言う通りなんだよ。アメリカの平等というのは移民をしてきた人たちの中の自由と平等であったわけ。それだから、先住民の間との通婚は禁止されていたし、奴隷所有も当然のことだと思われていた。

## 民主主義と相続制の連関に着目したトッド

フランスにエマニュエル・トッドという人口学者がいる。彼は民主主義のあり方とひじょうに相関関係があるという点で相続の制度に着目している。これはなかなかの炯眼（けいがん）だ。

相続制度は大きく言って三つに分かれる。

第一のパターンは、子どもたちの中の一人が全部を相続する。その典型が長子相続制度だけれども、フィリピンなんかはそれとは逆に一番下の娘が相続する。だから、一番下の娘は家族内でものすごく発言権が強いそうなんだけれども、誰か一人しか相続できないとなると、フィリピンや戦前の日本のように相続権を持っている人が家庭内で力を持つようになる。同じように血を分けた兄弟姉妹でも平等ではない。そういう国では、たとえば相続権を持つ男性のほうが女性よりも権利を持つのが当然という観念ができるから、民主主義でも男女差があったりする。戦前の日本なんかも男性が圧倒的に政治的発言権があったけれど、これも長子相続だったことと関係がある。

これに対して、兄弟姉妹全員が平等に遺産を分割する国がある。こういうところでは性別や民族の違いで区別するということも少ない。その典型がフランスで、昔からパリや地中海沿岸地帯では平等な財産分与をしていた。だから、トッドはヨーロッパで真っ先に民主主義が生まれたのはフランス、それもパリなんだと説く。

そしてもう一つは、血族関係とかに拠らず、故人の遺志によって遺産の行き先が決まるというパターン。これを採用しているのはイギリスで、だからイギリスの小説、ディケンズの作品でもシャーロック・ホームズ・シリーズでも、かならず遺産がモチーフになる。

こういう国では「人類は平等」というイデオロギーで民主主義が作られるのではなくて、契約関係がベースになっている。実際、イギリスの民主主義は王様と貴族、王様とブルジョアジーとの契約というのが積み重なった形で憲法が作られている。イギリスの憲法は不文法で、特定の成文憲法があるわけではないと言われるわけだけれど、その基盤にあるのは国家権力との契約なんだね。

逆に言うと、契約を結んでいない人との間には民主主義的な関係は成り立たない。アメリカの民主主義もまたイギリスの影響を強く受けているから、当初、アメリカの民主主義は白人、それも最初に移民してきたイギリス系の人たちの間の契約によって成立していた。それ以外のネイティブ・アメリカンや、商品として輸入されてきた黒人とは契約を結んでいないから、彼らは民主主義の適用範囲外というふうに考えられたわけだ。

オバマ大統領は「黒人初めての大統領」になれたわけだけれど、実は彼は奴隷の子孫ではない。彼のお父さんはケニアからの移民で、奴隷としてアメリカに連れてこられた人ではない。奥さんのミシェルは奴隷の子孫だけれどもね。だから、オバマが大統領になれたというのも、移民は最初の段階でアメリカ憲法を守るという誓約をしているからね。つまり、アメリカの理念を契約として受け容れている人たちだから、肌の色は違っても最初からアメリカ市民だったことになる。

つまり、アメリカが自由で平等だというのは、あくまでもアメリカという国の建国理念を守るということが大前提になっている。ここはひじょうに重要なポイントだよ。

## ヒトラーに最も影響を与えたグラントの人種論

「彼らの精神の中では、平等とは、自分たちは海の彼方の同胞と同じようによきイギリス人であるという意味に過ぎなかった。『すべての人間は平等に創られている』という言葉は、以来、『自由で』という言葉を付け加えることによって巧妙に改ざんされてきた。独立宣言の原文にそのような表現はないのだが。このように改ざんされた文言に基づいて今日のアメリカの公立学校で教えられていることを聞いたら、独立宣言を起草した男たちは仰天することだろう」。アメリカは北欧人種の国家として建国され守られてきた、地中海沿岸や飢えに苦しむアイルランドの農村、さらに東欧のゲットーから押し寄せる移民たちの波は、数百万の元奴隷やその子孫たちと同程度に建国の父たちのヴィジョンとは異質のものである、とグラントは主張する。（前掲書、144〜145ページ）

ここでグラントが「アメリカが北欧人種の国家として建国された」というくだりが、ナチスの強固な主張の元になった。この本が書かれた一九二五年の世界は、欧州大戦、つまり第一次大戦でヨーロッパからロシアに至る白人の居住地域が焼け跡になっていた時代だった。その中にあって、ひとり「白人国家」であるアメリカだけが経済的繁栄を謳歌していたのは、その中心に北欧人種があって、その卓越した能力のおかげだったというグラントの人種論が、「北欧人種のエリートとも言うべきアーリア人種の再興を目指すべきだ」という、ナチスの主張につながるわけだ。

そこで、今度は一転してグラントは有色人種に対する攻撃を始める。

「黒人奴隷は白人の不幸な親類だ、彼らは、熱帯の太陽に灼かれ、キリスト教と文明の祝福を拒まれている不幸な親類なのだという考え方は、南北戦争時のセンチメンタルな人々とともに小さからぬ役割を果たした」とグラントは主張する。「英語を話し、まともな服を着て、学校や教会に通ったところで黒人が白人に変わるわけではない、ということが理解されるには五〇年を要した」。「ポーランドのユダヤ人」についても我々は同じ経験をすることだろう、と彼は警告する。「彼らの倭小な体格、奇妙な精神構造、私利私欲への飽くなき固執が、国家の幹に接ぎ木されようとしている」。（略）グラントの本の中にヒトラーは、かき集められる限りの人種差別的見解を見出した。著者グラントは、エール大学の卒業生でコロンビア大学の法学士号を持ち、合衆国政府に任命されて外国人移民の割り当て人数の決定に当たっていた人物だった。グラントは、ヴァージニア州とカリフォルニア州で断種法の制定の推進にも関わっていた。しかし、『偉大な人種の消滅』というその不吉なタイトルが示しているように、グラントにはさらに大きな関心事があった。すなわち、北欧人種全体の繁栄である。（前掲書、145ページ）

移民を制限せよ。有色人種やユダヤ人をアメリカに入れるな。そして、この文章にはないけれども、犯罪を犯した者、障害がある者に関しては避妊手術をせよ——こういう考え方をグラントは積極的に主張するわけだけれども、実はこのグラントは名門イェール大学の卒業生で、連邦政府の高級公務員でもあった。まともに高等教育を受けていないヒトラーにとって、繁栄するアメリカの知的エリートであるグラントの本は、まさに彼にとっての聖典になった。

### 純血種のほうが優れているという偏見

引用が長くなるけれども、これは重要なところだから『ヒトラーの秘密図書館』を読み進めよう。

この本のかなりの部分、それどころか優に四分の三は、「ヨーロッパ史の人種的基礎」の探究に、特に、北欧人種が世界史の潮流の形成に果たした顕著な役割の探究に捧げられている。スカンジナヴィアを発祥の地とする金髪・碧眼（へきがん）・長身の純粋北欧人種は、次第にその居住範囲をヨーロッパ大陸全域さらにはその外へと広げ、彼らの移動につれてさまざまな文明に短期間の繁栄をもたらしたのち、やがて人種的により劣等な民族の大集団に吸収されていった。グラントは、古代ギリシャから「驚異的な組織」であるローマ帝国、ペルシャ、インドその他に至るまで、偉大な文明を北欧人種の功績に帰している。「ダリウスの浮き彫りの肖像は、彼が純粋な北欧人種タイプであることを示している。彼の治世である紀元前五二五年から四八五年のあいだ、支配者層は長身・金髪のペルシャ人によってほとんど独占されていた」とグラントは主張する。グラントは、古代中国にさえ北欧人種の影響のあとがかいま見えるとしている。「中国の年代記に、中央アジアの烏孫（うそん）や匈奴（きょうど）が緑色の目をしていたと記されている。こうした記述が、東アジアの民族と接触のあった北欧人種について分かっている唯一の確かな証拠である」とグラントは述べている。（前掲書、１４６ページ）

グラントの「理論」によれば、東アジアにまで北欧人種が進出していたという。彼の「北欧人種」は、中国の文献では「色目人（しきもくじん）」と記されている人々だ。文字通り「色のついた目の人」たちということ。たしかに、今でも中央アジアに行くと青い目をした人たちがいるのは事実だけれども、彼らが北欧にいた白人の子孫であるかどうかは限らない。でも、グラントに言わせれば、古代ギリシャからローマ帝国。ペルシャ帝国、インドといった世界史における大文明、大帝国はすべて北欧人種の貢献だということになる。

しかし、そんなに北欧人種が優れているんだったら、いまごろ、アジアやインドは「色目人」の帝国が生まれていたはずだし、ユダヤ人や黒人は滅亡していないと理屈に合わない。だが、グラントの議論はそこで奇妙に歪(ゆが)む。つまり、優越人種は劣等人種と混じり合ったために、その卓越性が失われたというんだ。

北欧人種が支配者層であったら、ユダヤ人がヨーロッパに金融ネットワークが作れたはずもないし、また黒人なんか滅ぼしていてもおかしくない。しかし、グラントによれば「だって、実際に北欧人種はヨーロッパにおいて退潮しているじゃないか。それが何よりの証拠だ」というわけだ。これはまったく顚倒(てんとう)した議論だよね。

念のために、そこの部分も読んでおこう。


「劣等人種」に勝利を収めた「優越人種」が幾世代かを経るうちに人種の変質の犠牲となり、次第に純血性を失って「劣等人種」に吸収されていく過程を、グラントは進化論的モデルの逆説的な歪曲によって描いている。グラントは、こうした数世紀にわたる人種の混淆プロセスによってヨーロッパ大陸の諸帝国と諸文明の誕生及び滅亡を説明することができる、そしてそれは北欧人種の進出及び消滅と時を同じくしている、と主張している。(前掲書、146ページ)

グラントの感覚だと、純血種が崩れて雑種になると生物は劣化していくんだというわけだけれども、純血種が優れている、肉体的に健全であるということはない。むしろ、純血を守っていこうと、犬や猫で近親交配を繰り返していたら、遺伝的な問題が多発することはペットの世界では常識だよね。でも、グラントのいた時代には純血のほうが優れているという感覚があったので、こんな暴論でも一定の説得力を持っていた。

## なぜグラントにとっては第一次大戦は悲劇と受け止められたか

で、こうした北欧人種の凋落(ちょうらく)に最後のとどめを刺したのが欧州大戦(第一次大戦)だというのがグラントの結論になる。

「人種という観点から見れば、現在のヨーロッパの戦争は本質的に内乱であり、交戦国のどちらの側も、将校のほぼ全員と兵士の大部分は同じ人種の人間である」とグラントは言う。「これは、ルネサンス期イタリアで北欧人種の貴族たちが血で血を洗う抗争を繰り広げたのと同じ、北欧人種同士の虐殺と破壊の物語である。これは北欧神話に登場する血に飢えた戦士たちの戦いの現代版であり、人種の大規模な自殺である」。グラントによれば、歴史を見れば、数千年にわたって戦争及び征服において北欧人種を際だたせてきた勇気とリーダーシップこそがその消滅の原因であることが分かる(戦闘によってその血統が枯渇し、さらには、戦闘を生き延びた者たちの血統も、人種的には劣等だが数的に優勢な征服地の諸民族によって吸収されてしまうため）のだという。（前掲書、148ページ）

これは何を言っているかというと、優秀な白人であるドイツ人が、同じく優秀な白人であるイギリス人やフランス人と第一次大戦で殺し合ったのは、北欧人種にとって大いなる損失であったということになる。ここには書かれていないけれども、そうした「同士討ち」が起きたのは。当時の言い方で言うところの「金融ユダヤ人」の策略だったという論理が、敗戦後のドイツで蔓延することになって、そこからナチスが現われてくる。

では、次の所に行こう。

一九二〇年代にアメリカの移民法や断種法の制定に重大な影響を及ぼしたこの本は、アメリカ国内で人種差別政策を促進することを目的として書かれたのだが、そのメッセージは翻訳版によって大きな反響を呼んだ。（前掲書、同）

あまり知られていないけれども、優生思想によってハンディキャップを持った人たちに断種を行なった最初の文明国家はアメリカだった。

ここで『世界大百科事典』の「優生学」の項目を引用しておこう。

【優生学　eugenics】優生学とは、C・ダーウィンの従弟であるF・ゴールトンが1883年につくり出した言葉で、ギリシア語の〈よい種(たね)〉に由来する。1904年の第1回イギリス社会学会で彼は《優生学——その定義、展望、目的》という有名な講演を行い、ここでその学問を、〈ある人種の生得的質の改善に影響を及ぼすすべての要因を扱う学問であり、またその生得的質を最善の状態に導こうとする学問〉と定義した。したがって優生学には理論上、結婚制限、断種、隔離等により望ましくない遺伝因子を排除しようとする〈消極的〉優生学と、税制優遇や法的強制により望ましい遺伝因子をもつ人間の多産や早婚を奨励する〈積極的〉優生学がありうることになる。しかし、人間の形質のうちでメンデルの遺伝法則に従うことが明らかになっているのは、血液型を除いてはほとんどが病的形質であるため、優生学の名のもとに実行されたことのほとんどは〈消極的〉優生学であった。

優生学は、19世紀末から20世紀初頭にかけて大いに流行した社会ダーウィニズムの一典型であり、子孫の数と質に注目する点で、最もダーウィン思想に忠実な一分派であった。ゴールトンの思想は、イギリス本国でよりはアメリカ社会で広く受け入れられた。アメリカは優生断種のための法律を最も早くとり入れた国であり、1931年までに全米30州で断種法が成立し、このときまでに約1万2000件の手術が行われた。さらにこの思想は移民制限の論拠にも用いられた。1924年に成立した絶対移民制限法は、〈劣った人種の移民の増大でアメリカ社会の血全体が劣悪化するのを防ぐ〉とする法律であり、この人種差別的法律は65年の移民国籍法によってやっと全面的に解消した。（平凡社『世界大百科事典』米本昌平）

ここに書かれている「消極的」と「積極的」優生学の違いも重要な論点だけど、今、注目すべきは最後の段落だね。つまりアメリカは「消極的優生思想」に基づく法律を最初に作った国なんだよ。ここには書かれていないけれど、一九〇七年にインディアナ州で最初の断種法が制定されて、一九三一年までに全米三〇州で断種法が成立して、実際に断種が行なわれた。アメリカはナチスよりも早く、優生学に基づく断種を行なった近代民主国家なんだ。

ところで断種法による断種と、かつての中国とかトルコであった宦官（かんがん）制度はともに男性の生殖能力をなくすという点では同じだよね。でも、この二つはまったく意味が違う。

さて、そこで質問だけれども、そもそも中国やトルコの王宮ではなぜ宦官を必要としたんだろう？

（S）王様の世話するために……。

王様の世話をするのに、なぜ生殖能力があっては困るんだろう？

それは王様の召使いであることによって、たくさんの富も集まるし、権力も得ることができるから。それ自体は避けられないことではあるんだけれども、どうしても避けないといけないことがある。それは何だろう?

その答えは、その富や権力が世襲されていくこと。世代を重ねていくことによって、王様を凌ぐような権力や富を持たれたら困る。だから、絶対に子孫を作らせない。人間というのは子どもに遺産をのこしたくなるものだからね。それで去勢をすることによって、子孫への継承をブロックする。

カトリック教会の神父独身制も同じ機能を持っている。もちろん、カトリックの場合は去勢はしないけれども、結婚させないことで子孫を作らせない。カトリックの教会には土地も財産もあるし、特権もたくさん持っている。教皇や枢機卿(すうききょう)とかに子孫がいたら、どうしても子どもに地位を相続させたくなる。だが、それを許してしまうと無能なリーダーが出てくる危険があるし、組織がゆがんでくる。そこで結婚を許さない。

でも、そうやっていても隠し子を作る教皇とか枢機卿が現われるわけだ。そういうときにはどうやって子孫に権力を譲渡するか。その隠し子を「自分の甥」ということにして、引き立てていくわけだね。

英語では縁故主義のことをネポティズム nepotism というけれども、この言葉の語源となった、ラテン語の nepos というのは甥っ子のこと。甥を優先させることから、ネポティズムという言葉ができた。でも、この甥というのは、本当は実の子のことなんだ。

## 『コンビニ人間』が警告する優生思想

説明が長くなったけれども、断種と宦官とはまったく考え方が違う。宦官は権力を私物化させないためのものだけれども、断種は「劣等な人種だから、これ以上、人口を増やさせない」という、優生思想の元に行なわれるものなんだ。

こうした優生思想は今の日本の中でもまだ生き続けている。

その雰囲気をすごく表わしているのが、芥川賞を受賞した村田沙耶香(むらたさやか)さんの『コンビニ人間』だ。

主人公の古倉さんは大学に入ったときにコンビニでバイトを始めて、大学を卒業しても就職せずに同じコンビニでバイトをし続けて、三十六歳になるという女性。彼女は世間の人たちが持っている「空気を読む」力とか、あるいは世間の一般常識を無批判に従うという心の習慣を持ち合わせていない、いわゆる自閉症スペクトラムに分類される人のように見える。

たとえば小学生のときのエピソードとして、男子同士が教室でつかみ合いの喧嘩をし始めて大騒ぎになったときに「誰か喧嘩を止めて」という声を聞いて、近くにあったスコップで男の子の頭をぶん殴っちゃうんだよね。

彼女としては、それが喧嘩を止めるための、最も早い、効率的な方法だと思ってやったんだけれども、男の子が気絶したのを見てクラスメートは泣き叫ぶし、職員会議が開かれる大問題になる。でも、彼女はなぜ喧嘩を止めたのに、叱られるのだろうかと理解ができない。そうした感じで、世間との摩擦が絶えないので彼女は自分を押し殺して生きてきたんだけれども、すべてがシステマティックで、マニュアルが完璧に決まっているコンビニエンス・ストアを見て、「ここが自分の居場所だ」と思って働き始めるわけなんだ。実際、彼女は店長から言われたことを完璧にこなすから、ものすごくコンビニでは評価が高い。

で、そのコンビニにあるとき、同じくらいの年代の、白羽という男がバイトに入ってくるんだけれども、白羽は「自分は特別な人間だ」という、根拠のない全能感を持っていて、周りの人間を完全に見下しているわけ。でも、その年になるまでほとんど職歴がなくて、親兄弟からカネを借りて暮らしているんだね。で、なぜそのコンビニにバイトに来たのかというと、「ここはオフィス街にあって、OLの客も多いから婚活に来たんだ」とかワケの分からないことを言い出す。で、実際に宅急便を出しに来た女性客の住所を覚えてストーカー行為をやったので、すぐに首になってしまうんだ。

ところが、古倉さんはたまたま街で再会した、そのダメ男の白羽と同棲をすることにするんだよね。

なぜ彼女がそんな男と暮らすことに決めたのかというと、かつての同級生たちからの同調圧力がすごいわけ。つまり、「なぜ結婚しないんだ」とか「どうして普通に就職しないで、同じコンビニで一〇年以上もバイトを続けているんだ」とか言われるわけね。

こういうことをしょっちゅう言われないようにするには、男と暮らしているという話にすればいいんじゃないかと古倉さんは白羽を同居させることにするんだ。もちろん、古倉さんは白羽に対して何の感情も持っていないから、彼を飼っているようなもので、実際、白羽は普段は一歩も外に出ずに、風呂桶の中に引きこもって一日中過ごして、古倉さんから餌をもらっているわけ。

そういう中で、ある時、古倉さんは白羽の義理の妹、つまり弟の嫁さんに電話して質問するわけ。

「あの、ちょっと聞いてみたいんですけど、子供って、作ったほうが人類のためですか？」

『は!?』

電話の向こうで義妹の声がひっくり返り、私は丁寧に説明した。

「ほら、私たちって動物だから、増えたほうがいいじゃないですか。私と白羽さんも、交尾をどんどんして、人類を繁栄させるのに協力したほうがいいと思いますか？」

しばらく何の音もせず、ひょっとしたら電話が切れてしまったのかと思ったが、ぶわあ、と、携帯から生ぬるい空気が吐きだされてきそうなほど、大きな溜息の音がした。

『勘弁してくださいよ……。バイトと無職で、子供作ってどうするんですか。ほんとにやめてください。あんたらみたいな遺伝子残さないでください、それが一番人類のためですんで』

「あ、そうですか」

『その腐った遺伝子、寿命まで一人で抱えて、死ぬとき天国に持って行って、この世界には一欠(ひとか)けらも残さないでください、ほんとに』

「なるほど……」

この義妹はなかなか合理的な物の考え方ができる人だ、と感心して頷(うなず)いた。(村田沙耶香『コンビニ人間』文春文庫、150〜151ページ)

この「バイトと無職で、子供作ってどうするんですか」「あんたらみたいな遺伝子残さないでほしい」というくだりは、まさに優生思想だよね。

村田沙耶香さんの『地球星人』は、この問題をさらに追求した作品で、最後は人肉食のところまで入っていく。まったくタブーを失うと人類はどうなるかという、すごい思考実験をした作品でひじょうに面白いよ。

村田さんに会ったことがあるんだけれども、会ってみるとごく常識的な人だよ。でも、きっと頭の中ではものすごくいろんなことを考えているんだろうけれども、会って話してみるとごく普通の人です。

ヒトラーの優生思想というのはいろんなところに残っているわけだけれども、そのグロテスクさを描くという点においては、やっぱり文学者はうまい。窪美澄(くぼみすみ)さんの『アカガミ』という小説も凄い。ここではネタバレになるからあまり詳しいことは書かないけれども、二〇三〇年くらいの日本が舞台で、そこでは結婚や生殖が国家によってコントロールされた社会が出現している。それは言うまでもなく少子化対策ということから生まれた制度なんだけれども、そこでもし、障害がある子どもが生まれたらどうなると思う？　そういう思考実験をした小説で、優生思想がどのような帰結をもたらすのかをリアルに描いていて、危険性を訴えているね。

一方のノンフィクション、評論のほうはどうかというと、『人は見た目が9割』とか『言ってはいけない』みたいな、そういう本が割と無自覚に出版されていて、これは怖い傾向だ。

さあ、『ヒトラーの秘密図書館』の続きを読もう。

## 教育の成果を否定する人種論

一九二〇年代後半から一九三〇年代初めにかけてのヒトラーの演説や著作から明らかなように、この本はヒトラーに深い印象を与えたものと思われる。以下に、『偉大な人種の消滅』から最後の数段を引用する。この部分は、グラントのゆがんだ歴史観やそれがアメリカの法律に与えた影響だけでなく、それがヒトラーに与えた教訓を知る上で有益であるため、その全文を引用するだけの価値がある。再生した国家社会主義運動の野望に燃える指導者が、この結論部を読み、吸収したばかりでなく、権力掌握後は政治的・社会的・軍事的指針にこれを採り入れ続けたのだから。（前掲書、同）

官僚でもあったグラントの考えたアイデアは、本国のアメリカでは移民制限とか、あるいは断種法などといったことでしか実現されなかったけれども、それがドイツにわたったことで、いわば完璧に実現されたということが重要だよね。これは見方を変えれば、一歩間違えれば、アメリカがナチス・ドイツのような国家になっていたかもしれないということだよね。

でも、その根っこがまだアメリカに残っているんだというのを如実に示したのはトランプ大統領の就任だった。

要するに「振り子」は揺れるんだ。たとえば教育問題にしても「人間は教育次第、環境次第でいくらでも伸びるんだ」という思想がさかんになると、今度は「やっぱり遺伝がすべてだ」という反動が起きる。つまり、いくら教えても生まれつきの能力がなければ意味がないという人たちが現われる。『言ってはいけない』の橘玲(たちばなあきら)さんなどが言っているのは、まさに後者の世界だよね。

実際には、どっちかが正しくて、どっちかが間違っているということではなくて、その両方ともが真実ではあるわけ。だからこそ、振り子のようにつねに行ったりきたりする。でも、そういう両論併記みたいな言い方は常識的すぎて、広まらない。

それにもう一つ指摘しておけば、「すべては遺伝次第だ」という言い方は、社会的弱者の人たちの言い訳にも使われるという側面もある。いくらお金を掛けたって、親がそもそも勉強嫌いなんだから、子どもの成績が良くなるわけはないというロジックも成り立つわけだからね。

こうしたトラップはあちこちにあるんだよ。

たとえば、「癌と闘うな」と主張しているお医者さんがいるよね。治る癌は放っておいても治る、治らない癌は何をやっても治らない、だから化学療法とかはやるだけムダだというのが骨子だけど、これって一種の貧困ビジネスだなと僕なんかは思うわけだよ。

だって、自分の親族とかが癌になって、化学療法とかを受けることになるとすると結構な治療費や入院費がかかるわけだよね。ちゃんとガン保険に入ってくれていたらいいけど、そうじゃなかったりすると、いくら日本が国民皆保険だといっても、やはり自己負担が大きくなる、そういうときに「つらい副作用を我慢して、化学療法を受けたって意味がない」と言われたら、「これ以上、おじいちゃんを苦しめたくない」というエクスキューズができるからね。一五〇〇円や一六〇〇円の本を買えば「立派な大学病院の先生がそう言っているんだから間違いないんだよ」というわけで、それはそれで立派なビジネスとして成立する。

ヒトラーが政権を獲ったときのドイツがまさにそうだったけれど、世の中が不景気なときは「すべては遺伝子で決まっている」という運命論は社会で力を持つわけだね。今の世界はまさにそういう状況になっていると思わないかい?

さて、『ヒトラーの秘密図書館』で紹介されている、グラントの主張を最後に一節だけ読もう。

前世紀に我が国の社会開発を制御してきた利他的な理念や、アメリカを「抑圧された者の避難所」たらしめた感傷的センチメンタリズムが我が国を人種のどん底へと追いやろうとしていることに、我々アメリカ人は気づかねばならない。人種のるつぼを野放しに沸騰させ続けるなら、また、我々が国のモットーに従って、「人種、信条、肌の色の区別」に故意に目をつぶり続けるなら、植民者を先祖に持つアメリカ人の類型はペリクレス時代のアテナイ人や首領ロロの時代のバイキングと同じく消滅に至るであろう。（前掲書、149ページ）

これはトランプ大統領が言っていた理屈と似ているよね。雑多な移民が入ってくると、アメリカは弱くなるという。もちろん、これはまったく我田引水の進化論解釈で、根拠はまったくない。でも、それがアメリカでも一定の支持を得たし、ドイツに渡ったら、爆発的な影響力を与えた。問題は今後、振り子がまたこっち側に来るんじゃないかということだ。その時にきちんと反駁できるロジックを社会が共有していないとやばいことになるよ、という話だ。

ここまでのところをもう一回整理してみよう。

ヒトラーは自分のイデオロギーを作るときにパッチワークで作っていくわけだよね。そのパッチワークの中でマディソン・グラントの本というのは無視できない役割を果たしているわけなんだ。

グラントは、人種とは国民の運命に果たす原動力になっていて、それが人類史を動かしているという主張をしている。人種の持つ原動力、ことに白人種の持つ原動力が世界史を読み解く鍵になっていると考えた。

彼によれば、この白人種の持つ力はネグロイド、いわゆる黒人や、モンゴロイド、つまり黄色人種がいくら努力しても身につけることはできないというわけだ。なぜならばそれは遺伝的に決まっているから。

さらに彼は議論を進めて、同じ白人でも固有種と外来種がある。一見、この二つは見分けがつかないけれども、外来種は排除しないといけないと言う。この外来種というのは東欧系のユダヤ人、いわゆるアシュケナージと呼ばれる人たちで、ユダヤ人排斥の論理がここで「理論化」されるわけです。

今、日本では池の水を抜いて、外来種を処分するということがさかんに行なわれているよね。テレビ番組までできていて人気らしいんだけど、私はこうした動きはひじょうに怖いと思っているんだよ。そもそも日本の植物や動物のほとんどは中国大陸や朝鮮半島から渡ってきた外来種なわけだよね。梅や桃なんてまさにそうだし、ウマだって日本にはいなかった。中国からのものだよ。みんな外来種だ。そうやって考えると外来種か、固有種かという議論はそもそもナンセンスになってくるんだけど、そういうことまで深く考えないで、外来種は排除すべきだ、殺すべきだという発想が広まっていくというのは怖いことだよ。その論理は容易に、外国人排除に転換できるわけだからね。

## 「三十年戦争」を教訓にした絶滅戦争の思想

ヒトラーの人種政策の根本はグラントが作ったものだけれども、ヒトラーはそれをドイツの歴史に当てはめて、「三十年戦争でドイツは変わった」と唱えたところが独自だった。三十年戦争はカトリックとプロテスタントが神聖ローマ帝国を舞台にして戦った「最後の宗教戦争」とも言われるけど、このとき、ドイツはその人口が半減したとも言われるくらい、激烈な戦闘が繰り返された。で、このときに勢力を拡大したのが、ロシアとかポーランドといった東方のスラブ人だというのがヒトラーの考えで、だから、ポーランド人やロシア人を駆逐して、彼らの領土を取り返さなければいけないという主張を行なうわけだよ。

大木毅(おおきたけし)さんという在野のドイツ史の研究者が岩波新書から『独ソ戦』という本を出した。この本はひじょうにいい本だけど、その中で大木さんは、「独ソ戦があれだけの戦争になってしまったのは三つの要素がある」と言っている。その三つとは通常の侵略戦争、そして領土拡張戦争、そして絶滅戦争——つまり、独ソ戦とはドイツにとっては単なる戦争ではなくて、侵略して、領土拡張をするだけが目的ではなくて、スラブ民族を絶滅させるのが最終目的だったというわけだ。

この「絶滅戦争」というアイデアこそが、それまでの十九世紀型の限定戦争とは違う、大量殺戮を伴う、いわゆる「総力戦」につながっていくわけだけど、その戦争思想の根底には、ヒトラーの歴史観、民族意識があるということだ。『ヒトラーの秘密図書館』の著者ティモシー・ライバックは次のようにまとめている。

グラントと同じくヒトラーも、第一次大戦は北欧人種同士の戦いだったと考えていた。何世代か前にドイツ人の母親から生まれた北欧人種の新しい血が、仲間の北欧人種を虐殺するために旧大陸に帰還したのだ（筆者注・第一次大戦にアメリカが英仏側について戦ったことを指す）、と彼は嘆いている。ヒトラーは、戦争と移民の腐食性の影響によって破滅的な結果が生まれるだろうと予測している。「仮にこのような環境がもう何世紀か続けば、少なくともドイツ国民は全般的な重要性において弱体化し、世界民族（ヴェルトフォルク）（世界的に重要な民族のこと）と同一視される権利をもはや要求できなくなるだろう。少なくとも、我々よりもずっと若く、より健康なアメリカ国民の業績にもはや歩調を合わせることはできなくなるだろう」。ヒトラーは、グラントが「歴史上、数多くの偉大な民族が消滅してきた」と述べているくだりを引用する前に、「数多くの原因の結果として、少なからざる数の諸文化が彼らの歴史的展開において証明してきたことを我々自身が体験することとなろう」と警告している。「彼らの負っている重荷の結果として、また彼らの軽率さの結果として、文化の担い手及び諸国家の創立者のうちで最高の人種的要素たる北欧の血を受け継ぐ者たちはゆっくりと消滅し、そのあとには、最小の内的価値しか持たない人間の混淆が残された。そして、行動力は彼らの手から、彼らよりも若く健康な民族の手へと奪われていくだろう」。マディソン・グラントに倣って、ヒトラーはペルシャ帝国やビザンチン帝国の滅亡に触れ、「世界運命（ヴェルトシックザール）」は「人種的に劣ったヨーロッパ」から否応なく北米の生命力ある新しい民族へと移っていく

だろうと述べている。（前掲書、157～158ページ）

これもヒトラーの世界観を考えるうえで重要な視点だよね。第一次大戦でヨーロッパ全土が戦地となって、白人同士が熾烈な戦争をした結果、世界の支配者だったはずのヨーロッパが完全に疲弊してしまった。その一方でアメリカは戦争には参加したけれども、戦地にはならなかったから、大儲けをして世界経済の中心がロンドンやパリからニューヨークにシフトした。また、アメリカではジャズやミュージカルといった新しくて活気のある文化が生まれてきつつある。そうした中でシュペングラーがいみじくも『西欧の没落』（中央公論新社刊、村松正俊訳）と言った通りのことが起きているのだ――こういう文明交代史観をヒトラーは持っていたわけだけど、それの出典は他ならぬアメリカ人のグラントだった。

もちろん、これはちゃんとした歴史研究に基づくものではなくて、ヒトラーの頭の中にある物語、ナラティブに過ぎないわけだけどね。

このような悲惨な未来を突きつけた上で、ヒトラーは、アメリカの実例に倣えばヨーロッパは救済されるかもしれないと説く。「確かに、アメリカ合衆国は雑多な民族を融合してしまった」と彼は言う。「そのことを別として、精査してみるなら、これら雑多な民族の圧倒的多数は同一の、あるいは少なくとも基本的に関連のある人種的要素に属しているのが分かる」。移民する人間はヨーロッパ人の中でも「最も勤勉な」ヨーロッパ人である傾向があり、その勤勉さは「北欧諸民族」のあいだで最も優勢であったから、「結果として、アメリカ合衆国は北欧の諸民族をおびき寄せることとなった」。二〇〇年のあいだにアメリカはこうした北欧諸民族をまとめ上げ、新しい「国家民族（シュターツフォルク）」を造り上げた、とヒトラーは述べている。（前掲書、158ページ）

アメリカに移民した人たちというのがヨーロッパの中で最も勤勉なヨーロッパ人だったとグラントは言うけれど、そんなことはまったく実証不可能だよね。

しかも、アメリカ建国の礎になったのは、北欧系のアーリア人だと言うわけで、これは神話以上の何物でもない。でも、ヒトラーはそういう神話を利用して、「今度はドイツを優秀なアーリア人の国家にするんだ」というロジックを作り出した。それがいわゆる「民族浄化」につながっていく。そこではユダヤ人、障害者、精神病者などが組織的に虐殺されていくことになるというわけだ。

## 健康帝国ナチス

ところで、実はナチスと禁煙運動はすごく結びつきが強いんだよね。なぜかというと、健全なアーリア人国家にするには、国民の肉体も健全でないといけない。そこでナチスは国民の健康管理に力を入れたんだ。特にレントゲン撮影による肺癌の診断は、ナチスが世界に先駆けて導入したし、また禁煙運動にも力を入れた。ナチスは党の施設内では禁煙としたし、バスや電車での禁煙化もヒトラーの肝いりで行なわれた。

これ以外にもヒトラーは食生活でも健康キャンペーンをやっているんだよ。パンは全粒粉のものがいいとか、バターは無着色にしようと奨励した。もちろん国民には運動も奨励している。

こういう話は草思社から出ている『健康帝国ナチス』(ロバート・N・プロクター、宮崎尊訳)という本に詳しく書いてあるんだけれども、これらの健康キャンペーンの根っこにあるのは、ドイツ国民の身体はヒトラー総統のものだという思想なんだ。国家に奉仕することが最大の義務なんだから、健康を維持することは国家に忠誠を尽くすことにつながるわけ。だから、タバコを吸って肺癌になったりしたらお国の役に立たないし、普段から運動をして、年を取っても労働ができるようでないと社会のお荷物になる。

ちなみにナチスは女性の労働は奨励しなかった。それはなぜだと思う?

(G)女性は子どもを産まないといけないから。

その通りです。ナチスにおいては女性の最大の役割は出産と育児。金髪碧眼(きんぱつへきがん)の子どもをたくさん産んで、アーリア人をどんどん増やしていかないといけない。それが国家に対する最大の貢献になるというわけだね。だからタバコについても、女性の喫煙は厳しく制限しているんだ。

こんな具合だと、もしも障害児が生まれたらどうなると思う? 「障害児は社会の負担になるだけだから」ということで殺されちゃう。障害児を産む女性に対しては、強制的に不妊手術を行なう。

だからナチスは健康運動を行なったと言っても、それはまったく国民の幸福のためではない。国家に貢献できるように、ヒトラー総統に貢献できるようにいつでも体を作っておくという考え方なんだ。

### 禁煙運動に潜む危険

いま受動喫煙の問題がひじょうに深刻になっているわけだけども、これも行き過ぎるとナチスに近い話になってくる。

たとえば長崎大学は教員の採用基準に「非喫煙者に限る」という条件を付けて話題になった。最近はキャンパス内は全面禁煙という大学も珍しくないようだけど、喫煙という行為を禁止するのではなくて、喫煙者を排除するというのは、はたして合理的だろうか。

報道によれば、長崎大学ではキャンパス内を禁煙だというのだから、この採用条件の「非喫煙者」というのは「自宅でもタバコを吸わない人」のことを意味すると考えるのが普通だよね。喫煙者でも、キャンパス内でタバコを吸わなければいいんだったら、わざわざ採用条件に入れる必要はない。たしかにタバコは副流煙で他人の健康を損ねると言われているから、大学内で禁煙とするのは悪いことではない。

でも、喫煙するか否かが採用条件になるというのは、もしも優秀な教員候補がいても喫煙するという理由で不採用になったのでは、学生の学ぶ権利が侵害されているとも言える。教員の知的レベルよりも喫煙するか否かが優先するわけだから、これはおかしな話だよね。

ところが、メディアの報道ぶりを見ると、長崎大学は禁煙運動に対してひじょうに積極的だという評価が多いんだよね。これは危険な兆候だよ。非喫煙者を採用することは、学生の教育レベルの向上につながらない話だ。百歩譲って、その教官の影響で学生が喫煙者になったとして、それは大学の運営とどういう関係がある? 本来ならば、まったく関係がないことに、大学の組織が口を出してくるのは許されざることだと思わないかい?

今の日本の厚生労働省も、禁煙運動に積極的なんだけれども、そこでの理由が「国民の健康のため」というのだったら理解できる。でも、そこにはかならず「肺癌患者を減らすことは医療費削減につながる」というロジックが伴ってくる。これは裏を返せば、肺癌になるような国民は保険制度の敵だ、国家財政の敵だということでもあるわけだよ。これはナチスの論理にひじょうに近いということを君たちにはぜひ理解してもらいたい。

## 愚行権とは幸福を追求する権利のこと

近代的な自由権の中で、最も基本的で重要なのは愚行権だ。愚行権というのは文字通り「愚かなことを行なう権利」のこと。ジョン・スチュアート・ミルは『自由論』の中で「愚行権は自由権の基本」だと言っている。たとえ他の人が愚かな行為だと思っても、それが他者に危害を加えない範囲においては自由に行なうことができる。

たとえば自由権が生まれる以前、つまりヨーロッパの中世においては、たとえばコップ一つでも作り方が決まっていて、新しいことをやってはいけなかった。「新しいことをやるのは愚かなことだ」と思われていたんだ。でも、たしかに愚かな試みかもしれないけれど、そこからイノベーションが生まれてくるわけだよね。近代の資本主義が生まれるうえでも、愚行権はひじょうに重要な前提になってくるわけ。

でも、「愚行権」（the right of stupidity）というのは聞こえが悪い。そこで日本国憲法においては愚行権を別の言い方で記している。

答えを先に言っちゃうと、それは「幸福追求権」だ。

第十三条　すべて国民は、個人として尊重される。生命、自由及び幸福追求に対する国民の権利については、公共の福祉に反しない限り、立法その他の国政の上で、最大の尊重を必要とする。

ここで述べられている「幸福」というのは国家の幸福でもなければ、社会の幸福でもない。あくまでも個人の幸福。言い換えると、他の人にとっては不幸だったり、無意味なことだったりすることでも、ある人にとってはそれが幸福であれば、最大の尊重をするというのが第十三条の趣旨なんだ。

たとえば猫を飼っている人は多いと思うけれども、一匹の猫を飼うとどのくらいのコストがかかると思う？

正解はだいたい一五〇〇万円から二〇〇〇万円。

野良猫はだいたい寿命が三～四年と言われているけれども、家猫は一五年から二〇年生きる。その間の餌代、トイレの砂代、そして医療費……これらを合計するとだいたいこのくらいの額になる。我が家には猫が六匹いるから、総計で九〇〇万円は最低限でもかかる勘定になるよね。

このお金は、猫をまったく飼わない、猫に興味のない人にはムダな支出に他ならない。「そんなお金を動物に使うくらいならば、アフリカで飢えている子どもたちの食費や教育費に充てれば、何人救えるか分からない」と批判する人もいるだろう。でも、これは自分の財布から支払うんだし、誰にも迷惑をかけていないんだから、他人からあれこれ言われる筋合いはないというのが、近代の自由権、愚行権なんだよ。

この自由権、愚行権を認めない社会はものすごく窮屈になるよ。特に国家がそれを押しつけるようになると、全体主義国家に近づいていく。ナチズムもそうだし、スターリニズムもそうだ。さっきの話で言うと、喫煙をするのは健康面から見たら有害そのものだけれども、副流煙などで他人の健康を害しないかぎりにおいては自由であるべきなんだ。でも全体主義国家ではそれについて国家が介入しようとする。愚行権の侵害だ。

でも、時として人はそういう自由に耐えられなくなって、それを誰かに決めてもらおうとする。その問題を扱ったのはドストエフスキーの『カラマーゾフの兄弟』に出てくる大審問官のくだりだよ。これについてはここでは触れる時間がないけれども、『カラマーゾフの兄弟』のこの部分だけでも各自読んでおいてほしい。

話を『ヒトラーの秘密図書館』に戻そう。

「ゲルマン民族のすべての種族に共通するものは北欧の血統である。我々に投げかけられる問題は、現在のドイツ人の血がどの程度北欧の血統を引いているのかということではない。問題は、人種的・優生学的に浄化された世界を未来の世代のために築く勇気をドイツ人が持っているかどうかということなのだ」。これこそ、かつてヴァイマルでおこなった演説の中でヒトラーが語ったグラントの政治課題だった。

その演説の中で、ドイツ人を先祖に持つアメリカ人が第一次大戦中に同じ血族であるドイツ人と戦った「悲劇」を嘆いたヒトラーは、「政治プロセス」にその責任を帰し、政治は最後には分派の利害を超越し、唯一にして最優先の目的である人種的アイデンティティという利益の向上に仕えなければならない、と主張している。（前掲書、162ページ）

さて、ここでヒトラーは第一次大戦中に同じ白人であるアメリカ人とドイツ人が戦った悲劇の原因は「政治」にあると言っているわけだが、ここで言う「政治」って何だろう？　政治の特徴って何だろう？

そこで出てくるのが、カール・シュミットというドイツのカトリック系の法学者だ。初期のナチスに強い影響を与えた『政治的なものの概念』（未來社刊。田中浩、原田武雄訳）という本を書いている。

そこにおいてシュミットは「友敵理論」というのを展開している。

つまり、政治における原理は単純で、友と敵しかいない。そして敵を完全に殲滅することが政治の考え方だと言うんだ。敵が有能とか人格的に優れていても関係ないわけ。政治的な敵であるから、それは絶滅しないといけないという。友と敵ということにわけて行なうのが政治の論理だと。

カール・シュミット

これは永田町だって日常的にそうだぜ。政治の論理というのは常に友と敵。それで敵を絶滅すると。これが政治的なものの考え方。そこにおいては、美しさとか醜さということは本質においては関係ない。味方の中に醜い人間がいても、それは味方である以上、友。味方が間違えていても、そんなことは関係ない。政治という次元においてはそういう二分法を徹底しないといけないとシュミットは言う。

## ヒトラーは政治の超克を目指した

こうしたシュミット流の政治の論理が入ってきちゃったから、アメリカ人とドイツ人が同じ白人なのに争うことになったとヒトラーは考えた。だからヒトラーが狙ったのは「政治の超克」です。

具体的にどういうふうにするかというと、少なくともヨーロッパとアメリカに関しては、ウラル山脈までと、スペインまでと、北米大陸のすべてはアーリア人種によって支配される体制になれば、そこにおいては敵ではなくなるからと。一元的な支配ができるんだという考え方だよね。

「我らが民族に永続的な影響を残したのは、数多(あまた)の戦いではない」とヒトラーは言う。「数多の平和条約や戦争の結果」も重要ではない。そんなものは「跡形もなく消えてしまった」と彼は言う。重要なのは、諸民族の移動によってもたらされる民族分布の変化だ。これこそ、「世界の顔を変えた」力だ、とヒトラーは言う。これこそ、マディソン・グラントが著書に込めようとしたメッセージであり、ヒトラーの心に消えない印象を残した本質的なメッセージだった。民族分布の変化こそ世界史の最重要問題だとするグラントの説は、演説や著作から明らかなように、一九二〇年代から一九三〇年代の初めにかけてヒトラーの狂信的な人種差別主義の火に油を注いだ。しかし、それにとどまらず、グラントの説は、(一九三三年以降、悲劇的な形で明確になっていったように)社会における個人の位置づけにとってだけでなく、政策、外交関係の管理、戦争遂行に関する決定にとっても、重大な意味を孕(はら)んでいた。(前掲書、同)

T君、ここで「諸民族の移動」という言葉が出てくるね。現在における民族移動ってなんで起きる? いくつかの要因があるよ。たとえばシリアからたくさん難民が出た。どうして?

(T)戦争です。

シリアの場合、戦争というより、内戦だね。そこで殺される可能性があるから逃げてくるわけだよね。

ヒトラーの場合は、それとは違う。彼が考えた「生存圏(レーベンスラウム)」——つまり、それはドイツに接する東欧圏であるわけだけど、そこには現時点では劣ったスラブ系民族やユダヤ人、そしてジプシーと呼ばれる集団が暮らしている。その連中を排除、つまり、虐殺して、そこに生まれた空き地にドイツ民族を大移民させる。これによって大ドイツ帝国を作るのだというのがヒトラーの考えた青写真だった。

引用文中にある「一九三三年」とはヒトラーが政権を握った年だけれども、たしかに、その企(くわだ)ては途中まではうまく行った。しかし、結局、ソ連の反攻によって瓦解(がかい)するわけだけどね。

さて、ここでいったん休憩して、次の講義では、そのソ連を成立させたマルキシズムと進化論の関係を考えてみよう。

第 4 講

# 歴史もまた「進化」するか――唯物史観

## なぜマルクスは算数が苦手だったか

【マルクス　Karl Marx　1818〜83】ドイツの共産主義思想家・運動家、いわゆるマルクス主義の祖。
〈略伝〉ライン・プロイセンのトリール市でユダヤ人の家庭に生まれた。両親の家系はいずれも代々ラビ（ユダヤ教の教師）を出してきた由緒ある家族、父ヒルシェルは弁護士であった。カールは6歳のときプロテスタントに改宗させられたが、正規の初等教育を受けたかどうかは不明。（平凡社『世界大百科事典』廣松渉）

ここに書いてある「正規の初等教育」というのは、小学校に通っていたかどうかということ。つまりマルクスは小学校に通っていなかった。

でも、マルクスの父親は弁護士だから、お金がなくて通えなかったとは思えないよね。なぜ小学校に通っていなかったんだろう？

実は当時、小学校というのは貧乏人が通うところだった。中産階級以上は家庭教師で勉強させるんだよ。

でも、家庭教師だから小学校に通うよりも良質な教育を受けられたと思いがちだけれども、それは間違いなんだ。

というのも家庭教師は算数や数学を教えないいんだ。当時の感覚で言うと、算数や数学というのは商人がやるもの、金儲けの人間の、下品な技術ということなので家庭教師は教えないんだよ。その代わりに何を教えるかというと、いわゆるリベラル・アーツ、人文教育でギリシャ語やラテン語をマスターさせて、古典を読ませる。日本で言うと論語を教えるようなものだね。

だからマルクスの『資本論』を読むと、特に第二巻なんかには計算間違いがすごく多い。小学校の段階、最も算数を覚えるのに重要な時期に、単純な計算の訓練を行なっていないから、マルクスの演算能力は限られていた。

でも後のマルクス学者たちは「あのマルクスが計算間違いをするはずがない」と思い込んで、その計算過程に隠された定数とかがあるんじゃないかと一生懸命考えたりしたんだけれども、それはまったく意味がなかった。

カール・マルクス

1830年にトリール市内の名門ギムナジウムに入学、35年にボン大学法学部に入学、翌36年にベルリン大学法学部に移る。(前掲書、同)

マルクスは十二歳のころにギムナジウムに入るんだけれども、これも今の中学や高校とは違う。ギムナジウムもまた古典教育を重視する学校なんだ。イギリスではグラマースクールと言うんだけれども、こういうところに行けるのは比較的、裕福な家庭の子どもに限られるから、要するにエリート養成校のようなものだよ。

一方、イギリスにはパブリックスクールという高等教育機関がある。これはどういうところかというと、全寮制の学校でイギリス中の秀才が集まってきて、寮生活を送る私立学校。

イギリスのグラマースクールは公立なんだけれども、パブリックスクールは私立。パブリックだから公のものと日本人は思いがちだけど、英語のパブリックというのは有志が集まって作ったもので、政府からの援助を受けていないという意味があるんだ。だから、パブリックスクールの学費は高い。公立のギムナジウムよりもさらに徹底したエリート教育を行なうのがパブリックスクールで、ここに入ればオックスフォードやケンブリッジに進んで、そこから官僚や政治家になる。

日本の学校教育は私立、公立の違いはあっても教育のコースは基本的に一通りしかない。まあ、中学を出て高専に入るという、限られた例外はあるけれども、だいたいみんな中学を出たら、高校に入って、そこから進学するか、就職するかという話になるわけだけれどもヨーロッパでは中学の段階で、進学組と就職組でコースが二つに分かれる。イギリスやドイツでは大学に進学しようと思えば、ギムナジウムやパブリックスクールに行く。就職組は日本で言う商業高校や工業高校みたいなところに行って、職業教育を受ける。こちらのコースに進んだら、まず大学には入れない。中学である程度、人生が決まってしまうというのがヨーロッパの学校教育の伝統なんだ。

### 共産主義の祖は富裕層だった

当初は詩人になることを志していたが、ベルリン時代に神学講師B・バウアーらとの交友もあり、ヘーゲル左派（ヘーゲル学派）の一員として思想形成の途につく。41年にイェーナ大学で哲学の学位を取得。学位論文は《デモクリトスとエピクロスとの自然哲学の差異》。マルクスは大学の教師になる計画を立てたが、おりしもプロイセン当局のヘーゲル学派退治が始まったこともあり、教職に就くことは断念した。42年の秋から翌年の3月まで《ライン新聞》の編集者を務め、そのおりの体験から、社会経済問題や社会主義思想を研究する必要を感じるようになった。43年の夏、かねて家族的交際のあったウェストファーレン男爵の令嬢イェンニー・フォン・ウェストファーレン Jenny von Westphalen（1814〜81）と結婚、同年秋パリに赴いてA・ルーゲと共同して《独仏年誌》を創刊したが挫折、以後、文筆で生計を立てる。（前掲書、同）

マルクスは共産主義の祖だから、貧苦の中で勉強した、堅苦しい人のように思われがちだけれども、彼の叔父さんはオランダにいて、電器メーカーで知られるフィリップスの創業者だし、親戚もお金持ちばかり。彼自身もそういう文化の中で育っているから、彼は生涯、仕事らしい仕事はしたことがない。それでいて、夏はコートダジュールで暮らして、家にはメイドもいて、娘たちにはピアノを習わせている。なぜそういう生活ができたかというと、奥さんが貴族で、その持参金があったんだね。

それに加えて、彼にはエンゲルスという友人がいる。このエンゲルスはドイツ系なんだけれども、父親がイギリスやドイツで紡績工場を経営している大金持ちなんだ。

で、彼は若い頃から社会主義的な傾向があったので、息子が変な道に入ったら困るというので学問をさせなかった。ギムナジウムにはいちおう入るんだけど、中退して父親の仕事の手伝いをしたり、他の会社で働いた。軍隊にも入ったことがある。

で、彼は父親の持っているマンチェスターの紡績工場で働くことになるんだけれども、「なんでうちの会社はこんなに儲かっているんだろう」と思って、現場を見て歩くわけだ。そうすると労働者たちは企業からひどい搾取を受けているということが分かって『イギリスにおける労働者階級の状態』（岩波文庫、一條和生他訳）という本を書くわけだけれども、そこで槍玉（やりだま）に挙がっているのは父親の会社なんだよね。で、彼は父親の会社を飛び出して、その頃、すでに親友になっていたマルクスと一緒に共産主義運動を始めるんだね。

で、話をマルクスに戻せば、マンチェスターの紡績工場で働いていたエンゲルスにたかって暮らしていたんだよね。手紙を書いては「ボルドーの高級ワインを送れ」「俺にプロレタリアートみたいな生活をしろと言うのか」という高飛車（たかびしや）要求をする。こういう手紙も全部残っているんだよ。だから、マルクス自身は完全にブルジョア階級の人間なんだ。

最近、『マルクス・エンゲルス』（監督ラウル・ペック）という映画が公開されたけれども、これはまさにそうしたブルジョアのサークルから共産主義運動が出てきたことがよく分かる作品だった。

ちなみにマルクスの奥さんは四歳年上。マルクスは彼女にぞっこんで、たくさんのラブレターを書いた。『マルクス・エンゲルス全集』の補巻にはマルクスのラブレターがごっそりと収録されている。エンゲルスが若い頃に書いた『海賊物語』という小説までが収録されている。だから、マルクスもエンゲルスも昔の言い方だと「高等遊民」だよね。

フリードリッヒ・エンゲルス

## マルクス主義とシオニズムの連関

マルクスとエンゲルスの思想は言うまでもなく、のちのロシア革命につながって、それが二十世紀半ばには米ソ冷戦という状況をもたらすわけだけれども、そうなるに際して、もう一人の登場人物が必要だった。

それがモーゼス・ヘスという男で、彼はマルクスやエンゲルスの活動に参加するのだけれども、ドイツで一番最初に共産主義を唱えた人でもある。このヘスは「モーゼス」（モーゼ）という名前からも分かるように、ユダヤ人なんだ。マルクスもユダヤ人（のちにプロテスタントに改宗）なんだけれども、ヘスの場合、思想を深めていった結果、「共産主義は無神論では実現できない」という結論に達して、そこからシオニズムのほうにのめり込んでいった。ヨーロッパにはユダヤ人の住む場所はないから、パレスチナの地に自分たちの国家を作るべきだという考えを発表する。

つまり、十九世紀半ばくらいにドイツやフランス、イギリスなどで二十代の若者たちが屋根裏部屋で秘密集会をやって社会問題を討論しているうちに生まれたのが、共産主義とシオニズムだったという言い方ができる。

で、共産主義はさっきも言ったようにソ連を作ることになるわけだけど、それから約半世紀くらい遅れて、シオニズムのほうも一九四八年にパレスチナの地にイスラエルという国家を作ることになるわけだから面白いよね。

ソ連は結局、崩壊したけれども、イスラエルは建国以来、四回の戦争をくぐり抜けて、今ではアメリカの政策に決定的な影響力を持つ存在になっている。だから小国ではあってもイスラエルは国際政治に大きな存在感を持っている。

このこと一つを採ってみても、ユダヤ人問題を考えるときにマルクス主義を知ることはひじょうに重要なことになってくるのが分かると思う。

ところで、64年には、チャーチスト、プルードン主義者、バクーニン主義者など思想的には雑多であるが、とにもかくにも国際的な労働者運動の連帯組織〈国際労働者協会〉（いわゆる〈第一インターナショナル〉）が結成され、旧共産主義者同盟系の在ロンドン亡命者グループもこれに参加することになった。マルクスは、ロンドンに置かれた暫定委員会を牛耳ることに成功、やがて中央評議会の主導権をにぎる。この時期に《資本論》の第1巻を公刊した（1867）。71年にパリ・コミューンが敗北して後、第一インターナショナルもやがて解体、マルクスは再び直接的な組織活動からは退いたが、ドイツおよびフランスでようやく伸張しはじめたいわゆるマルクス派の運動に指針を与え続けた。健康を害しながらも晩年にかけて《資本論》体系の完成に努めたほか、新しい思想的展開を胎動させたのであったが、83年3月、肝臓癌（がん）にたおれた。（前掲書、同）

マルクスは肝臓癌で死ぬんだけれども、彼は癰（よう）という皮膚疾患の持病があって、それを治すためにヒ素を塗っていたらしいんだ。ヒ素というと、今では毒物というイメージが強いけれども、当時は一種の万能薬扱いされていたんだね。彼の寿命を縮めたのは、このヒ素のせいだとも言われている。ヒ素には強い発癌性があるからね。

### マルクシズムはグローバル思想なのか

それはさておき、今、読んだところに「第一インターナショナル」という言葉が出てきた。

Sさん、インターナショナルってどういう意味?

(S)「国際的な」という意味です。

では、インターナショナルとグローバルはどう違う? インターナショナリゼーションとグローバリゼーションはどう違う?

インターナショナルというのは、ネーション、つまり国家の存在を前提にしているんだね。ネーションとネーションの間の環境を作っていくということからインターナショナルという言葉が生まれた。これに対してグローバルは、最初からそういうものはない。

(S)地球主義ということですね。

そういう意味で、グローバリズムは一種の普遍主義なんだね。国境は関係ない。マルクス主義というのはインターナショナルを自称していたけれども、はたしてこれがグローバリゼーションだったのかどうかということは議論の対象になる。共産主義は本質的には国境、国家に関係のない考え方だ。でも、現実にはネーションが存在し、そのネーションの中には民族がいる。これらをどのように位置づけるかは、現代でもひじょうに重要なことだ。

## 「民族」はいつから生まれたのか――原初主義と道具主義

Hさん、日本人っていつごろからいたと思う?

(H)一万年くらい前からですか?

たしかに一万年くらい前に日本列島の上にも人は住んでいた。いわゆる縄文人というやつだね。でも、縄文人は日本人と言えるだろうか?

民族に関しては二つの考えがあるんだね。一つは原初主義。英語ではプリモーディアリスム(primordialism)というけれども、これは今、Hさんが言ったように、その地域に暮らしていた人たちはみなその民族であるという考え方。一万年前でも日本列島に暮らしていた人は日本人という定義。でも、縄文人には、自分たちが日本人であるという意識はなかったよね。だって、そもそも「日本」という国家がないんだから。

では、どこからが日本人なのか。Hさん、日本人の特徴って何だろう?
(H)日本語を話すところ。
ほかには?
(H)食物ですかね。
同じ文化習慣を持っている、あるいは同じ土地に住んでいる。それから経済的に結びついている。同じ経済圏の中にいるというのも民族の定義として重視される。

こういうことで民族を定義するのが原初主義という考え方。

でも、こういう民族の定義のしかたは今日のアカデミズムでは否定されている。

というのも、たとえば日本文化といっても平安京の時代なんて、貴族と庶民では文化がまったく違うわけだよね。貴族の文化は大陸から輸入されてきたものをベースに、それをアレンジしたものだ。だから、どっちかというと中華文化の変形だ。一方、庶民のほうは貴族とはまったく違う生活をしている。ことに東北とか九州とか、都から離れたところに暮らしている人たちには京の文化なんか、まったく関係なかっただろうね。

また同じ土地に住んでいるというのも同様に当てにならない。縄文人は後に大陸から渡ってきた弥生人によって辺境に押しやられ、征服されたわけだから縄文人と今の日本人がどの程度の連続性があるかは疑わしいよ。中国だって、何度も周辺の騎馬民族によって征服されているから、本来の中国人、漢人の血を引く人はいないと言われている。

そこでもう一つ出てくる、民族の考え方は道具主義、インストゥルメンタリズム(instrumentalism)と言われている考え方。

これはプラグマティズムの考え方から生まれてきた思想なんだけれども、要するに民族というのはア・プリオリ、つまり最初から自然にあるものではなくて、フランス革命のあとに生まれてきた現代的な現象であるという見方。言い換えるならば、近代国家を作るために必要な道具(インストゥルメント)として「民族」という思想が出来てきたということだ。

### 「民族」とは近代産業社会に伴って現われた現象

民族に関してはいくつかの定義があるけれども、日本で最も普及しているのはベネディクト・アンダーソンという、アメリカのコーネル大学の教授。彼の主著は『想像の共同体』(書籍工房早山刊。白石隆他訳)というもので、これは社会学での基礎文献と言ってもいい。彼は「民族というのは、想像上の政治的共同体である」という定義を提出した。簡単に言うと、それまでは階級制度によって作られていた国家を、近代の国民国家にするために「民族」という観念が人工的に作られたんだという考え方。

そこで重要になってくるのは出版資本主義、大量印刷ができるようになるのはグーテンベルクが十五世紀に活版印刷術を発明したことに遡るんだけれども、これによって新聞が発行できるようになった。新聞をみんなが読むと、そこに一つの情報空間が生まれる。つまり、情報を共有する人々の集団が生まれてきて、それが民族を作る基礎になったとベネディクト・アンダーソンは指摘している。

もう一つは、民族というのは特定の文化を共有している集団であるわけだけれども、近代以前の社会では、それは階級ごと、職種ごとでみんなバラバラだった。ある階級にいた人が上の階級に移動することはできないし、仕事についても「蛙の子は蛙」で、父親の仕事を子どもが引き継ぐのが当たり前だった。でも、近代国家とは言い換えると、資本主義国家、産業社会であるので、そこではみんなが平等でないと困る。というのも、資本主義下においては、新しい産業が次々と勃興してくる。その新しい産業に適応するためには、従来のような職人では困るわけ。職種が変わってもすんなりそれに適応できる人材が求められる。それには国民全体に共通の教育を与えて、読み書き算盤(そろばん)をきちんとできる人間を作る必要があるわけ。つまり、国民はみんな平等だという思想がそこで広がっていく。

となると、邪魔になるのは階級とか職能集団だよね。でも、そういう中世的な社会集団を解体して、新しい国家をつくるためには、一種のファンタジーがないといけない。それが「民族」というイメージで、階級や職能に関係なく、我々はフランス人である、イギリス人であるという意識が作られないといけない。

だから民族というのは近代国家以後に誕生した概念なんだというのがベネディクト・アンダーソンの主張。彼の主著『想像の共同体』というのは、つまりは近代国家のことを指すんだ。

**エントロピー・レジスタント構造**

民族の起源について、『民族とナショナリズム』（前出）を著わしたアーネスト・ゲルナーは「エントロピー・レジスタント」ということを言っている。日本語では「耐エントロピー」となっている。

そもそもエントロピーとは熱力学の用語なんだけれども、たとえば閉め切った部屋の中でタバコを吸うとしよう。そのタバコの煙は時間が経つにしたがって拡散していき、最後には部屋中に広がっていく。Wさん、このタバコの煙をどうやったら元に戻せるだろう？
（W）不可能だと思います。
その通り。このタバコの煙と同じように熱エネルギーは拡散していくけれども、それを逆向きに収縮させることはできない。これを「エントロピー増大の法則」と言う。エントロピーとは乱雑さのこと。エネルギーは時間が経つにつれて乱雑になる。これを「エントロピーが増大した」と言う。エントロピーは増大するけれども、けっして減少しない。

このエントロピーの概念を社会学でアナロジカルに使ったのがゲルナーなんだ。

今、説明したように熱力学の世界ではエントロピーは増大する一方で、その増大を止めることも、逆転させることもできないわけだけれども、文化においてはそれはかならずしも当てはまらない。

そのことをゲルナーは「青色人」という仮説を持ち出して説明している。ある集団があったとき、そこで皮膚の青い人たちだけが社会の上層部を占めていて、たとえば肌の白い人、黒い人、黄色い人たちは彼ら青色人の支配下にあるわけ。

エントロピーの考え方で言えば、この青色人の集団は時間の経過とともに拡散して、下層集団に混ざっていって、最後は社会全体が均一になるはずなんだが、しかし、現実にはそうではない。権力者である青色人集団は団結して、なかなか他の集団とミックスすることはないだろう。そういう意味で、社会にはエントロピー増大の法則に反する力が備わっている。それが「耐エントロピー構造」ということで、青色人は青色人としての民族意識が生まれてくるだろうし、そのほかの集団もそれぞれの民族意識を持つようになるというのがゲルナーの考える「民族の起源」というわけだ。

## 民族を消滅させるとしたマルクス主義

そうするとマルクス主義と民族や国家の関係はどうなるだろうか。

さっきも述べたようにソ連は「第一インターナショナル」という形で、国家や民族集団が団結するというイメージを持っていたわけだけれども、その一方で、マルクスは歴史の法則として、やがては地球上を共産主義社会が覆い尽くし、そこでは全員がプロレタリアートとなると考えた。つまり、これは一種の折衷案だよね。共産主義革命が完結するまでは国家や民族は存在するので、そこではインターナショナリズムで行くけれども、最終的にはグローバリゼーションで、世界は均一化してボーダーレスになる。アナーキズムのように国家を最初から否定したりはしないんだね。

ところでNくん、今から一万年前には日本は存在しなかったと話したけれども、社会はあったかな？

（N）あったと思います。

## 人類は三段階にわたって発展してきた

その通り。国家と社会という観点から見ると、人類は三段階にわたって発展してきたというのが現代の通説なんだよね。

まず最初に来るのは、狩猟採集社会、あるいは前農業社会。その次が農業社会で、最後は産業社会。

狩猟採集社会においては、食糧を得るために集団で協力しないといけないから社会が生まれた。今でも狩猟採集生活を行なっている人たちはアフリカにいるけれども、彼らは一日に何時間くらい働いていると思う？　つまり狩りや食べられる植物を採取するのに、どのくらいの時間を費やしているか？

答えは三～四時間。そのくらいの時間があれば、一日に必要なカロリーは確保できる。では後は何をしているだろう？　答えは移動だ。なぜ彼らは毎日、移動しているんだろうか？
（O）同じ場所にいると食べ物を取り尽くしてしまうので。
それもあるよね。でも、そのほかにも定住をしない理由が二つある。

一つは排泄物（はいせつぶつ）の問題。狩猟採集生活の段階ではもちろん下水道なんか作れないから、トイレなんかない。そこらへんですませちゃう。でも、それを長く続けていると必然的に衛生問題が発生するよね。だから、移動する。

ちなみに人が死んだ場合、遺体はやはり置いていく。遺体がやがて腐って、鳥たちについばまれたりしているのを見るのは怖いからね。そうした死の恐怖を味わうのを避けるためにも移動をしないといけない。でも、定住するとさすがに遺体は埋葬する。そこから宗教が始まっていくわけだね。

**定住に先行して権力が生まれる**

では、そうした放浪生活をどうしてやめて、人間は定住生活を行なうようになったのか。これについては、従来は農業を行なうことを覚えたからという説明がされていたと思うけれども、最近ではそれには疑問が投げかけられている。

というのも、毎日数時間だけ働いていればいい狩猟採集生活に比べたら、農耕を主体とする生活は明らかに労働時間が長いよね。穀物や野菜を育てるためには田畑を耕し、水をやったり、雑草取りをしたりしないといけない。一日中働かなきゃいけない。こういう生活を狩猟採集民が果たして選ぶだろうか？

そこで最近では定住生活に先立って、集団の中で権力が生まれたという考え方が主流になっている。つまり、内発的に定住生活を送るというモチベーションは考えられない。そうではなくて、集団の構成員に定住を強いる権力が発生したことによって、農耕が始まったというわけだ。これは西田正規（にしだまさのり）という人の『人類史の中の定住革命』（講談社学術文庫）という本に書いてあるよ。

さて、農業社会においては社会と国家はどういう関係だろう？　社会はあるよね。人間はそもそも集団生活をしないと生きていけない種だ。では、国家は？

答えは「あったときもあるし、なかったときもある」だ。

たとえば農耕文化が生まれた当初からバビロニアや中国、エジプトなどには古代帝国が存在した。でも、ずっとそれ以来、国家があったかといえばそうではない。日本の戦国時代には国家があったかな？　あるいは中世のヨーロッパの農村は国家に属していたかな？　彼らは国家という支配機構の中には入っていなかった。だから社会はあったけど、国家はなかった。

## 産業社会は国家を必要とし、教育を必要とする

ところが、これが産業社会になると誰もが国家に属することになる。

その理由はすでに述べたよね。産業社会になったら、誰でも読み書きや計算ができないといけない。そういう人材を大量に作ることができるのは国家しかない。それまではブルジョア

ジーや貴族だけが子どもに家庭教師を付けて教育をしていた世界で、国民全員に初等教育を与えるには、学校というインフラが必要だし、そこで教える教師も養成しないといけない。ものすごくカネとエネルギーの要ることだ。

だから、近代国家イコール学校と思っても間違いではない。

みんなは教育というと、教室に同じ年代の子どもが集まって、そこで集団で授業を受けるものだと思っているでしょう？　でも、それは近代になって初めて生まれた光景なんだ。それまでは上流階級、中流階級は個人授業、それ以下の階級の子どもはいきなり働かされる。読み書きや計算は仕事を通じて覚える。教育なんか受けられなかった。

大学だって、近代以前と近代以後ではまったく違うよ。

近代国家が生まれる前の大学で学んでいたのは、下は十三歳くらいから上は四十歳くらいまで。ものすごい幅があった。

ちなみにMくん、中世の大学の教養学部って卒業までにだいたい何年くらいかかったと思う？

(M) 四、五年くらいですか？

正解は九年。中世は印刷術が普及していなかったので、本はすべて手書きの写本だった。だから本はとても貴重。図書館に行っても一冊しか貸してもらえない。それを全部読んで覚えてから返して、また次の一冊を借りる。だから、必読書の数で教養学部を卒業するのに必要な期間が決まったんだ。

で、それが終わると今度は専門学部に進学するんだが、これは三つしかなかった。神学部、法学部、そして医学部。卒業までに必要な年限は学部によって違って、法学部は三、四年で、医学部は五、六年。神学部はひじょうに長くて一五年。だから神学者になろうと思ったら、まず最低で二四年はかかる。それだけ読まなくてはいけない本があるということだね。この事情は今でもそんなに変わらなくて、同志社の神学部を出て、大学院に入っても勉強は終わらない。やはり同じくらいの時間をかけて勉強を続けてようやく一人前になる。だから僕は「どうしても神学を修めたいのならば、就職して生活費を稼ぎながら勉強していくことを考えなさい」とアドバイスしている。

ではテキストに戻ろう。

著述はノート類も含めて膨大な量にのぼるが、主要なものとして上記のほか、《ヘーゲル法哲学批判序説》《経済学・哲学手稿》（通称《経哲手稿》、ともに1844）、《哲学の貧困》（1847）、《ルイ・ボナパルトのブリュメール18日》（1852）などがある。《聖家族》（1845）、《ドイツ・イデオロギー》（1845〜46）のほか、エンゲルスとの共同執筆も多くあり、それらはいずれも《マルクス＝エンゲルス全集》として刊行されている。（前掲書、同）

## 政治家の実力と当選は関係ない

はい、ここで『ルイ・ボナパルトのブリュメール18日』（平凡社ライブラリー他より刊行）という本が出てくるね。このルイ・ボナパルトって誰だか分かる？　これは高校の世界史でも絶対に出てくる人物だよ。正解はナポレオン三世。ナポレオンの甥っ子で、第二共和制を廃止して、大統領から皇帝になった人物。

このフランスの第二共和制というのは、当時の世界基準で最も民主的な政治だった。そこではいわゆる「分割地農民」、つまり一番貧乏な農民にも投票権が与えられた。

ナポレオンと言ったら、彼らにとっては神様のような存在だからね。何と言っても土地改革を行なって、小作民に土地を与えた大恩人だ。

だから、その甥っ子が選挙に出たとなると、みんな彼に投票する。客観的に見れば、何の実績もない、山のものとも海のものとも分からない人物なんだけれども、そうやって彼は議員になり、大統領になり、ついには皇帝になった。で、そのナポレオン三世は自分の人気を維持するために戦争を始めるんだけど、伯父さんのような軍事的天才はないから、ビスマルクのプロイセンに戦争（普仏戦争）をしかけて、セダンの決戦（一八七〇年）で大敗して、彼自身がプロイセンの捕虜になってしまう。勝ったプロイセンはフランスに多額の賠償金を負わせたから、そのツケは農民に回ってきて、多額の税金を納めなくてはいけなくなったんだ。

つまり、このナポレオン三世というのはまさにポピュリズムが作り出した英雄であり、独裁者だった。マルクスは、なぜこのような無能な男がフランスの共和制を破壊したのみならず、国家存亡の危機まで招いたのかを分析した。その本が『ルイ・ボナパルトのブリュメール18日』。ポピュリズムに訴えて、独裁者が生まれることを「ボナパルティズム」というのはこの歴史的事実から来ている。

で、マルクスの分析によれば、「選び出された人間」と「選ばれた者」との間には合理的な連関はないということなんだ。

人間にはイメージ、幻想を作る能力がある。実際には自分たちの利益を損なうような人物であっても、「我々の夢を叶(かな)えてくれる」というイメージさえ打ち立てることができれば、選挙に勝つことができる。そして選挙に勝ってしまえば、あとは何でも自由なことができるということだ。有権者たちは「終わることのない恐ろしい状態が続いているよりも、たとえ恐ろしい結果になろうとも今の状況が終わってくれたほうがいい」と思うものだということをマルクスは語っている。今の日本もそうだけれども、民主主義というのは、決定までに恐ろしく時間がかかる制度なんだ。議会で果てしない議論の応酬がなされて、いつまでも結論が出ない。そうすると有権者は「もうそんな議論はいいから、誰でもいいのでさっさと今の状況を終わりにしてくれ」という心理に陥る。そこに独裁者が現われる余地があるというわけだ。

これは言うまでもないけれども、後のヒトラーの登場にも通用する分析だよね。マルクスはもちろんヒトラーを知らないわけだけれども。

なぜヒトラーが独裁者になれたかというと、それは当時のドイツでは世界で最も民主的な憲法、ワイマール憲法があったから。当時のドイツ議会は圧倒的多数を占める与党が存在しなくて、連立政権がずっと続いていた。つまり、議会は紛糾(ふんきゅう)していて、何にも決まらなかった。そこでヒトラーが首相になるチャンスが生まれたわけ。代議制民主主義はこうした欠陥を本質的に抱えている制度なんだというのがマルクスの分析で、これは政治論の中でとても重要な文献なんだ。

## 本来の批判とは「肯定的評価」

マルクスの思想は〈科学的社会主義〉と呼ばれ、哲学的立場は〈弁証法的唯物論〉と呼ばれる。彼はまた〈マルクス経済学〉と呼ばれる経済学批判体系を築いた。(前掲書、同)

ここで「批判」という言葉が出てくるけれども、批判ってどういう意味?「最近、野口先生はN君に批判的だ」と言ったら、どういうイメージになる?

(N) 否定的ということです。

それだったら、たぶん野口先生のゼミは取らないほうがいいよね。

(学生一同) (笑)

でも。批判は本来そういう意味じゃない。批判とはほとんどの場合、肯定的評価だ。批判、クリティークとかクリティシズムというのは、対象を認識してそれに自分の評価を加える行為を指す。だから「全面的に賛成だ」とか「こういうところが、いい奴だよ」と言うのも批判に当たる。文芸批評も基本的に同じだ。評論という言葉もクリティークの訳語だ。

でも、日本では一般的に批判という言葉はネガティブな意味に使われているよね。

これは、この「マルクス」の項目を書いている哲学者・廣松渉（ひろまつわたる）の説なんだけれども、もともと日本語の批判は、たとえば歌舞伎のタニマチが「今日の芝居はなってなかった」とか「今日の演技はなかなかよかった」と言うのを指して言っていた。タニマチっていうのは歌舞伎役者にとってはスポンサーだよね。そのタニマチが、ちょっと役者を下に見て言うのも当時は批判と言っていたみたいなんだ。だから、日本語の批判という言葉にはあまりいいイメージがなかった。そこで英語のクリティークとしての批判もそういうニュアンスで受け止められているんだというのが廣松の説だ。

本来の批判とは、対象に対して自分の意見を加えること。「こうしたらもっとよくなるよ」とか、「こうするともっとよくなるよ」という考えを述べること。もちろん、その中には「今のままではダメだ」という意見も含まれるわけだが、それは批判の一部にしかすぎない。

マルクスは『資本論』に「経済学批判」というサブタイトルを付けている（Das Kapital. Kritik der politischen Ökonomie）というけれども、そこで扱われている経済学説、たとえばアダム・スミスやデーヴィッド・リカードの思想については肯定的な評価なんだ。こうした言葉のズレを知っておくことは重要だね。

## マルクスの思想は三つの思想の統合である

マルクスの思想は、もちろん、一気に成立したものではない。研究者たちは、1845年ころを境にして、ヘーゲル左派の大枠内にあった時期と唯物史観（史的唯物論）の新しいパラダイムが確立した時期とに分けるのが普通である。とはいえ、両者の連続性を強調する者もあれば、前者から後者への飛躍を強調する者もあり、マルクスの思想像は専門の研究者たちにおいてすらまだ一義的でない。40年代後半以後の固有思想といっても、唯物史観ひいては世界観全般の基本的視座の確立が先鞭となり、それとほぼ並行して共産主義革命の理論が形成されたのち、経済学の体系がしだいに整うにつれて共産主義理論もさらに具体的に肉付けされるといった、かなり複雑な形成過程の所産である。が、達成された理論的地歩を思想史的に位置づけていうかぎり、マルクスの思想はいわゆる〈三つの源泉〉すなわち、第1にドイツ古典哲学、第2にフランスを中心に台頭した社会主義思想、第3にイギリスで完成された古典派経済学の学問的成果を、一種独特の仕方で総合的に統一したものということができよう。（前掲書、同）

マルクスの影響はソ連が崩壊したことによって、むしろアメリカでもヨーロッパでも強まっているよね。いわゆるフランクフルト学派はひじょうに強くマルクスの影響を受けているし、あるいは先ほど言ったアーネスト・ゲルナーにしてもマルクスのパラダイムを使っている。だからマルクスというのは、学術的には全然古くなっていない。ソ連が崩壊したから、もうマルクスは終わりだと思われがちだけれども、実際にはまるで違うんだ。

〈日本との関係〉マルクスは日本の社会主義運動はもとより、思想界一般に対して強い影響を及ぼしており、その意味において日本と関係の深い思想家である。1903年（明治36）には、幸徳秋水や片山潜によってはやくもマルクスの思想が部分的に紹介され、06年には《共産党宣言》の全訳も出ている。また、07年には山川均によって《資本論》第1巻の紹介が行われている。しかし、マルクスの思想が本格的に紹介されるようになったのはロシア革命（1917）以後であり、22年には〈日本共産党〉（委員長堺利彦）が結成され、コミンテルン第4回大会において承認された。

昭和に入ると、福本和夫、三木清、河上肇などによるマルクス論が左翼的インテリのあいだで強い影響を及ぼすようになり、28年（昭和3）には世界で最初の改造社版《マルクス・エンゲルス全集》の刊行が開始された（全27巻30冊、補巻1、別巻1。完結1935）。（前掲書、同）

世界で最初に『マルクス・エンゲルス全集』を出したのは実は日本なんだ。ソ連やドイツより早かった。それだけ日本におけるマルクス主義の影響が強かったわけだね。日本のマルクス主義の中心にいた山川均という人は同志社の英文科中退なんだ。つまり君たちの先輩だ。

ところで、マルクスを教えている大学の先生たちは、大学の中で影響があるんだけども、行動においては全然左翼的な行動をしない。あるいはものすごい権威主義的で、アカハラ大魔王になっている。あるいは、フェミニズムを教えている男の先生が女子学生に迫ってくるという話もある。なんでそういうことが起きるのだと思う？　さらに大学で人権を教えている人が本当に、他者の人権を尊重する人かどうか分からない。良心の研究をして「良心的であれ」と言っている人が良心的行動をしているという保証もない。なんでそういうことが起きるんだと思う？

## ヘゲモニーは保守主義を生み出す

これを解明したので面白いのが、イタリアのマルクス主義者で、哲学者で、政治家のグラムシだ。ヘゲモニーがキーワードになる。ヘゲモニーって通常は「覇権」と訳されているよね。一番よく使われるのが国際関係で、中国が覇権主義になりつつあるだとか、そういう使われ方をしている。でも、グラムシは国家レベルではなく、もっと小さな、特定の空間における権威主義を覇権と捉えている。

ある一定の空間で覇権を保持している国や人は保守的になる。自分の権威を守りたいわけだからそれは当然だよね。

だからマルクス主義者が大学内で影響力を持つというのは、大学の中でヘゲモニーを握っているということで、彼らが保守的な存在であるということ。この人たちにとっては大学のポストを独占して、大学の中で出世して、他の人からの異論を受け付けない。それがヘゲモニーだ。日本キリスト教団の中で「神社に反対だ」と言っている牧師たちがいるんだけれども、それもヘゲモニーの現われなんだよね。つまり教団の中で「反国家神道」などと言っているほうが保守的で、楽だから、そういう言説でヘゲモニーを行使しようとしている。他者から閉ざされた、内向きの集団の中ではヘゲモニーの争奪戦がひじょうに重要になってくるわけだね。

こうしたヘゲモニーの争奪戦はどこでも起きている。理科系の世界でも、研究所の中に権威者がいて彼の説に従った研究しかできないという状況もありえるし、企業の中でもそれはしょっちゅう起きているよね。家庭の中でも同様なことはある。

こうした分析において、マルクス系の研究者の貢献は大きいよね。

## マルクスの「遺産」

このほかにもマルクスの遺産として重要なのは「イデオロギー」という概念だ。マルクス主義ではしょっちゅうイデオロギーという言葉が使われているよね。

イデオロギーって何だろう?

それは生活に影響を与える思想のこと。

たとえば、お金の問題。一枚の一万円札を印刷するのに、人件費を入れたコストはどのくらいになるか知っている？
(M) 一〇〇円くらいですか。
Wさん、いくらかかると思う？
(W) 一〇円くらい。
Sさん、いくらかかると思う？
(S) 一円くらい。
Kさん、いくらかかると思う？
(K) 一〇〇〇円くらいかかると思います。
一番近いのがWさんで、そのときの人件費で上下するけれども、二二円から二六円くらい。それが一万円札の実質的価値だとも言えるわけだけれども、たった二〇円かそこらの紙切れで、一万円分の買い物ができる。たった二〇円かそこらの紙切れのために自殺する人が出る。なぜ、一万円札に価値があるか、意味があるかといえば、それがイデオロギーなんだ。この紙切れを一万円の価値に等しいと人々が思うのは、そう信じさせるイデオロギーがあるから。

偏差値もそうだよね。偏差値の高い学校に行く人は頭がいいと人々は思う。本当にそうかな？　そういうわけじゃないよね。でも、そう信じる人がいるのはイデオロギーのせいなんだ。

つまり、現実に影響を与える思想のことをイデオロギーと言う。

そして、最も主流なイデオロギーは、イデオロギーだとは気づかれない。思想ではなくて、それが現実だと思われているからね。

だからお金というものが持っているイデオロギー性に気がつかないんだよね。

では、そこで考えてほしいんだけど、お金ってなんで必要なんだろう？

Sさん、どうしてお金って必要なんだろう？
（S）モノを手に入れるときの交換手段だから。

## 商品には二つの側面がある

モノ、つまり商品ということだね。そこに気付いたのはなかなか偉い。

資本主義社会におけるすべてのモノは商品として現われる。商品には二つの側面がある。

一つは使用価値、もう一つは価値。この二つの言葉は似ているようで違う。

Sさん、時計の使用価値って何だろう？
（S）時間が分かること。
そう。時計を持つこと、使うことの価値は今の時刻が分かることなんだよね。

たとえばペットボトルのお茶ならば、喉の渇きを癒すことが使用価値。ボールペンだったら文字や絵が書けること。

## 価値とは同質性

そういうわけで、モノにはそれぞれ異なった使用価値があるんだけれども、それとは別に価値が存在する。その価値とはどういうモノだと思う？

（S）値段ですか。

使用価値としては時計はどれも似たりよったりだけど、同じ腕時計でも一〇〇〇円のものもあれば、一〇〇万、二〇〇万という腕時計もあるよね。お茶だって、ペットボトルのものは一〇〇円かそこらだけれども、新茶とかブランドのお茶になるとずっと高くなる。ボールペンでも同じ。

これは言い換えると、同質性ということだ。つまり、時計とお茶は使用用途としてはまったく違うものだから、どちらが上とか下とかはない。でも、商品の価値として考えると、片や三〇万円、片や一〇〇円というふうに並べて考えられる。三〇〇〇本のペットボトルと、三〇万円の時計とが同じになる、というわけだよね。

でも、実際のところ、三〇〇〇本のペットボトルと時計を交換しても、ペットボトルのお茶を三〇〇〇本も持ったところで困るよね。そんなのはいくら飲んでも飲みきれないから、飲み終わる前に賞味期限が来ちゃうだろう。

だから自分の持っているものと、相手の持っているものとを交換する際に媒介項が必要になってくる。そこでまず第一に重要なのは、それが誰でも欲しがるものでないといけない。「ペットボトルのお茶なんて要らない」という人もいる。江戸時代にはそれがコメだった。でも、コメも古米、古古米となってくると劣化してくるから貯蔵ができないし、それにコメを持ち歩くのは大変だ。

というわけで、その媒介項は、やがて金や銀といった稀少金属に収斂（しゅうれん）していくんだけれども、金属といえども使っているうちに摩耗してくるよね。当初、一〇〇グラムあったものも九九グラムになったりする。それをいちいち量っていたら大変だから、そこで鋳貨が造られた。

そこでは一定量の金や銀の塊に刻印を押した。たとえば金塊に五〇〇グラムと刻印しておけば、以後はいちいち計量しなくてもいい。それが摩耗して、四九〇グラムになっても刻印があるかぎり、五〇〇グラムとして通用する。

でも、そうなると金そのものの価値よりも、刻印のほうが実は大事なんだということが分かってくるわけだ。たとえば一〇〇グラムの金と四〇〇グラムの銅の合金に五〇〇グラムと刻印してあれば、それでもいいんじゃないかという話になる。

そこでさらにここで発想が一段飛躍して、「それならばもう金属を使う必要もない。紙切れに『これは五〇〇グラムの金に相当する』と印刷したものでもいいんじゃないか」という話が出てくる。これがいわゆる兌換紙幣で、昔の紙幣は中央銀行に持ち込めば、同価値の金貨に交換できた。でも、今はそのゴールドの保証も必要なくて、政府や中央銀行が「これは一〇〇ドル札である」「一万円札である」と言えば、人々はその額面金額に相当する価値を持ったものを手に入れられるわけだね。つまり貨幣というものを支えているのは「信用」という、人と人との関係だ。

### 商品は貨幣を愛する

ところで、この貨幣と商品との関係には非対称性がある。

貨幣を持っていれば、我々はペットボトルのお茶を買えるわけだけれども、ペットボトルのお茶をお金に換えようとしたらどうだろう？　かならず貨幣に交換してもらえるだろうか？　買い手が見つかればいいけど、それはつねに実現するわけじゃないよね。貨幣は商品に交換できるが、商品はかならずしも貨幣に交換できるわけじゃない。

このことをマルクスは「商品は貨幣を愛する。が、『まことの恋がおだやかに進んだためしはない』ことを、われわれは知っている」と表現している。「まことの恋が」云々（うんぬん）はシェイクスピアの『真夏の夜の夢』からの引用だ。

マルクスの仮説では、そもそも商品から貨幣が生まれてきたわけだけれども、商品がかならず貨幣になれるというわけではない。だから貨幣は商品から生まれてきたものだけれども、一種の特権的な地位を持っている。これをマルクスは「貨幣は神となった」という意味で物神化と呼んでいる。

さらに付け加えるならば、この貨幣は投資することによって増えていく。それが資本ということで、資本とは貨幣の運動体であるという見方をマルクスはしている。

## マルクスの二つの情熱

マルクスの面白さというのは……マルクスには二つの魂があるのね。

一つは、今の世の中が悪いから共産主義社会にしないといけないという、一種の宗教的な情熱。この背後にあるのはユダヤ教的な終末論だ。

もう一つは学者としての魂。マルクスは「資本主義はどのような論理で動いているのか」、言い換えると「資本主義の内在的論理」ということになるんだけれども、それを探究したいという情熱を持っている。

彼の中ではこの二つが渾然一体となっている。そこがマルクスの魅力であるんだけれども、宇野弘蔵（うのこうぞう）はマルクスの第一の情熱、つまり革命を志向するという部分はカッコの中に入れて、資本主義の内在的論理を捉えることに特化した。そこから宇野（弘蔵）経済学と呼ばれる独創的な解釈体系が生まれるんだけれども、さて、そこで質問だ。

Tさん、資本主義社会において労働者が一生懸命働くことによって金持ちになることはできるだろうか？

（T）お金は稼げるけど、お金持ちになることはむずかしい、か。

その通り、この資本主義社会で大金持ちになるには、労働者のままではダメで、資本家にならないといけない。

つまり、他人に労働させて、そこから搾取をする。これが金持ちになる、唯一の方法なんだよ。給料をコツコツと貯めていったところで、昔話のように長者様になれるわけじゃないんだ。だからといって僕は君たちに資本家になれと推奨しているわけじゃない。そうではなくて、この資本主義社会の世の中で生きていくためには、そういう仕組みを知っておくことが大事なんだ。資本家はとことん労働者を働かせ、そこからできるかぎり搾取しようとする。そのために「一生懸命働くことは美徳だ」とか「先輩から言われたことは、一週間、徹夜してでも達成しないといけない」なんて洗脳していくわけだけど、そのような洗脳に乗ったらダメだ。頑張りすぎない、働きすぎない、すりつぶされないことが大事だということが、マルクスの『資本論』の論理をきちんと把握していたら分かる。そういうことなんだ。

**文体は思想を表わす**

【エンゲルス　Friedrich Engels　1820〜95】K・マルクスとともにマルクス主義（いわゆる科学的社会主義）の創設者。マルクスの単なる協力者ではなく、独自の理論的傾向をもち、今日のマルクス主義（ことに正統派マルクス主義）に、むしろマルクス以上の影響を与えている。（平凡社『世界大百科事典』星野中）

マルクスは分かりにくい。エンゲルスは分かりやすい。マルクスの『資本論』の一巻はマルクス自身が書いたものだけど、残りの二巻と三巻はマルクスの遺稿を基にエンゲルスが編集したもので、文体が全然違う。文体が違うということは思想が違うということだ。これはひじょうに重要なことなんだよ。

M君、あなたが遠距離恋愛をしていると仮定してみよう。相手の人間に異変が起きたとき、新しい恋人が出来たというのはどうやって察知できると思う？

（M）ツイッターとかですか。

ツイッターもそうだけど、結局は文体だ。今まで彼女がメールで使っていなかった用語を使うようになるとか、違った言い回しを使うようになったときは要注意。

言葉の使い方、文体はその人の思想を表す。だから同じ作家でも、文体が変化したときは思想が変わっている。マルクスとエンゲルスは別の思想の人だというのは、文体を見れば分かる。

## 『資本論』第一巻はタルムードに似ている

マルクスの『資本論』の一巻目の作り方は、ユダヤ教のタルムードに似ているんだ。

タルムードというのは、いわゆる「モーセ五書」（トーラー）に注釈を付け加えていったもの。といっても、一通り、注釈がついているだけではなくて、その注釈にもまた注釈が付けられている。こうして無限連鎖のように注釈がつながっていくのがタルムードで、ユダヤ教の中には「タルムード学」というジャンルがあるくらいだ。

このタルムードの注釈作業がいつ終わるかというと、この世界が終わるとき。ユダヤ教の中での「時の終わり」というのは、新しいイスラエルがこの地に生まれるとき。それまではタルムードは発展し続けていく。

これに対して『資本論』の注釈は大したことはない。第二巻、第三巻のエンゲルスの注釈はいわゆる学術書のそれ。

マルクスの思想はひじょうに曖昧模糊なところが多くて、そこにさまざまな思想的発展性があるんだけれども、エンゲルスは日常生活でもビジネスマンで、実業家だったから明晰だ。

で、このマルクスを起点とする正統派のマルクス主義はエンゲルス、レーニン、スターリンという形で継承されていくわけです。エンゲルスの項を続けて読もう。

バルメン（現、ドイツ、ブッパータール）に実業家（主として繊維関係）の長男として生まれる。ギムナジウム中退。革命家および実業家として生き１８９５年喉頭癌で死亡。初期すなわち１８４８年革命までのエンゲルスについてとくに注目されるのは、唯物史観（史的唯物論）の確立に至るマルクス主義の骨格形成過程における彼の主導的役割である。思想的転回は１８３８年ブレーメンで貿易商の見習をはじめたころから顕著になる。はじめ自由主義的文芸運動で頭角をあらわし、やがて哲学・政治運動の青年ヘーゲル派に接近、さらに41年からのベルリン滞在（１年志願兵）の間に青年ヘーゲル派の潮流のなかで共産主義思想に傾く。この共産主義を具体的な構想として定着させたのが42年末からのイギリス体験である。父親の出資したマンチェスターの紡績工場に勤めつつ、先進国の資本主義的社会経済の様相、とりわけ労働者のありさまを観察し、またチャーチスト、オーエン派社会主義、さらには後に彼自身の手で共産主義者同盟へと改組される義人同盟とも接触する。こうして得た立脚点から古典派経済学の批判的総括を試みたのが《国民経済学批判大綱》（１８４４）であって、A・ルーゲとマルクスの編集する《独仏年誌》に発表され、マルクスに大きな衝撃と指針を与え、以後生涯におよぶ両人の協力関係の出発点となった。帰国後に執筆した《イギリ

スにおける労働者階級の状態》（１８４５）とともにイギリス滞在の貴重な成果である。（前掲書、同）

## ロンドンの貧困階級

『イギリスにおける労働者階級の状態』（岩波文庫、一條和生他訳）はひじょうに面白い本だ。当時のロンドンには貧乏人用のマーケットがあるんだが、そのようすをエンゲルスは活写している。だいたいこういう市場は土曜日の午後に開いているんだけど、ものすごく臭い。そこでは販売が禁止されている鳥肉のパイだとか、れんがの粉でかさ増ししているココアなんかが売られている。またきちんと食肉処理されたものではなくて、病死したような動物の肉まで売られている。こういう劣悪な食品しか手に入らない状況で、イギリスの労働者は働かされているんだという、告発の書だね。

そうそう、パンなんかでもこういうマーケットで売られているのに皮なめしやメッキになんか使う明礬（みょうばん）やおがくずが混ぜてあるという話もある。

こういう悲惨な状況をレポートしながら、エンゲルスは「これで同じ都市に暮らしている同国人と言えるだろうか」と説く。そこには限りなき同情と情熱が溢れている。

エンゲルスは生涯結婚しなかったんだが、メアリ・バーンズというアイルランド人のパートナーがずっといた。元々、労働運動を行なっていた女性なんだけれども、エンゲルスは終生、彼女を大切にしていたんだね。

ところがそのパートナーが死んで悲しんでいるときにマルクスは金策の手紙を出すんだ。「長年のパートナーが亡くなって、本当にお悔み申し上げるが、我が家の家計も大変なんで金を送ってくれないか」という無神経な内容だったから、エンゲルスは激昂して、一時は絶縁状態になるんだよ。でも、結局、これもマルクスのほうが詫びを入れるとエンゲルスは彼を許しちゃうんだよね。そしてマルクスの死後は彼の原稿をずっと整理して『資本論』の第二巻、第三巻を出版した。エンゲルスはそういう意味ではひじょうに偉い人というか、面白い人だよね。

## 共産主義思想のDNAとは

ちなみに私は、『キリスト教神学で読みとく共産主義』という本を光文社新書から出しているんだけども、これは初期エンゲルス論。関心があったら読んでみてほしい。

これは知られていないけれども、共産主義という考え方を作ったのはエンゲルスなんだ。マルクスじゃない。その意味においてはエンゲルスはひじょうに独創的な人間なんだけれども、そのエンゲルスは社会進化論に近い思想を持っていた。それがスターリンにつながっていくという点では、マルクス主義も実はエンゲルスのDNAがかなり入っていたと言えるわけなんだよね。

帰国後パリとブリュッセルを根拠地とし、草稿《ドイツ・イデオロギー》(1845〜46)の主要部分を書いて唯物史観の確立を主導した後、共産主義者同盟の創立に中心的な役割を果たし、１８４８年革命を迎える。主としてライン地方で活動した後、ドイツ憲法戦役に従軍、この間のドイツ革命の総括を《革命と反革命》（１８５１～52）等で与えた。亡命後、50年から70年までふたたびマンチェスターで紡績工場の経営に携わる。この20年間はマルクスの《資本論》執筆に対する物心両面の援助に力を注いだようで、文筆面では軍事問題の評論が目だつ程度であり、組織活動（たとえば第1インターナショナル）でも大きな働きはない。70年から工場経営をはなれてロンドンに住むようになり、組織活動でも理論活動でも積極的な晩年となった。（前掲書、同）

この「ドイツ・イデオロギー」というのは、マルクスとエンゲルスとモーゼス・ヘスの三人の共著のようなものだけれども、重要な文献だ。

この本を書いたあと、エンゲルスは「資本家の仕事と二足のわらじを履くのは嫌だ」と、自分の株を全部売っちゃって、一生悠々自適に暮らせるくらいの金を作って、それを共産主義革命運動に注ぎ込んだんだ。

ところでマルクスのお墓はロンドンのハイゲイト墓地にある。私も行ったことがあるんだけども、エンゲルスの墓ってどこにあると思う？

## エンゲルスには墓がない

エンゲルスには墓がない。彼は自分の墓に人が来るのを嫌った。共産主義者は墓のようなものを作るべきじゃないということで、散骨を指示した。ドーバー海峡に散骨をしたんだ。そういう意味においてエンゲルスの思想と生き方はやっぱり一貫していたね。

それに比べたらマルクスは（笑）。彼は結構な美人を奥さんにしたんだけども、その奥さんが天然痘になったら、奥さんが連れてきたメイドに手をつけて子どもを作った。しかも、その子どもを絶対に認知しない。それでエンゲルスに「お前、結婚していないんだから認知しろ」と無茶な要求をするんだよね。「俺は娘の手前、認知なんかできないんだ」と言われて、エンゲルスはしぶしぶ認知する。

マルクスというのは家庭人としてはめちゃくちゃで、彼には三人の娘がいるんだけれども、気の毒に一人は病死、残る二人も自殺をしてしまう。マルクスは一番下の娘のエリノアをかわいがっていたのだけれども、最晩年になると「エリノアは俺の子どもじゃない」と言い出して、会おうともしなかったらしい。マルクスにはそういう偏狭というか、思い込みが激しいところがある。

これに対してエンゲルスは頭は抜群にいいんだけど、お人好しなところが終生あった。生涯、貧しき人たちへの同情と共感を持ち続けただけでなく、あのマルクスのような付き合いづらい男に対して彼を恨むこともなく「彼こそが天才であって、それを支えるのが自分の歴史的な使命なんだ」と信じて疑わなかった。マルクスはそのエンゲルスの友情を当たり前のように受け取っているんだけど、エンゲルスがいなければマルクスは『資本論』を残せなかった。大恩人なんだ。

こうしたマルクスとエンゲルスの二人の関係の中から生まれたと言っていいマルクス主義が、ロシアに渡っていくとかなり異質になっていく。

## レーニンはモンゴル系だった

そこで現われてくるのがレーニンだ。

【レーニン　Vladimir Il'ich Lenin　1870〜1924】ロシア革命の指導者、ソ連社会主義の創設者。本姓ウリヤーノフ Ul'yanov。父イリヤはカルムイク人の血をひく底辺の出身ながら、カザン大学を卒業し、教育官僚として昇進、世襲貴族になった人であった。（平凡社『世界大百科事典』和田春樹）

レーニンというのはペンネームで、本名はウリヤノフ。レーニンというのは、レナ川という北極海へ流れる川がシベリアにあるので、そこから採っている。彼の出身であるカルムイク人というのはモンゴル人の系統なんだよ。チベット仏教を信仰している人たちなんだけれども、コーカサスの北隣になるカスピ海北西岸に暮らしていた。

なぜ、モンゴルの人たちがそんなに西のほうにいるのかというと、チンギスハンのときにモンゴル帝国はハンガリーあたりまで支配した。しかし、チンギスハンが死んだのちに領土を取り返されて、モンゴル人たちは中央アジアに向かって帰っていくんだけど、その時にカスピ海あたりに定住した人たちがいた。その民族の一つがカルムイク人なんだよ。

ちなみに僕は同じモンゴル系の人たちが暮らすブリヤートに行ったことがある。これはバイカル湖のほうだから昔からモンゴルの人たちが暮らしていたところなんだけれども、そこに日本からの医療援助ということで、ソ連崩壊後に行ったんだ。すると、思いがけない経験をした、参った記憶があるよ。

ウラジミール・イリィチ・レーニン

おんぼろの飛行機でようやくたどり着いたかと思ったら、土地の人たちが「今日は特別な日だから」というので羊の煮物とか。スープとかが出てくる。スープなんかはパクチーがたっぷり載っていて美味しいんだけれども、毛がついたままの肉が入っている。あとはいろんなソーセージが出てくるんだけれども、血のソーセージは口にネバネバくっつく。また、その中に何か変な臭いのする煮物が出てきた。そのときに一緒だった部下が

「佐藤さん、これって公衆便所の匂いがしますよね」というんだよね。たしかにそれから強烈に臭ってくる。

消化途中の食べ物、つまりウンコになる途中のものが入っているんだよね。きっとそういうものを食べることでビタミンなどの補給をするんだろうけれども、こちらとしては「勘弁してくれ」という感じだよね。このほかにも、寄生虫のような白い虫が入っているのもあったなあ(笑)。

すると後輩が泣きついてきて「先輩、これを食べなきゃならないんですか」。

**(学生一同)**(笑)

「俺たちは日本代表として来ているんだから食べなきゃだめだろ」。「いや、いくら先輩の命令であったとしても無理です」。「だったら俺が食べるからいいよ」。

しょうがないからウォトカと一緒に流し込んだけどね。案外、大丈夫なものだったよ。

で、翌日は砂漠を視察するんだけれども、騎馬民族の視力って平均五・〇くらいあるんだよ。だから、我々からしたらごま粒にしか見えないような遠くの人たちが、競馬をやっているのがはっきり見える。「あの馬が一等だった」とか言って拍手したり、がっかりしていたりするから、これはすごいもんだなと思った。

そう、そのときに仏教寺院を訪問した。僧侶が銅で出来たヤカンで水を汲んでくれたんだけれども、そのヤカンが緑青(ろくしょう)だらけ。「これは神秘の水だ。健康にいい」と言って注いでくれるんだけれども、その水がまたクリームソーダのような緑色をしている。それを見た後輩がまた

「死にますよ、こんなの飲んだら！」と叫ぶわけさ。

（学生一同）（笑）

でも、こっちは援助、友好で来ているから殺されるわけはないと思ってね、一息で飲んだ。別にお腹も壊さなかったけど、ひじょうに印象的な出張だった。

ブリヤート共和国の首都はウラン・ウデというんだけどね、覚えておくといいよ。

## 天才的なノート術

レーニンは中学校卒業の年の１８８７年に兄アレクサンドルが皇帝暗殺未遂事件の主犯として処刑されたことで強い衝撃を受け、その年秋カザン大学に入学したものの、学生運動に加わって退学になった。謹慎中、チェルヌイシェフスキーの小説《何をなすべきか》を読んで、自分も革命家の道を歩むことを決意し、マルクス主義の本を読み始めた。独学でペテルブルグ大学の卒業検定試験に合格し、92年サマーラで弁護士補として働くようになった。ここでもマルクス主義青年のサークルに入っており、翌年首都に出て、そこのマルクス主義者の仲間入りをした。ナロードニキ批判のパンフレット《人民の友とは何か》（１８９４）で頭角をあらわし、ペテルブルグ労働者階級解放闘争同盟の前身に属した。しかし、95年に逮捕され、97年東シベリアへ流刑された。この地で追ってきた同志のクループスカヤと結婚した。その流刑中の仕事が《ロシアにおける資本主義の発達》である。

刑期が終わると、国外へ出て、プレハーノフらと新聞《イスクラ》を創刊した。1902年に書いた《何をなすべきか》は革命論におけるレーニンの個性を示した作品となった。03年、ロシア社会民主労働党第2回大会で、レーニンは組織論をめぐって、マルトフと激突し、自派をボルシェヴィキとして糾合した。1905年の革命の中で、〈プロレタリアートと農民の革命独裁〉を目標としてかかげたが、自党が権力をとる考えはなかった。〈十月詔書〉公布後、ロシアへ帰国して、07年ふたたび亡命をよぎなくされた。反動期には支持者を失い苦境に立ったが、12年にいたってプラハ協議会を開き、社会民主労働党再建という形で、初めて自分の党を創出した。（前掲書、同）

ここではレーニンの学生時代のことが記されているけれども、彼から学ばないといけないのは、ノート術だ。レーニンは天才的にノートをとるのがうまい人だった。どうしてかというと、革命家だから官憲からつねに追われている。だから本を持って歩くことができない。そこでノートに要点を書いて、いつも持って歩いていた。レーニン全集には「哲学ノート」とか「帝国主義論ノート」が収められているんだけれども、そこでは彼の読んだ本の重要な部分の要約が書かれて、そこに自分の感想やヒントになることを書いている。これは思考を深めていく上においてすごく役に立つ。

レーニンは第一次大戦が始まったのちにチューリヒに転居するんだけど、そこではダダイスト、前衛芸術家のバーにしょっちゅう出入りしていた。また彼はクループスカヤという糟糠の妻がいるんだけれども、もう一人、女性の同志がいて、三人で生活をしていた。そういうスタイルの生活をしている人だった。こういうタイプの人間が同志社にも稀(まれ)にいるね。男性一人で女性二人、あるいは男性二人で女性一人……特殊な考えがないと、そういう生活はできないね。レーニンもそういう人だったようだ。

## 宣伝と扇動は違う

で、少し話を戻すと一九〇二年、スイスに亡命したときに自派をボルシェヴィキと命名した。これは「多数派」という意味なんだけれども、実際には彼らは革命勢力の中では少数派なんだ。ただ、ロシア社会民主労働党中央委員会の中では多数派を握っていたので「ボルシェヴィキ」と名乗った。こういうあたりの言葉の選択がレーニンはうまい。ボルシェヴィキの「ボリシェ」というのは、ロシアの日常語なんだ。ロシア語で「チュチィ・ボリシェ」というと「少し多く」ということ。つまり「ウオトカをちょっとオマケしてくれ」という意味になる。一方、対立派の「メンシェビキ」というのは「少数派」と訳されるわけだけれども、ロシア語の語感としては「ちょびっと」みたいなニュアンスが入ってくるんだね。

当時のロシア人の多くは識字能力がなかったから、言葉は文字でなくて、耳から、つまり音声で入る。だから音の印象がかなり左右する。それをレーニンはよく分かっていたんだ。

たとえば革命後の新政府の名称を「ソビエト」とした。ソビエトというのは「助言」という意味もあれば、「評議会」という意味もある。このソビエトに似た言葉に、「ソーベスチ」という単語がある。これは「良心」という意味。「スベート」というと「光り輝く」という意味。どちらも、ひじょうにいい響きの言葉だよね。

「ソビエト」というのはそれらに似た音の単語だから、「なんだかよく分からないけれども、明るい未来を約束してくれる、良心的な集団なんだ」と大衆は思ってくれる。政治において言葉は重要なファクターだけれども、レーニンは言葉を操作する天才だったね。今の時代に生まれたら、天才的なコピーライターと言われたかもしれない。

それとレーニンの優れた着眼は宣伝（プロパガンダ）と扇動（アジテーション）を区別したところ。宣伝はインテリに向けて「説得」をしていく行為。自分たちの主張をきちんと文字を通じて伝えていく。これに対して扇動は言葉を使って、大衆を感情的にあおり立てること。この二つはともに言葉を使うけれども、使い方が違う。

共産主義者はもちろん無神論ではあるのだけれども、宗教が持つ宣伝や扇動の力についてはプラグマティックに評価する。だから扇動においては「我々にとっての宗教は共産主義である」「イエス・キリストが説いた愛の理念を実現するのは社会民主労働党（共産党）の他において存在しない」などと大衆にアジテートをしたわけ。大事なのは労働者を自分たちの陣営に引き寄せることなんだから、どんなロジックを使ってもいいとした。でも、これは正直、大衆を愚民として扱うことだよね。レーニンは一般の市民、大衆にほとんど何の期待もしていなかったとも言えるよね。

## 革命的祖国敗北主義

第1次大戦の勃発に不意を打たれた彼は、直観的にロシアの敗戦は〈最小の悪〉という方針を出して対処したが、戦争の根源、各国社会民主党が祖国防衛主義をとった根源をつかむべく、帝国主義の研究に没頭した。この研究が《資本主義の最高の段階としての帝国主義》(帝国主義論)に結実した。(前掲書、同)

レーニンは第一次大戦の初期において「革命的祖国敗北主義」を採用した。要するに自国が戦争に負けたほうが、より革命に近づく。だからロシアが負けるのはいいことだと、ドイツに協力姿勢を見せたので、スイスに彼は追放されるわけなんだけれども、第一次大戦で彼の望んだ通り、ロシアが劣勢になるとドイツの助力を受けて、母国に戻ってくるわけだね。これが有名な「封印列車」というやつで、スイスからの帰還中にドイツの官憲などと接触しないように、外側から入り口を打ち付けた列車で戻ってきた。そこのところが次の引用箇所に書いてあります。

戦争を支持した社会主義者とはいっさい協力しないとして、来るべき革命では自覚が権力をめざすとの考えを抱くにいたった。また戦時体制経済の動きの中に社会主義に進む前提をみていた。1917年の二月革命がおこったときはスイスにいて、ドイツの〈封印列車〉で4月初め帰国した。ソビエトの多数派となり、権力をめざすという〈四月テーゼ〉を出し、全党をその方向に立たせることに成功した。ペトログラードの労働者・兵士の武装デモに対する政府の弾圧が行われた七月事件後、レーニンは地下にもぐり、潜伏中に《国家と革命》(1917)を書いている。(前掲書、同)

この『国家と革命』(岩波文庫、宇高基輔訳)は面白い本で、当初、レーニンは「われわれ老人は近いうちに革命が起こることは見ないだろう」と書いていた。いったんレーニンは封印列車で故国に戻るけれども、今度は臨時政府の弾圧を受けて、またフィンランドに亡命する。ところが事態の推移が予想を超えたものになって、もう一度、レーニンはロシアに帰還して「十月革命」に成功をしちゃうんだよね。なので、『国家と革命』のあとがきにレーニンは「理論的な著作を書くよりも、実践をやっているほうが面白い」といったことを書いて、未完のままでこの本を出版しているんだよ。

### エス・エルから狙撃されたレーニン

ロシア革命というのは、当時ボルシェヴィキといっていた共産党だけがやったわけじゃない。社会革命党——パルチヤ・ソツィアリストフ=レヴォリュツィオネーロフ——その頭文字でエス・エルというのだが、このエス・エル党の左派と一緒に革命を行なった。

この当時、エス・エル党が考えていた革命イメージというのは、ロシア型の共産主義社会を作ろうということだった。

ロシア語に「ミール」という言葉があるのは君たちも聞いたことがあるだろう。プーチンが秋田県の佐竹知事にプレゼントした猫も「ミール」という名前だったよね。

ロシア語でミールには三つの意味がある。まず宇宙ステーションのミールがあるでしょ。あれは「平和」という意味だよ。それからミールには「世界」という意味もある。三番目のミールは「農村共同体」のことだ。つまり自分たちの農村共同体は、平和であり、それが世界、宇宙につながっているんだという感覚が、ロシア人の多くにあった。

この感覚はずっと後まで残って、ロシア経済が揺らいで資本主義が導入されたときでも農村共同体は残った。他の国は資本主義にして、土地の私有化もやったんだけれども、ロシアだけは「助け合いの伝統を大事にする」ということで、土地の個人所有をやらなかった。

エス・エル党はこうしたロシア独自の農村共同体を残そうとしたし、また「革命で政権を獲るのは犠牲が多くなるから、テロで政権を獲得したほうが得策だ」という考え方をした。この点についてはレーニンも賛成なんだけれども、とにかくボルシェヴィキとエス・エル党との間には政策の乖離(かいり)があったんだ。

で、実際に十月革命が成功すると、レーニンはロシアの人民委員会議を牛耳って、第一次大戦の終結に向かって動き出すわけ。「今は革命の成功が大事だから、戦争なんてやっているゆとりはないんだ」というわけだけど、多くの党員はレーニンに反対する。このままだとロシアはドイツに負けたことになり、たくさんの領土を奪われるのは間違いないしね。しかも、エス・エル党はこのまま戦争を続けていたら、じきにドイツなどの先進国でも革命が起きるはずだと思っていた。だからレーニンは四面楚歌になるんだけれども、結局、レーニンの考え通り、新しいソ連は休戦を迎えるわけだね。

でも、それではエス・エル党は納得しない。「こんなことならばいっそのこと、レーニンを除去したほうがいい」ということになって、弾に毒をたっぷり塗った拳銃でレーニンを狙撃する。幸い、弾は外れてレーニンは一命を取り留めるんだけれども、半身不随になってしまった。

赤色テロ、つまり共産主義者、社会主義者によるテロというとスターリンが始めたと思われがちだけれども、その萌芽はすでにレーニンの時代にあったということだね。だが、そのレーニンは突然の病気で死んでしまう。

22年10月、ソ連邦の形成についての決定に自らの考えを盛り込んだが、この直後に第2の脳梗塞の発作をおこした。その病中で、民族問題における大ロシア排外主義の現れをきびしく戒め、スターリンを党書記長のポストから解任することを求める〈遺言〉を起草した。スターリンに謝罪か絶縁かの選択を迫る手紙を口授したあと、第3の発作をおこし、廃人としての生活を10ヵ月送ったのちに死んだ。遺骸は本人の夢想もしなかった永久保存措置をほどこされ、赤い広場の廟に

今なお安置・公開されている。（前掲書、同）

## 民族名が入っていない国家

ソ連の正式国名はソビエト社会主義共和国連邦だ。この中に民族を示唆する言葉は入っていないよね。

そもそも、ソビエト民族なんて存在しない。日本国だったら国号が「日本」という民族の存在を示唆しているでしょ。朝鮮民主主義人民共和国も民族名としての「朝鮮」は入っている。アメリカの場合は実際には複数の民族によって構成されているけれども、理念としての「アメリカ人」は存在する。

それだけ国家と民族は密着しているんだけれども、世界中に二つ、民族の名前を国名に入れていない国がある。何だと思う？

一つはバチカン市国。バチカンというのはローマ教会の総本山のことで、ここに属しているのはローマ教皇を長とするカトリック教徒であって、民族じゃない。

もう一つはどこだと思う？

正解はイギリス。みんなは「イギリスに暮らしているのがみんなイギリス人」と思っているかもしれないけれども、実は違う。

そのイギリスの正式名称は「グレートブリテン及び北アイルランド連合王国」（United Kingdom of Great Britain and Northern Ireland）。イギリスという文字はここにはない。だから外務省でもイギリスのことを正式には英国とは書かないで、「連合王国」と書く。ユナイテッド・キングダム、略してUKだ。

このイギリスの正式名称には民族名は入ってない。「北アイルランド」という言葉があるじゃないかという人がいるかもしれないが、アイルランド人、アイリッシュはいるけれども、北アイルランド人というのはいない。

またグレートブリテンという言葉があるけれども、これも民族名じゃない。島の名前だ。そのグレートブリテン島にいる、メジャーな民族というとイギリス人、ウェールズ人、スコットランド人、そしてアイルランド人。

つまりこれはどういうことかというと、イギリスはソ連と同じ「帝国」なんだよ。多民族国家であって、ネーション・ステート、国民国家の原理でできていない。

ソビエトの場合は、あくまでも暫定的な国家名。民族を超越した国家、国民国家を超越した国家だから「連邦」であるという呼び方を選んだ。でも、実際にはそうならずに民族単位の共和国の集合体として成立していた。イギリスは国家の成り立ちとして、イングランド、スコットランド、ウェールズ、北アイルランドとそれぞれの議会があって、それらが連合して一つの国家になっている。そういう意味では近代国家というよりも、近代以前の国家という色合いが強い。だから今度のEU離脱にしても、イングランド、スコットランド、ウェールズなどの議会はまちまちの判断をしているよね。そういう意味ではイギリスというのはひじょうに例外的な国家だと言えるんだ。

ちなみに、今からまっさらな状態で英語を勉強したいという人がいたら、イギリス英語を薦めるね。イギリス英語は教科書が少なくてまとまっているんだ。日本で出ている本はだいたい二巻本で完結している。イギリス英語は「これが正式」というのが決まっているから、「何でもあり」のアメリカ英語よりもずっと楽だよ。英語の全体像を知るためにイギリス英語を勉強するというのも、ひじょうにいいことだ。

アメリカ英語は発音一つをとっても、あまりにもバリエーションが多いから大変だよね。私だってアメリカ英語はほとんど聞き取れない。アメリカに長期滞在したこともないしね。うちの家内はカリフォルニア州のモンタレーに留学した経験があるんで、CNNなどのアメリカのメディアも平気みたいだけれど、私は今でもCNNは聞き取りにくい。BBCのほうがその点、日本人の耳にも聞き取りやすい気がするね。

さて、話を元に戻すとしようか。

先ほどのテキストに「遺骸は本人の夢想もしなかった永久保存措置をほどこされ、赤い広場の廟(びょう)に今なお安置・公開されている」と書かれていた。廟というのはお墓のことだけど、今もレーニン廟にはレーニンの遺体がミイラとして安置されている。

でも、いったいなぜレーニンの遺体は普通の人のように埋葬されないで、ミイラとして展示されているんだろう?

## なぜレーニンはミイラにされたのか

この中で、ドストエフスキーの『カラマーゾフの兄弟』を読んだことある人はいる？　あの中で、みんなから尊敬されて聖人だと言われているゾシマ長老が死ぬエピソードがあった。その時に何が起きた？

(S) 聖人だから遺体が腐敗しなかった。

ロシア正教では「聖人は腐らない」と信じられている。腐敗しないで、ミイラになる人が聖人で、普通の人のように腐ったら「あの人は聖人でなかった」と言われる。

つまり、レーニンは聖なる人だったから腐るはずがない。そこで腐らないように防腐処置が施されて、ミイラ化された。そして、しかもそれを国民に見せるわけだね。「やはりレーニンは偉大な人、聖なる人だ」と納得させる。

ソ連崩壊後、レーニンを火葬して埋葬しようという話が何度も起きたんだけれども、結局、現在も昔のままで安置されている。一つには一九二四年の死体をこれだけいい状態で保存している例はないので、医学標本としても重要だという理屈づけもあるようだね。

ちなみに、ロシアには長寿学研究所がある。これは本部がサンクトペテルブルクにあるんだけども、アンチエイジングの研究を始めたのがすごく早いわけ。

というのも、一九七〇年代になるとソ連の指導者が軒並み高齢化した。そこで少しでも長生きさせるということで、長寿学を特別に研究することになった。

私もそこのモスクワ支部とちょっと縁があったんだけれども、私の知っている範囲では気功とか、鍼灸（しんきゅう）の研究なんかもしていた。世界中のありとあらゆる健康法を集めて研究する。また、もう一つ、ロシアの医学界のユニークなところは、他の学部、たとえば物理学部と化学学部との交流がほとんどない。なぜかというと、ロシアにおいては最先端研究に従事する医師にかなり多くの軍医が含まれているから、民間との交流に熱心ではない。また、生物科学系の研究者たちのうち、生物兵器の研究に携わっている研究者は他の学問領域の人とはなるべく接しないようになっている。国家機密に当たるからね。こういう分野を含めロシアの生命医学研究はひじょうに独特の発達をしているわけだね。

## スターリンの基礎は神学にある

では、話をレーニンからスターリンに移していこう。レーニンの死後はスターリンが権力を掌握するんだけど、まずはスターリンの生い立ちから。

【スターリン　Iosif Vissarionovich Stalin　1879〜1953】ソ連邦共産党の指導者・政治家。本名ジュガシビリ Dzhugashvili。ソビエト社会主義体制の基礎を創出し、またスターリン主義を文字どおり体現した人物として、その評価は現代社会主義の最大の問題の一つとなっている。グルジアの靴屋の子として生まれ、ティフリス（現、トビリシ）の神学校に入った。在学中マルクス主義のグループに加わり、1901年に社会民主労働党ティフリス委員会の一員となる。1905年の革命はザカフカスでむかえる。その後も一貫してロシア国内で地下活動を行い、逮捕、流刑、脱走を繰り返し、革命家としての自己形成をはかる。12年に中央委員に任命され、レーニンのすすめで論文《マルクス主義と民族問題》(1913)を書いた。(平凡社『世界大百科事典』下斗米伸夫)

スターリンはグルジアの神学校に入った人だった。なぜ神学校に入ったかというと、若い頃、スターリンは天然痘にかかった。そのときに、お母さんが「この子がもし生き返ったら、神様のために一生仕えさせます」と誓ったものだから、神学校に入れた。

でも、その神学校にいる間に、マルクス主義のグループに入ったものだから結局、中退になった。そして、一九〇五年の革命のときにはザカフカスにいた。

ザカフカスってどこだか分かるかな? ロシアの「ザ」という接頭辞は「~の向こう」という意味なんだ。だからザカフカスというのはカフカスの向こう側、英語で言うとトランス・コーカサス、コーカサス山脈の向こうということ。どこになるかな?

(K) インドですか?

インドはロシアから見れば、カラコルム山脈の向こうだよ。コーカサス山脈の向こうというと、イランとトルコという大国に挟まれた地域を指す。ここには三つの国がある。グルジアとアルメニアとアゼルバイジャン。これらがザカフカスだ。

アルメニアは今は小さな共和国だけれども、昔はもっと広大な国だった。そこにはアララト山という山（現トルコ領）がある。ノアの箱舟が大洪水のあとに流れ着いたのがこの山だった。

スターリンの生まれたのはザカフカスの中のグルジア、今の言い方だとジョージアだけれども、彼のロシア語はすごい訛りがあって聞きづらかったそうだ。つまり、彼にとっての母国語はロシア語ではなくて、グルジア語だった。グルジア語で考えていた。

このグルジア語は前にも述べたように、ひじょうに複雑な変化をする、特殊な言語だ。スターリンはそういう言語で考えて、それを一つに伝えるときにロシア語に翻訳して話していた。だからスターリンのロシア語はなまっているけど、ひじょうに分かりやすかった。これは分かるよね。母国語じゃないから、細かなニュアンスが全部落ちちゃうわけだ。

ヨシフ・スターリン

ただ、スターリンは本当のところ、グルジア人ではなかったらしい。彼の本名はジュガシビリというんだけれども、これは生粋のグルジア人の名前ではない。今の研究では、スターリンはオセチア人だとみられている。

## 元々はイスラム教徒だったオセチア人

オセチア人というのはオセット人ともいう

んだけども、グルジアとロシアの南にまたがって住んでいて、スキタイ人——古代の騎馬民族だね——の子孫だと言われている。オセット人というのは他称で、彼ら自身はアラン人、あるいはイラン人というのね。つまり、イラン系なんだ。

そのオセチア人がグルジアに同化して、グルジア人になった。それでジュガーヨフという名前を、グルジア風にしてジュガシビリと名乗ったと見られている。生粋のグルジア人で靴屋さんに就く人は少なくて、グルジアでは靴屋さんのほとんどはオセチア系の人だから、その点から見てもスターリンはたぶんオセチア人なんだ。少なくとも血の半分はね。

オセチア人というのは、もともとイスラム教徒だったんだけれども、ロシアが入ってきたものだからキリスト教徒に多くは改宗した。イスラム教徒はめったに改宗しないものだから珍しい。で、オセチア人の九割は正教徒になった。

そこでロシア帝国はこの地域の統治をオセチア人に任せることにした。そうなると当然、他の民族からはオセチア人は嫌われるよね。ことに周辺のイスラム教徒からは嫌われるんだけれども、オセチア人はひじょうに親ロシア的だった。スターリンの家系はそうしたオセチア人がグルジア人に同化したものだったわけだね。

1917年の二月革命後は一時臨時政府を条件つきで支持したが、その立場を捨て、レーニンの〈四月テーゼ〉を支持し、忠実なレーニンの信奉者となる。十月革命後は民族人民委員となるだけでなく、党・政府・軍隊での組織的任務にあたった。19年党中央委員会政治局員、組織局員に選出された。また同世代で、赤軍の創始者であるトロツキーと軍事面の指導をめぐり対立した。内戦期からネップ初期の党内論争ではレーニンの支持者として、ブハーリン、トロツキー、シリャプニコフA. G. Shlyapnikovら反対派と対立した。しかし、その役割は多く副次的なもので、彼の本領である地味な組織者としての特徴が評価され、22年に書記長に選ばれた。スターリンは書記局にモロトフ、カガノビチらを重用・抜擢(ばってき)し、人事や配員を通じて急速に権力基盤を強めた。晩年レーニンはグルジア問題でのスターリンの指導に疑問を感じ、彼を書記長から解任することを決意し、トロツキーの支持を得ようとする。しかしスターリンはジノビエフ、カーメネフらと組んで、逆にトロツキーとその支持者を〈新航路論争〉で失脚させた。

レーニンの死後、スターリンはレーニン崇拝を促進し、その思想を〈レーニン主義〉として教義化する。(前掲書、同)

## レーニン主義とはスターリン主義のことである

レーニンは自分ではレーニン主義と言っていない。彼は自分はあくまでもマルクス主義者だと自称していた。レーニン主義というのはレーニンの死後、スターリンが作った言葉。つまり、レーニン主義ということはイコール、スターリン主義なんだよ。

24年以後は一国社会主義論を唱え、さらに25年末にはかつてトロツキー追放で一致したジノビエフらを指導部から追放し、工業化よりも農民との和解を重視したネップをブハーリンらとともに推進する。26〜27年にはトロツキー、ジノビエフらが結成した〈合同反対派〉を党から追放し、多くの指導者を除名した。28年初めの穀物調達危機にさいし、スターリンはシベリア旅行後非常措置を強化し、これは、29年末にはクラーク絶滅政策と全面的集団化へと発展することとなる。1928年10月から開始された第1次五ヵ年計画では、重工業に重点をおき、それまでのネップの枠組みからの離脱をはかった。（前掲書、同）

クラークというのは「富農」と訳されるんだけれども、土地を持っている豊かな農民のこと。この人たちはロシア農業の中心だったけれど、スターリンが農業を集団化しようとする際に「絶滅」の対象にされた。つまり収容所に入れられたり、シベリアなどに送られたりした。その数は数百万戸、一〇〇〇万人以上とも言われる。

29年にはトロツキーを国外追放にすると同時にブハーリン、ルイコフ、トムスキーM. P. Tomskiiらを党内右派として指導部から追放した。反対派追放は29年末のスターリン生誕50周年で頂点に達し、カガノビチ、モロトフらを中心とする党官僚層が政治的比重を高め、党内の自由な雰囲気も消えた。また文化革命の名

のもと、スターリンは農学・歴史学の分野にも介入した。（前掲書、同）

スターリンは最初は農学、のちに生物学においてルイセンコ学説を採用する。これは簡単に言ってしまえば、遺伝子なんて存在しない。植物の生育はすべては環境によって左右されるんだという説で、日本でもこれを信奉する人たちがたくさん現われた。

なぜ、スターリンがこのルイセンコ学説を気にいったかというと、要するに人間も環境によって——つまり、教育によって——いくらでも変化するんだという話につなげられるからだよ。共産主義的人間は共産主義教育で作ることができる。それがルイセンコ学説から導き出されるというわけだね。

しかし農業集団化の極度の難航や強引な穀物調達は党内外に不満を生み、旧反対派だけでなく、忠実なスターリン派の党員や指導者のなかからも書記長の更迭を求める動きが生まれたといわれ、事実34年の第17回党大会ではキーロフと同格の書記の一人に選ばれたにすぎなかった。しかしキーロフが暗殺されて以後、スターリンはただちに内務人民委員のエジョフやベリヤを使嗾（しそう）して党員の粛清を開始した。3次のモスクワ裁判などを通じ、ジノビエフら反対派だけでなく、忠実な党員・軍人・官僚と、多くの無辜（むこ）の民衆を追放、抹殺した（大粛清）。36年には〈スターリン憲法〉を制定する。この憲法はブハーリンやラデックらを加えて

起草されたもので、最も民主的な内容をもつといわれたが、適用の面では空文化していることが多かった。（前掲書、同）

スターリンはグルジア出身だったわけだけど、彼の時代、モスクワにはおいしいグルジアレストランはなかった。そこでモスクワ市役所の真ん前にアラグヴィという、おいしいグルジアレストランを作った。私もしょっちゅう行ったよ。クレムリンからゴーリキー通りという、東京だと銀座通り、京都だと河原町通りみたいな感じの通りだ。

距離にしてどれくらいか。四条河原町から丸太町くらいか。それくらいのところにある。店の横にはドルゴルーキーという「腕が長い」という意味だけども、モスクワを拓いたと言われる貴族の銅像が立っている。その横にアラグビィというレストランがある。

スターリンは夜型だった。だから深夜とかにお店を開けさせてみんなで入って、食べたりダンスをしたりする。彼の部屋は決まっていて、二階のバルコニーのある個室なんだ。

グルジア料理というのは結構おいしいんだよ。ニンニクの酢漬けが名物で、蒸し鶏にクルミのソースをかけて食べるのも結構おいしい。あるいは焼きチーズだね。言うなればピザのチーズだけ、みたいな感じ。

そのあと、パンが出てくる。これはナンみたいなんだけれども、中にチーズが入っている。これをハチャプリと言う。それからグルジア風の焼き鳥がある。これはタバカといって、フライパンの上に鶏を伸ばして広げて、その上に重しを載せる。それでペターっとなったところにニンニクと酢の入ったソースをかけて食べる。

グルジアのワインは思い切り甘い。完熟ワインなんだよ。ウェルチの葡萄ジュースよりももう少し濃くて、ちょっと濁った感じがする。静脈から採った血にちょっと似ている感じがするんだよね。

## スターリンの「粛清」

僕はモスクワ勤務になったときにどうしてもこの店に行きたくて、サーシャという友人――彼の話は『自壊する帝国』（新潮文庫）の中に書いたけれども――に頼んで連れて行ってもらった。もちろん、スターリン愛用の部屋を予約してね。

このサーシャという男はすごく面白い奴でね。すごくハンサムで頭もいい男なんだけれども、そこらへんの気楽な学食みたいなレストランに連れて行くと怒るんだ。「お前は日本の外交官だろう。もうちょっとマシなところに連れて行け」と言われる。彼のほうがそういうレストランをよく知っているから、いろんな店に行った。

で、このスターリン御用達のレストランに行ったときに「いい話を教えてやるよ」と言うんだね。

それはスターリンがこの店を使っていた時代のころで、彼は夜な夜な、この部屋で宴会をやる。スターリンは徹底的な粛清をやった男だから、自分のかつての仲間を銃殺にしたあと、「あいつの追悼会をやろうじゃないか」と入って側近たちを連れてくるんだ。それが深夜の二時くらいでね。みんな車で店に集まる。するとまだ一階では他のお客たちが賑やかに宴会をやっている。スターリンは上機嫌で「みんな楽しそうだな」と言って、殺された奴のために献杯をするわけだ。

でも、こんな宴会は呼ばれたほうは少しも楽しくないよ。だって、次に献杯されるのは自分かもしれないからね。スターリンは猜疑心(さいぎしん)が強い男だったから、ごますり野郎は真っ先に首を切る。それよりは自分の意見をきちんと言えるやつのほうがいい。でも、それもスターリンの気分次第だからね。どうやればかならず生き延びられるかは分からない。何せ、当時の中央委員会の八割は銃殺されているからね。当時のソ連においては出世をするということは、それだけ銃殺に近づくということでもあったわけだ。

だから、スターリンの後のブレジネフの時代はずいぶんまろやかになった。彼は銃殺刑にはしないで、政敵たちを精神病だと診断して、どんどん病院に送って薬漬けにする。診断名は「潜在的分裂症」。殺さないんだからずいぶん人道的になったよね。

## ロシアにも「言論の自由」はある

ところで、ロシアにおける自由とか人権は西側と基準が違う。今のロシアには言論の自由があるよ。でも、その自由を行使するにあたっては責任が伴う、というわけで、そこが西側と違うところだ。

二〇一三年のモスクワ市長選挙で、ナバリヌイという人が立候補しようとしたんだけど、当局からデモを禁止された。そこで彼は「デモじゃない。散歩だ」「みんな散歩に行こう」と呼びかけたら、三万人とか五万人とか集まった。するとナバリヌイが突然倒れて「かゆい、かゆい、かゆい」と言い出して、全身にものすごい吹き出物が出た。原因不明なんだけど、きっと何かの薬物を打たれたんだろうね。

そういうふうにして、言論の自由はあるんだけども、言論の自由を行使すると、それ相応の責任が伴うという。これがロシア型の自由の感覚だよね。日本とはちょっと雰囲気が違うかもしれない。

じゃあもう少し先を読みましょう。

ナチス・ドイツの台頭と国際関係の緊張が高まるにつれ、スターリンは39年8月ドイツとの不可侵条約を結ぶ。41年には人民委員会議長（首相）となるが、ドイツ軍の侵入の可能性を信じず、これが6月22日以降の緒戦での敗北の大きな原因となった。ナチスに対する国民的な抵抗で第2次世界大戦が終結に向かうと、スターリンはヤルタ会談などにおいて、F・D・ローズベルト、チャーチルとならんで戦後の国際秩序の形成に一役を演じた。また戦後の冷戦が激しくなるなかで、ソ連・東ヨーロッパでのスターリン主義的支配を強化する。しかし49年のレニングラード事件、53年の医師陰謀事件などで粛清が再開されたやさきの1953年3月、スターリンは死去し、ソビエト史は〈雪どけ〉とスターリン批判の時代に向かう。

著書も多く、前記のほか《レーニン主義の基礎》（1924）、《弁証法的唯物論と史的唯物論》（1938）、《マルクス主義と言語学の諸問題》（1950）、《ソ連邦における社会主義の経済的諸問題》（1952）が著名である。（前掲書、同）

スターリンというのは政治家であるだけでなく、哲学者であり、経済学者であり、言語学者でもあったから、いろいろな問題に介入した。ところが、スターリン批判というのは政治的な分野だけでなされたから、スターリンによって解釈されたマルクス主義の哲学とか経済学の批判というのはほとんどなされていないわけね。そのせいでマルクス主義の知的な力が弱くなってしまったという事実はある。スターリンの「遺産」は依然として残っていると言えるね。

# 第5講

# スターリンに影響を与えたダーウィニズム

## 生産力で世界史を読み解く唯物史観

さて、ここではまず歴史の発展段階ということについて考えてみよう。M君、人類の歴史の最初はどんな時代だった？

（M）村落共同体とかですか。

いや、それはかなり後だ。定住生活を送っているわけだから。それ以前の人類はどういう生活をしていた？

（M）狩猟採集生活です。

では、その狩猟採集生活から始まって、人類は定住をして、文明を構築していくわけだ。古代社会のあり方について、ここでは深く突っ込むのは止めにしておいて、その次の段階には何が来るかな？

（M）王様が現われる。

そう、王が現われて、その王を束ねる皇帝というのが誕生するよね。一方でその王権や帝国を支えるために奴隷の存在が必須になってくる。ヨーロッパの場合、その帝国が崩壊して、封建時代に入る。その封建時代から絶対王権とかが生まれてきて、近代社会、言い換えるならば資本主義社会が誕生する――これが教科書で習っている歴史の流れだろうけれども、唯物史観では「生産力」をキーワードにして歴史の発展を叙述していく。

つまり、原初において人類は原始共産制だった。そこでは土地や生産手段、食糧が共有されていて、みんなが平等であった。ところが、そうした土地や生産物が個別の所有物になっていくと奴隷制社会が生まれてくる。それがさらに発展していくと封建制社会になり、資本主義社会になっていったというのが唯物史観。さらにこの唯物史観においては未来をも予言していて、資本主義社会のあとには社会主義が生まれ、そこからさらに共産主義になっていくとされていたわけ。

ここで重要になってくるのは「下部構造」と「上部構造」という考え方だ。

社会の変遷を考える場合には、下部構造に注目する。下部構造というのは要するに経済で、上部構造には文化や政治や宗教が含まれる。唯物史観においては、下部構造の変化が歴史を変えていくのであって、それにつれて上部構造が変化していくという見立てをする。だから、政治や文化とかを見ていても歴史の実態は分からないというわけだね。

この考え方は赤ちゃんの発達と似たような話なんだ。

赤ん坊が成長していくっていうのは、端的に言うとどういうことだろう?

それは要するに体が大きくなって、服が着られなくなること。着られなくなった服は捨てるか誰かに譲るしかないから、新しい服を買う。あるいは年上の子のお下がりを着る。もちろん、大きくなるにつれて、はいはいができるようになったり、立っちができるようになったり、しゃべるようになったりする。でも、その基盤にあるのは体が成長していく、ということじゃないか。経済力の発達があって、はじめて政治や文化も発達していく。経済力の発展が否応なしに文化や政治を変えていくということでもある。

つまり唯物史観においては生産力の向上の前には、社会の停滞はありえない。生産力が向上すれば、原始共産制社会は無理になって、奴隷制社会が生まれてくる。さらに生産力が上がっていけば、奴隷制度の維持は無理になって、封建制社会が現われる。さらにそれが進むと資本主義が出現するということなんだ。

でも、そうやって下部構造、すなわち経済が発展していけば貧しい人も豊かになるのかと言えばそうではない。ことに資本主義制度においては、貧富の差がさらに拡大して、少数の資本家が富を独占して、大多数の人々が貧しくなる。このゆがみを修正するという形で、社会主義が現われてくる――これを生産力と生産関係の矛盾と言ったりもするんだけれども、これこそが歴史の原動力だというのが唯物史観なんだ。

共産主義を信じていない人でも、唯物史観的な見方で世の中を観察している人は意外と多いよ。文化や政治といった上部構造がいくら変化しても、それでは世界は変わらないという見方は根強い。そういう点では共産主義はなくなっても、唯物史観は生き延びているとも言える。

でも、実証史学の分野では、唯物史観は否定されている。歴史的事実と大幅に異なる部分が多いからね。たとえば原始共産制段階の社会であっても、そこにはやはり「私有」の概念があっただろうと今は考えられている。

### 日本人の「思考の鋳型」

でも、この唯物史観、生産力史観はさっきも言ったように、日本人の頭の中に結構深く根ざしている。政界や財界ではいまだに「成長していかないと日本の国は滅びてしまう」と信じている人は多いよね。だから無理にでも日経平均は上がってもらわないと困るし、GDPも成長していかないと大変なことになると信じている。そういう意味で、日本は社会主義国家ではないけれども、多くの人の頭には唯物史観が思考の鋳型(いがた)として組み込まれている。

でも、もう現実を見ると、そうした成長余力が日本にあるのかという大問題があるよね。たとえば日本型の雇用システム。いわゆる終身雇用制というのは「生産力の向上」が大前提になっていた。

日本では少し前までは終身雇用制で、よほどのことがないかぎり六十歳の定年まで働き続けることができて、しかも退職金が出た。でも、考えたら五十歳くらいになったら体力も落ちてきて、以前に比べたら稼ぐ力も落ちてくる。でも、年功序列だから給料は若い人よりは高いわけだよね。

これって一見するとおかしな制度のように見えるけれども、サラリーマンのライフサイクルを考えたときにはひじょうに現実的なものだった。

というのも、五十歳くらいになると子どもは大学に進学するようになるし、卒業したら数年で結婚をする。そういうときに親が援助をしないと、日本では若年労働者の賃金は低いから家庭も持てない。だから、こういうふうな賃金設計にした。言うなれば、国家の代わりに企業が福祉を行なっていたということになるよね。

でも、グローバリゼーションで経済の下部構造が大きく変わったときには、もうその仕組みでは機能しなくなった。大学を出たとしても、終身雇用制の企業はほとんどなくなったし、そもそも企業は正社員を採用しなくなって、派遣労働者で十分だということになった。

そういうふうに下部構造が変わってしまうと、これは単純に福祉改革とかでは追いつかないわけだね。ちゃんとした四年制大学を出ても派遣で働いていたら、歳を取っても給料は上がらない。派遣社員でいくら有能でも、四十歳で二〇〇万未満の年収しかない。これでは結婚もできないよね。

しかも途中で「派遣社員のほうが気楽だと思っていたけれども、これではダメだから、やはり正社員になろう」と思っても、そういうキャリアアップの道は日本ではほとんどないよね。新卒の段階で派遣を選んだら、一生、派遣社員になってしまって、その先には希望がない。

唯物史観で考えると、こういったことが今後ますます拡大していくに違いないという予測がつく。日本政府はさまざまな政策を打ち出してはいるけれども、実効性のある政策はほとんどないから、一度、非正規という「蟻地獄」に入ったら抜け出せない。よく「新卒採用がダメでも、第二新卒があるから」とか「就活なんて過去の遺物だよ」と言う人がいるけれども、それはまったく正しくない。特に企業において、ことにトップクラスの企業においては終身雇用制は維持される。これはアメリカでも実は同じで、よい企業のほうが長く勤めるものだし、企業もそうした社員を厚遇する。だから、就活界隈で言われていることを鵜呑(うの)みにしたらダメなんだ。

さあ、話を元に戻すね。

## 日本資本主義論争とは

この唯物史観的な歴史の見方は、さっきから言っているように日本人の心の中に、一種の鋳型として組み込まれているんだけれども、そうなったのは一九二七年ごろから三七年ごろに行なわれた「日本資本主義論争」からなんだ。

この日本資本主義論争というのは、唯物史観的に見たときに明治維新をどのように位置づけるかという論争なんだ。つまり、明治維新とはフランス革命と同種のブルジョア革命、市民革命で、それ以後の日本社会は近代資本主義社会に踏み出したと見るべきなのか、それとも天皇を頂点とする中央集権的国家が出来ただけで、明治維新はブルジョア革命などではなく、絶対主義の成立に他ならないと見るべきなのか、そこで大論争が行なわれたわけ。

Tさん、あなたは明治維新はどっちだと思う。ブルジョア革命で市民社会が生まれたと思う？　それとも日本の封建制度がさらに強化されたと思う？　これは言い換えるならば、日本の近代資本主義はいつ生まれたかという問題でもある。前者だと明治維新以後に近代資本主義は生まれたと考えるし。後者だと明治維新ではなくて、一九四五年の日本の敗戦がその境目だという話になる。どっちだろう？

（T）戦後だと思います。

あなたと同じ考え方をするのが講座派の人たちだ。講座派という変な名前だけども、一九三二年から三三年にかけて岩波書店から『日本資本主義発達史講座』というシリーズの本が出た。戦後に復刻されているから容易に入手できる。

そこに書いた人たちが講座派で、当時の地下共産党、非合法共産党のシンパの人たちだった。山田盛太郎とか服部之総とかがその代表格。彼らの考え方は「明治維新は絶対主義の強化で、明治政府は本質において江戸幕府と変わらない」ということで、単に看板を将軍から天皇に付け替えただけという見方なんだ。権力の実態は、官僚と軍と地主による専制政治で、民主主義革命なんか起きていないと考えた。

だから、講座派にとっては。一刻も早く天皇制を打倒して、民主主義国家を作ることが大事であり、資本主義社会にすることが大事だと考えた。なぜかというと、日本を社会主義国家にするためには、その前段階として資本主義社会が成立していないと困るから。

こういう考え方を「二段階革命論」というわけだ。

### 明治維新は市民革命だったと捉える「労農派」

それに対するのが労農派と呼ばれるグループ。彼らは『労農』という雑誌を旗印に集まった人たちなんだけれども、そこには日本で最初に共産党を作った堺利彦とか、山川均などがいた。

この彼らの考えというのは、自分たちは最初に日本共産党を作ったけれども、それは時期尚早だったという判断なんだ。つまり広範な大衆に影響を与えて、この資本主義社会のゆがみを変えていこうという考え方なんだね。というのも、すでに述べたように彼らは、明治維新によって日本は不完全ではあるけれど近代資本主義国家になったんだから、社会主義革命はもう目の前なんだというわけ。だから大衆の教化が必要で、天皇制の打倒なんて意味がない。社会主義革命が起きれば自動的に天皇制もなくなると考えた。

で、この労農派の見方からすると。今、世界は危機的な状況にある。というのも、世界中の強国が帝国主義化して、日本も満洲なんかに食指を動かしている。しかも、イタリアではファシズム、ドイツではナチズムといった具合に全体主義が拡大しつつある。

だから運動の当面の目標としては、この日本のファシズム化を食い止めることが先決で、そのためには共同戦線を張らないといけないと考えた。

さて、そこで質問だけれども、講座派と労農派はどちらのほうが権力から弾圧されたと思う?

革命という点については、労農派のほうが「次に起きるのは社会主義革命だ」と思っているのに対して、講座派は「まずブルジョア革命で、その後に社会主義革命が起きる」と考えている。どっちが過激かというと、労農派のほうだよね。明日にも社会主義革命を始めようというわけだから。

ところが当初は講座派が弾圧されて、労農派は弾圧されなかったんだ。なぜだと思う?

実は戦前においては「革命」というのはけっして禁句ではなかった。何せ、明治維新が革命なんだから、否定できない。右翼の中にも「錦旗革命(きんきかくめい)」とかいう言葉を使って、天皇の名の下に政治刷新を行なうべきだと主張する政治団体がたくさんあった。だから「革命」という言葉そのものでは弾圧の対象にならない。

むしろ問題は「天皇制打倒」なんだ。

この点において、講座派ははっきりと天皇制打倒を打ち出している。これは治安維持法で禁止された「国体変更」に相当する。労農派は「そんなのは副次的な問題だ」というから官憲からは、一定の言論の自由を与えられていた。

そういうふうになると、今度は講座派と労農派の間で抗争が起きるわけだね。講座派は「労農派がインチキのマルクス主義を掲げているから、革命の機運が盛り上がらない。労働者が共産党を支持しないのはあいつらのせいだ」という話になるわけだよね。

## 今も繰り返される社会民主主義打撃論

そこで講座派は「社会民主主義主要打撃論」という考え方に立つ。まずやるべきはインチキのマルクス主義を唱えている労農派を打倒し、共産党のみがマルクス主義を正しく代表するという流れを作ったのちに国家と対峙するというシナリオを考える。

こういう考え方は日本だけでなくて、ドイツにもあった。第一次大戦のあとにドイツではドイツ共産党と並んで、ドイツ社会民主党が存在して対立していた。で、スターリンが「社会民主主義などというものはファシズムの兄弟のようなものだから打倒しないといけない」という流れを作った。これに対して、当時の社民党政権は共産党の非合法デモを取り締まるという形で対立が激化して、結局、漁夫の利でナチスが政権を獲っちゃうわけだよ。

この前の参議院選挙（二〇一九年）で自民党と公明党が大勝ちしたでしょ。野党はほとんど振るわなかった。三二の小選挙区で協力したけれども、野党共闘は一〇しか取れなかった。理由は簡単だよね。立憲民主が「国民民主主要打撃論」に立ったからだよね。

似たような野党があると力が分散しちゃうから、この選挙で国民民主党を徹底的にやっつける。そうやって立憲民主党が圧倒的に強くなれば、それによって安倍政権と対峙していけると考えたわけだよね。

でもそれはうまく行かなかった。そこで、今度はまた一緒にやっていこうという方向になっているけど、それは戦前の繰り返しなんだよね。

戦前はそういう形でまず講座派がやられて、そのあとは今度は労農派がやられて、その次は宗教団体がやられる。

## 宗教団体への弾圧

M君、戦時中に宗教団体の大弾圧があったんだけれども、聞いたことはある？　この宗教団体は共産党よりも厳しく弾圧された。京都に本部がある。

(M)　分かりません。

正解は大本(おおもと)。いわゆる大本教だ。大本は京都府の綾部に本部があって、教祖は出口なおという女性。一種のシャーマンだね。この大本は戦前にはものすごい信者を集めた。そのせいで当局に目を付けられて、治安維持法で二回も大弾圧をやられた。二度目のときなんかは大本の本部施設がダイナマイトで爆破されたくらい。信者も拷問にあって、死んだ人もいるし、精神に変調を来たす人が何人もいた。

また、天理教から分裂した「天理本道」（のちに「ほんみち」と改称）も治安維持法や不敬罪で何度も弾圧を受けているね。あるいはひとのみち教団もそうだ。戦後は名前を変えてパーフェクト・リバティー教団、略してPL教団と言うけれども。ここも弾圧を喰らった。

PL教団がなぜ弾圧されたと思う？　PL教団には朝の勉強会というのがあって、早朝に太陽を拝むんだよ。つまり太陽信仰なんだけれども、ひとのみち教団では、太陽をアマテラスオオミカミだと信じていた。これが問題にされた。太陽がどうしてアマテラスオオミカミなんだとか、太陽がアマテラスオオミカミだというならば、どこが手でどこが足なんだ、なんて追及されるわけ。

これらの教団幹部は治安維持法違反で捕まるんだけど、本来は共産党を弾圧するためのもので、当時としては悪法とは見なされなくて、むしろ必要な法律だと思われていた。

なぜかというと、当時のソ連はコミンテルン（第三インターナショナル＝国際共産党）といって、世界中に共産主義政党を作ろうとしていて、そのためにテロなども各地で起こしていた。今の「イスラム国」（ＩＳ）のようなものだ。

そこでその共産党を取り締まるために治安維持法を作ったんだけれど、当初の目的から脱線して、どんどん暴走していった。それが治安維持法の歴史なんだ。このあたりも権力と法とを考えるうえで重要な事例だ。

## 「日本特殊論」の原点は講座派にあった

さて話を戻せば、講座派の考え方は、日本の資本主義はとても特殊なんだというわけなんだね。日本には日本の独自の発達モデルがあって、西洋と一概に同列に論じられないというふうに考えた。

だから講座派で官憲に捕まった人はだいたい転向した。一部の幹部そのあと右翼になった。鍋山貞親とか佐野学とか田中清玄とか、こういった戦後の右翼はみんな戦前の共産党の地下活動家なんだよ。でも、彼らにとってはそれほどの転向ではないんだよ。日本は特殊な社会だという一点では不動だから。

だから、ひじょうに大ざっぱなことを言えば、戦後の「日本特殊論」はみんな戦前の講座派の流れを汲んでいるとも言えると私は思っている。そう考えるといろいろ説明しやすいところがいくつもあるんだね。

で、一方の労農派はグローバリゼーションの論理なんだね。つまり日本の特殊性なんかは存在しないから、世界の流れに逆らわずにその波に乗っていくのが正しいというロジックなんだ。ただ、労農派は社会主義がそのグローバリゼーションの正体だったけど、現代は資本主義がグローバリゼーションの実態というわけだ。その大きな波の中では、日本と世界との差異はひじょうに小さなものだから無視できるというわけなんだね。

つまり戦後の日本の知識人を類型化していくと、大きくは二つに分かれる。その一つが講座派的な「日本特殊論」。もう一つが労農派的な「グローバリゼーション」。戦前から日本の論壇はこの二つの軸に分かれていたと見ると理解しやすい。

もっとも、学者でも基本認識は労農派的なグローバリゼーションであるはずなんだけれども、専門を外れて、政治や経済の個別問題になるといきなり講座派的な日本特殊主義になったりする。つまり同じ人の中で、学術的な思考と、世界観の捉え方がかならずしも一致するとはかぎらないということなんだ。でも、本来ならばそうやってバラバラになっているのは、どこかで無理があるから、できるかぎり、自分の仕事と世界観を一致させていったほうがいいと思う。

**父親を告発したパブリック・マローゾフ**

【スターリン主義　Stalinism】ソビエト共産党書記長になったスターリンによってもたらされた思想・体制・政策の総称。この呼称はトロツキーと彼の支持者が、レーニン死後のスターリン指導下のソビエト体制を批判的に論ずる時に使用したものであるが、スターリン批判（１９５６）以降は西側世界でも否定的意味をこめて、より広義に使われるようになった。スターリンは遅れたロシアでの社会主義建設を強行するために、急速な工業化と農業の集団化を至上目標に、農民をはじめ国民各層を力で抑えつける政策をとり、国民の強い不満をかった。そこでスターリン指導下の党は国家権力と一体化して、社会全体の改造を図り、党内反対派や農民、知識人などの人民に対するテロルを行った（大粛清）。また、スターリンはコミンテルンやコミンフォルムなどの国際共産主義運動の思想や行動にも影響を与え、最初の社会主義国ソビエトの指導の下での各国共産党の活動を求め、自主的活動を制限した。（平凡社『世界大百科事典』下斗米伸夫）

旧ソ連においては、子どもは七歳になるとオクチャブリャータという組織に入った。これは「十月の子」という意味で、ロシア革命がロシア暦の一九一七年の十月に行われたことからオクチャブリャータという名前が生まれた。「革命の子」というニュアンスだね。十歳になると、今度はピオネールという組織に入る。ピオネールは英語でパイオニア、「開拓者」という意味ね。これは十歳から十五歳まで。

ピオネールに入ると赤いスカーフを巻いて、左胸にピオネールの会員のバッジを着けるんだけれども、そこにはパブリック・マローゾフという少年の姿が印刷されている。

パブリック・マローゾフというのはソ連の有名な愛国少年で、スターリンは農業の集団化を進めようとしたんだけれども、彼の父親は富農だったので、それに抵抗していたんだよ。そうしたら息子のパブリックが秘密警察に密告して、父親は逮捕されて収容所送りになったんだけど、それを見た村の連中は「息子が父親を売るなんて、とんでもない親不孝者だ」と、彼をなぶり殺しにしたんだ。

この話を知ったスターリンはパブリック少年は素晴らしい、こういう子どもこそがソビエトの理想だと言い出した。そして「もし親が反革命的なことをしていたら、すぐに秘密警察に通報するようにしなさい」ということで、ピオネールたちにバッジを着けさせた。

でも、実際には「パブリック・マローゾフのようなやつだ」というのは、ソ連社会では最大の悪口、罵詈雑言だった。自分の出世のために親をも売り渡す、最低の人間だというわけだ。

## 「アリとキリギリス」の教訓とは

Wさん、『アリとキリギリス』ってどういう話だった？

Ⓦ 働き者のアリと、遊び人のキリギリスがいて、夏の間はキリギリスが楽しく遊んで、真面目に働いているアリをバカにするんだけれども、冬になると……。

キリギリスは食べるものがなくなって。困ってしまう。それを見たアリさんはどうした？

Ⓦ アリは蓄えがあったから元気に過ごせました、という話です。

ということは、キリギリスはのたれ死ぬということか。

Ⓦ うーん、アリが助けに行ったのかな？

この話には結末が二つあるんだよ。一つは、アリの家にキリギリスがやってきて「食べるものがないから助けてくれよ」と言うんだけど、アリは「自業自得だ」とドアを閉めてしまって、キリギリスは飢え死にをしてしまう。もう一つは、反省したキリギリスをアリは歓待して、みんなで冬を一緒に楽しく過ごしました、という終わり方。

さて、どっちのほうがこの物語の終わり方にふさわしいかな？

ソ連では『アリとキリギリス』は一〇〇パーセント、キリギリスが死ぬ。子どものときから「自業自得です」というふうに刷り込むわけ。

ロシアのアニメがあってね。『スパイコーイナイ ノーチ』、日本語に直すと「おやすみなさい」という意味になる。そこでは、子どもがお母さんの化粧品を勝手に使って、変な顔になって外で遊ぶ。そうするとお母さんが外に出てきて、「あなたはどこの子なの」って言って扉を閉めて、それでおしまい。「お母さんの化粧品を使うような悪い子は外に締め出されて当然」というわけだね。ソ連の子はそういうアニメを見て育つ。

**（学生一同）**（笑）

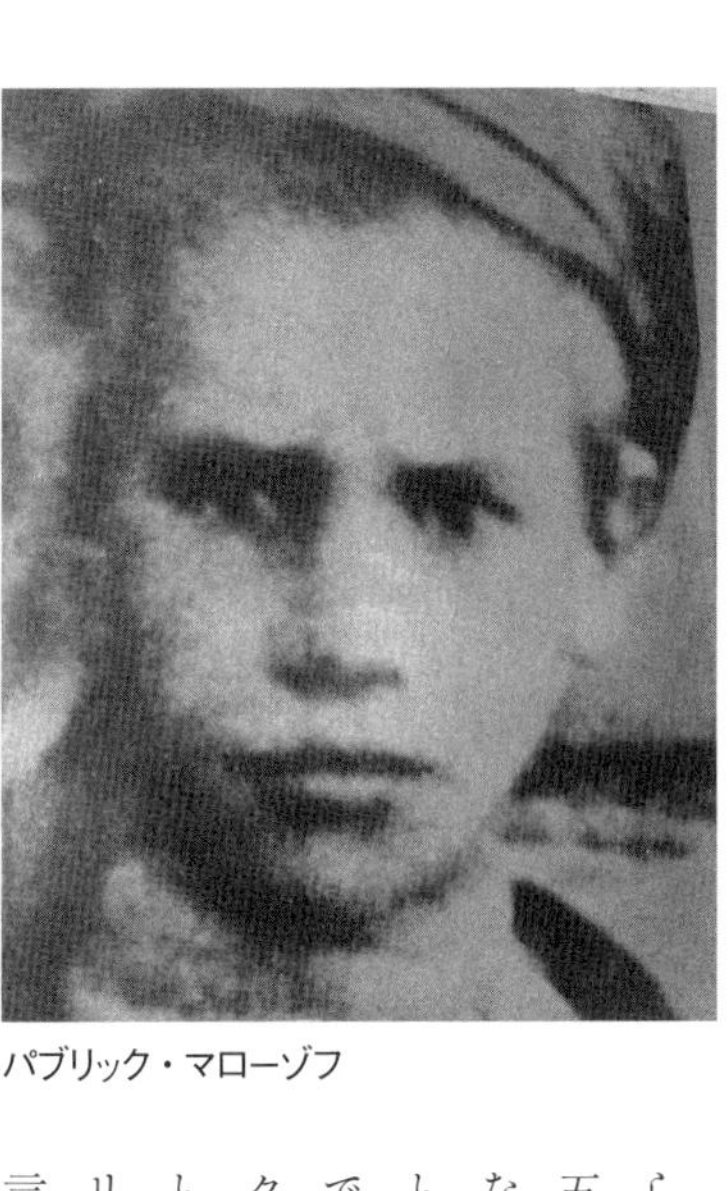
パブリック・マローゾフ

子どものころからそういう教育を行なうから、ソ連の子はものすごく知恵がつくんだ。五歳か六歳、小学校に上がる前から「家の中なら言っていいこと」「家の外で言うべきこと」の区別がきちんとできるようになる。外では公式イデオロギーに即して、「パブリック・マローゾフみたいな人になりたいです」とか、そういう話しかしない。「怠け者のキリギリスは死んで当然です」みたいなことを言うんだね（笑）。でも家にいったん入ると

「キリギリスは本当はかわいそうだね」と親に話す。

ロシアはこういう社会だから、「友だち」という言葉はとても重いわけ。

M君、友だちは何人いる？

（M）友だちの定義がむずかしいけど……一〇〇人くらいか。

ロシアで「僕は友だちが一〇〇人いる」と言うと、「それって友だちって言う？」という話になると思う。友だちというのは、その人のためならば無条件で命を捨てられるくらいの関係のことを言う。単に一緒に遊ぶとか、同じ学校に通ったという程度では友だちではない、知り合い程度だよね。

もちろん、友だちの意味が重くなるのはそれだけ社会の構造が厳しいからだよね。だから、いったん友だちになったら一生、助け合う。だからロシア社会を表面だけ見ていたら、「なんて殺伐とした社会なんだ」という感想になるかもしれないけれども、殺伐としている分だけ人間的な豊かさが生まれてくる。日本では何年、何十年暮らしてもできない「友だち」が、ロシアだと生活していく中で作れるわけだからね。そういうところがロシア社会の面白さなんだ。

逆に日本のほうが友だちは信用できない。簡単にできる友人は簡単に裏切るからね。でも、これはどうしようもない。人間性じゃなくて、社会の問題だから。

このようにスターリン主義とは、社会主義国家において支配政党が国家と癒着して、専制的な指導者の機構になった状態を指す。スターリン主義は権威主義、事大主義的傾向を共産主義運動のうえに生じさせ、国内的には、人民に対するテロリズムの体制、党による強圧的な指導体制を、国際的には、ソビエトの一国社会主義によるナショナリズムをもたらした。この結果、国民の自主的活動は抑えられ、経済発展が遅れ、隣接社会主義国との関係にも緊張状態が生じた。スターリン主義の評価については、レーニンの社会主義に対する理念や組織とどう関連するかを論議するもの、ロシアの後進性やスターリンの個人的性向や指導の特質の側面を重視する見解などがある。また、中国のようにスターリンの思想や行動の積極的側面を評価するものもあるなど、その内容の理解には多くの議論がある。（前掲書、同）

## スターリン体制下の市民モラル

スターリン主義体制というのは、たしかにひじょうに抑圧された時代だけど、やっぱりここにも二重構造があるんだよね。

私は一九八八年の八月にソ連に赴任したんだけども、まず驚いたのが性道徳の違い。ソ連にはもちろん風俗店やストリップ小屋なんていうのはないから、外から見たらものすごく健全な社会に見える。でも、モスクワ大学を夜歩いていると――緯度が高いので夜の十一時でも、夏なら薄明るいんだよ――そこらへんの茂みでガサガサって音がする。何だろうと思ったら、カップルがセックスをしているんだ。最初は「いったい、ここはどういう国なんだ」と思った。

でも、ソ連にはラブホテルのようにカップルがしけこむ場所はない。だから、そうやって大学の茂みの中に隠れるか、あとは部屋を借りるしかない。これはどういうふうにやるかというと、昼間の公園を歩いていると年寄りがベンチに座って、ひなたぼっこをしているわけだね。そこに若いカップルが来て「ちょっと……」と頼み込む。そうしたら、向こうも慣れたもので、鍵を貸してくれて「うちはあそこの部屋だから」と教えてくれる。で、二〜三時間くらいしたら戻ってきて。鍵を返すというわけ。おじいちゃんやおばあちゃんのいいアルバイトになっていた。

ちょっと余談になっちゃうけれど、セックスに関してはロシア人はひじょうにおおらかだということ。今でも、ロシア人ってだいたい三回結婚するよね。四回結婚する人も珍しくないよ。だいたい最初の結婚は二十歳前後。よく分からないうちに結婚するから、大喧嘩をして別れて、二回目の結婚が二十代のなかばから三十代の頭くらい。それで子どもが独立するくらいになると、だいたい離婚する。だから三回は普通。

で、そのあとは結婚しないかというとそうではない。だいたい三回目の離婚は四十代の終わりから五十代にかけてなので、あと二、三回は結婚できる（笑）。それに「市民婚」と言って、正式な届けを出さないで同棲するというのもひじょうに多い。

で、M君、なぜこんなにロシア人は結婚や離婚を繰り返せると思う？

（M）日本みたいに家制度がしっかりなっていない。

女性と男性の社会的処遇と給与が完全に一緒だ。だから女性は経済的に完全に自立している。それと母子家庭の子どもとか、あるいはお父さんが誰かハッキリしていない子どもであっても、そこの差別が社会的にまったくない。だから離婚によるハンデという、そこのところはひじょうに少ないよね。

あともう一つ、日本ではドメスティック・バイオレンスがあったら、たいてい女性は我慢するでしょ。ロシア女性は絶対に我慢しない。腕力においても、女性は結構あるからね。高校まで軍事教練をやっていて、自動小銃くらい組み立てられるし、腕力もあるから、夫婦喧嘩になると結構奥さんのほうも強い。顎の骨を折られたりする話も珍しくないからね。だからドメスティック・バイオレンスに対する対応がだいぶ違う。

ちなみに夫婦喧嘩が一番すごい国ってどこだと思う？　奥さんが強すぎるものだから、暴力的な夫婦喧嘩自体、ほぼしない国があるんだよ。

答えはイスラエル。あの国は男女ともに徴兵制があって、男性は三年、女性は二年、兵役に行く。だから女性は格闘術を身につけていて、人を殺す方法まで習っている。浮気がバレようものなら、夫は本気で逃げるよ（笑）。

## なぜ西欧の新興宗教はセックスがらみなのか

ちなみにロシアと西欧社会とでは性的なモラルが違うのは、単に資本主義とか自由主義の進展度合いが違うというレベルの話ではないんだ。もっと深いところにこの違いが起因している。これはキリスト教神学をやっていると分かるんだけれど、西側のキリスト教神学に決定的な影響を与えているのは誰？　神学部、Sさん答えて。

（S）アウグスティヌスです。

アウグスティヌスは北アフリカ、ヒッポの教父だった人物で、西側のキリスト教世界を代表する神学者だけれども、彼は元々はキリスト教信者ではなくて、禁欲教団のマニ教の信者だった。

このマニ教では、人間の性行為そのものに罪があると考えたんだけど、アウグスティヌスはその思想をキリスト教神学に持ち込んだ。それをコンキュピスケンチア（concupiscentia 色欲、邪欲）と言ったりもするんだけれども、アウグスティヌスの考えでは性行為を通じて、人の罪は伝染していく、遺伝していくというわけなんだ。

ここで面白いのは、キリスト教系の新興宗教というのは、かならずそこをひっくり返してくるわけ。教祖や指導者とセックスをすることによって、信者は救いに近づいていく。そういう教理の組立てをする。セックスをすることによって汚れるんじゃなくて、むしろ清められるという考え方をするんだね。

たとえば、昔は「血分け」と言って、教祖は信者の女性とセックスをする。その女性が他の信者とセックスをするという形で、一種のネットワークを教団の中に張り巡らせるわけ。新興の教団が結束を固めるにはセックスを用いるのがいちばん手っ取り早いという事情がそこにある。で、そこでは、人間には原罪があるんだけれども、教祖や教団指導者と正しいセックスをすることによって、それが浄化していくんだという構成を取る。そういうロジックになっているわけだね。

## イスラムにおける結婚とは契約である

西方のキリスト教会はアウグスティヌス以来、禁欲の要素が入ってきたわけだけど、東方教会、ビザンチンのほうにはそうした影響はない。ロシア正教もその流れを汲むから、性的なモラルはイスラムにかなり近い。

Sさん、イスラム教徒の男は何人の女性と結婚できる？

（S）えーと、たくさん。

たくさんと言っても限界はあるよ。たとえば一〇〇人の女性と結婚できるかというとそれはダメ。上限が決まっていて、四人まで。

イスラム教の結婚式の特徴は、結婚の際にかならず離婚の条件を決める。結婚も契約の一種だから破談も考慮に入るという合理的な思考だ。で、女性の側は絶対に離婚されないようにするために、離婚の条件として金塊三〇〇キロとラクダ四〇〇〇頭とか、こういう契約をするわけだね。

ところでね。イスラム教においては売春や買春は禁止だ。ちなみに、このルールを破った場合には石打ちの刑が待っている。石打ちの刑と聞くと、小石くらいの石を投げつけられるのかと思うかもしれないけれども、実際にはそうじゃない。こぶし大くらいの石をみんなで投げるわけ。当然、そんなモノが当たれば歯も折れる、頬骨も折れる、指も折れる……そうやって罪人は苦しんで殺されるわけだね。

でも、どこの世界でもこういう商売はなくならない。何せ売春は歴史が始まったときからあったと言われるくらいだからね。アラブ諸国にもエスコートクラブといって、女性を派遣するビジネスがあるよ。しかもその経営者が聖職者だったりする。

なぜ、そういうビジネスは違法にならないのかというと、それなりのロジックを業者のほうは用意しているんだ。

というのは、これは売春斡旋（あっせん）ではなくて、結婚斡旋なんだという建て前になっているんだよ。業者のチラシやHPには女性のリストが載っているんだけど、これらはみな結婚希望の女性ということにして「結婚時間二時間、慰謝料三万円」なんていう結婚契約を結ぶわけ。時間結婚というんだけど、イスラム世界に行くとこれで「俺は一〇〇回結婚したことがある」なんて自慢する男が結構いるわけ。

## 人間の性欲をコントロールする二つの方法

余談はそのくらいにして、性に対する考えには二通りがある。一つは人間の性欲をなるべく等身大で認めて、しかし放埓（ほうらつ）に走らないように、ある程度の約束事を決める。イスラムとか日本の仏教とかはそうだよね。

一方、生身の人間には絶対に守れそうにない規範を作るというのがキリスト教。キリスト教は婚前交渉は不可だし、不倫も許されない。それどころか、異性を見て性的な欲望を抱いただけでも罪を犯したのと一緒であるという、ひじょうに厳しいモラルを作っているよね。

しかし東方教会、正教の世界では西側のキリスト教ほど、性的な禁止は厳しくない。だからロシア民話に出てくる神父っていうのはだいたいスケベな奴らなんだよ。そういう意味では正教は人間を等身大に扱っている。

ロシアでは夏休みは二ヵ月ある。でも、同じ時期に二ヵ月休んだら、国家機能が麻痺しちゃうから、六月から十月にかけて休みを分けて取る。夫婦であっても、仕事の関係があるから別々に休暇を取る。

で、その二ヵ月の間、何をしているかというとサナトリウムに行く。日本だとサナトリウムというと療養所で、病院的なものをイメージするけれども、ロシアではリゾートマンションみたいな感じだね。そうしたリゾートマンションを労働組合や役所が持っていて、みんなが利用する。

そのリゾートマンションでは最初の二週間くらいは溜まった仕事を片付けるんだけれども、あとはフリー。そういうとき、既婚者でもリゾートマンションには一人で滞在しているものだから、だいたいその間にはパートナーを現地で見つけて、その相手と休みをエンジョイして、休みが終わったらさっぱりと別れる。

だが、そのときに困るのがベッド問題。だいたいロシアでは一二〇キロまでは太っている範疇に入らない。なぜかというと、一二〇キロまでは一台の体重計で量れるから。

じゃあ、一二〇キロを超えたらどうやって体重を量ると思う？

（T）体重計二台に乗る。

その通り。右足を一台に乗せ、左足をもう一台に乗せる。で、それぞれの数値を足すと体重が計算できる。

でも、ロシアのサナトリウムのベッドというのは、たいてい華奢（きゃしゃ）なシングルベッドしかない。そもそもダブルベッドってあまり売っていないんだよ。だから普通の家でもシングルベッドを二つくっつけて寝ているんだけれども、一二〇キロを超える男女がベッドの上で一緒にいて運動なんかしていたらベッドがすぐ壊れちゃう。だから、ロシアのホテルやサナトリウムには大工さんが常駐していて、すぐに修理をしてくれるという寸法になっているんだ。

（学生一同）（笑）

こういう冗談のような世界がソビエトだったんだけれども、実際に行って驚いたのは、こういう社会主義の世界でもいまだにロシア正教が生活レベルで生きているということだね。それが端的に表われているのがセックスに対する感覚だったというわけだ。

ちなみに、我々外交官はもちろん結婚は自由なんだけれども、男女雇用機会均等法が出来るまでは外務公務員法で配偶者条項があった。

配偶者が日本国籍を持っていない、もしくは外国籍を持っている場合、六ヵ月で外務公務員は身分を失うという規定がそれだ。徐々にこの規定は緩んできて、期間が二年まで延びた。資本主義国の人と結婚するときには、六ヵ月以内に配偶者が日本国籍を取れるように配慮した人事を行なうようになった。しかし社会主義国の人が結婚によって国籍を持つことができないような人事をしていた。結婚して同居期間が最低一年ないと国籍は取れないんだけど、それが満たせないような人事をして別れさせる。もちろん、それで別れる人もいたし、逆に外務省を辞める人もいた。そういう時代だった。

さあ、話を戻そう。

## 社会主義下での労働

厳しいスターリン主義体制の下、人間たちはその隙間を経て結構自由に生きていた。政治に触らなければ、エリートの世界に触らなければ、スターリン時代もソ連というのは普通の人にとってひじょうに住みやすい国だったんだよね。

ソ連で社会主義の理想を実現できていたのは、労働時間の短縮だね。だいたい仕事は九時に始まる。職住接近だから職場までは三〇分以内に行けるので、たいていの人は家を九時に出る。それで職場に九時半に着く。まずはみんなでお茶を飲んで、昨日のテレビの話とかサッカーの試合の話をして、仕事を始めるのが十時半くらい。

で、十二時になると昼休みで、それが一時間ある。加えて「昼の買い物の時間」というのが一時間プラスでついているから、二時までは休憩。しかし、だいたいみんな三〇分から一時間遅刻して戻ってくるので実質、仕事が再開されるのが三時くらいなんだ。

それで五時まで仕事。といっても、五時には守衛さんもビルの鍵を閉めて仕事を終えなくてはいけないから、ビルの中で働いている人たちはそれよりは早く出ないといけない。なので、だいたい四時半には仕事場を出ている。だから、実質労働時間は午前中の一時間半と、午後の一時間半で、合計三時間。もちろん週休は二日。

あと、交通事故が起きると大変で、みんな現場を見に行くんだよ。なぜだと思う？　事故の証人になると、出廷しないといけないから二日間の公休がもらえるんだ。

（学生一同）（爆笑）

それでさっき言ったように、夏には二ヵ月の休みがある。

で、なぜこのような体制が続いていたのかというと、ソ連のルーブルではモノがほとんど買えない。主食のパンとか交通運賃なんかは安いよ。でも、少しいいものを買おうと思っても、ぜんぜん売ってない。だからお金を一生懸命稼いでも意味がないわけ。

だから国民は働いているふりをして、国は給与を払っているふりをする。そういう体制になっていたんだ。だから三時間しか働かないのは、制度のせいでもある。

（学生一同）（笑）

## なぜソ連は崩壊したか

でも、こんな国がどうして七十年近くも長続きしたと思う？　誰も働かないんだったら、食物だって手に入らないはずだよね？

その答えは「石油」。ソ連は世界有数の産油国だから、石油や天然ガスを売って稼いでいた。

一九七〇年代にオイルショックがあって、原油の価格が上昇してからはますます金が儲かるようになった。それだから、国民に金をばらまいて、二ヵ月も休暇を与えていても大丈夫だったんだ。

ソ連崩壊の理由は何だったのかという議論は今でもいろいろと言われているんだけれども、直接の原因は明確だ。要するに石油なんだよ。

四年前にゴルバチョフが日本に来た。そのときに二人で会って、コーヒーを飲みながら聞いたわけ。

「ソ連崩壊の理由を強いて一つだけ挙げるとするならば、何だと思いますか」

私は内心、「民族問題だ」と答えるだろうなと思っていたんだけど、ゴルバチョフの答えは違った。

「サウジアラビアに関する情報収集を怠ったことだ」

「だって、ソ連にはあれだけアラブ世界の専門家がいて、中東に関して目を配っていたではないですか」

「いや、サウジアラビアについては分かっていなかった。サウジとアメリカが合意をし

ミハイル・ゴルバチョフ

て、サウジが石油の増産をすることになるとは思っていなかったし、その意味もよく理解していなかった」

つまり、これはどういうことかというと、サウジアラビアが石油を増産したせいで石油価格が下がって、ロシアの外貨収入が減り、その結果としてロシア経済が構造危機になったという話なんだよ。しかも、そのときにアメリカとイギリスがやってきて、ロシア経済の支援をしますと甘言を弄した。ただし、そこには「ロシアの民主化」という条件がついていた。

「私はその意味を、あまりにも軽く見過ぎていた」

とゴルバチョフは語ったんだよね。

つまり、そのころのソ連は完全に産油国型の経済になっていて、国民は一日三時間も働けば食っていけるという体制になっていた。完全に国家が弛緩していたんだね。

ちなみにソ連時代のインテリは弾圧されて、ひどい目に遭った、というイメージがあるんだけれども、かならずしもそうとは言えない。むしろ、こういうゆるい世界だから大学の先生は五年に一回、論文を書けばそれで首がつながった。基本的に五ヵ年計画の国だからね。

しかもその論文も内容を求められなかった。「消防署における共産党組織の変遷に関する一考察」とか、「道路標識の変遷に関する一考察」みたいなレポートをちょこっと書けばいい。だいたい学術論文なんて、実質的に読んでいるのは五人くらいしかいないしね。もし、本当に書きたいことがあったら、タイプライターにカーボン紙をはさんで二〇部くらい、小冊子を作って友だちに配る。自家出版、サミズダートと言うんだけど、この程度ならば捕まらない。

知識人はそうやって小さなサークルを作って、知的な世界を維持していたわけだよ。

しかも知識人は例外なく別荘を持っていた。知識人用の別荘村があって、週末や夏休みにはそこに仲間が集まって、談話をする。別荘村にはレストランもあるし、小さな図書館もあるから、知識人は優雅な生活をエンジョイしていたんだよね。そういう意味ではソ連は結構豊かな世界だったんだよね。

でも、こうしたソ連の大枠を作っていたのはスターリニズムなんだ。だからソ連のそうした実相を理解するのにはスターリニズムの理解が必要になってくる。

## 「弁証法」とは何か

では、スターリンの哲学というのはどういうことなのか。

> 形而上学とは反対に、弁証法は、自然を、静止と不動、停滞と不変の状態とはみなさず、不断の運動と変化、不断の更新と発展の状態とみなし、そこではつねになにかが発生し、発展し、なにかが破壊され、その寿命を終えつつあるとみなす。（スターリン『弁証法的唯物論と史的唯物論』大月書店刊、マルクス=レーニン主義研究所訳、10ページ）

形而上学とは、目に見えないんだけども、確実に存在する事柄があるということを想定する立場だよね。つまり、形而上学で措定されるのは「リアル」な事柄。この「リアル」というのは私たちが使うリアリティとはちょっと違っていて、目に見えないけど確実に存在する「何か」という意味で使われている。

> だから、弁証法的方法は、諸現象をその相互の関連と被制約性の観点からばかりでなく、その運動、その変化、その発展の観点、その発生と死滅の観点からも考察することを要求するのである。（前掲書、同）

ここで形而上学に対する、弁証法的方法が述べられている。弁証とはドイツ語だとディアレクティーク、英語だとダイヤレクティックス。

聞いただけでも、この単語はダイアローグ（対話）と似ているのが分かるよね。

弁証法はまさにこの対話のあり方から来ている。

つまり、自分が何かについての考えを述べる。それに対して、相手が反駁する。そこでその相手の指摘を踏まえて、自分の考えをさらに深めていく――これが対話だけど、それと同じように、論理のやりとりの中で事柄への理解が進んでいくことを弁証法と言う。

そのことをエンゲルスは――あまりいい例だとは思わないんだけど――虫の変態に喩（たと）えている。虫は成長するにしたがって、卵から幼虫になり、それがサナギになって蝶に脱皮する。それ自体は同じ虫なのだけれども、形態が発展していく。それと同じようなものが弁証法だというわけなんだ。

歴史にしても同じだ。歴史は止まっていなくて、つねにあっちに動いたり、こっちに動いたりしながら、徐々に発展していくプロセスを経る。これも弁証法だという。

実際のところ、「これが弁証法だ」という定義はない。辞書を見ると「正反合（せいはんごう）があって」などと説明されているけれども、それだと弁証法を捉えられない。むしろ対話の応酬によって結論を見いだしていくアプローチの仕方だと理解したほうがいいと思う。

そう考えると我々は日常的に弁証法を実践している。たとえば今日、この講義に出ると決める。でもその一方で「この講義に出る時間で別の勉強もできたはず」とも思う。それに対して「いや、これはこれで二単位分取れるんだから効率的で、勉強の邪魔にもならない」といった会話を心の中でやっている。それが弁証的思考法なわけ。

## 分析的な思考、総合的な思考

弁証法は本質的に飛躍を含んでいるんだ。一方で、飛躍のないような推理がある。それはたとえば分析的な命題だ。

分析的な命題というのは、論理学では主語の中に述語の意味が入っているような叙述を指す。たとえば「黒犬は黒い」という命題は分析的。なぜならば黒犬という主語の中に、すでに「黒い」という述語の要素が入っている。飛躍はないよね。

これに対して、「黒犬は利口である」と言ったら、それは分析的な思考じゃない。黒犬が利口であるという言明の中には飛躍がある。これを総合的な判断という。つまり黒犬という要素に、利口であるという要素が付加されている。

理科系のみなさんは実験や観察をするときに、総合的な方法はあまり使わないよね。あくまでも分析的な方法が主でしょう。実験などを通じて集めたデータ自体に語らせる。そこには飛躍はない。これが分析能力で、理系の人は大学や大学院においてこれを磨かれる。

一方の人文系、社会科学系のほうは、分析的能力よりもむしろ総合的能力を求められる。神学なんかは特にそうだよね。聖書に書かれたことばを分析するのではなくて、そこからアナロジーやメタファーの力を借りて、新たなる意味を付加する。総合的思考が求められる。

この分析的思考、総合的思考が対話していうところに意味があるんだね。それぞれが要請されているところが違うからこそ、対話に発展が生まれる。

### 「若さ」だけに頼る方法論は失敗する

弁証法的方法にとって、まずなにより重要なものは、その瞬間に安定的なものに見えていても、すでに死滅しはじめているものではなく、たとえ、その瞬間に不安定に見えても、発生し、発展しつつあるものである、なぜなら、弁証法的方法にとっては、発生し、発展しつつあるものだけが、うちかちがたいからである。

（前掲書、同）

「その瞬間に安定的なものに見えていても、すでに死滅しはじめているもの」って、具体例で何か思い浮かぶ？

みんなは大阪の西成区に行ったことある？　西成区に行くと、あそこに三角公園ってある。そのすぐ横に職業安定所があるんだ。たとえば、M君が三角公園に行くとするでしょう？　そうしたらワッと人が寄ってくるよ。「お兄ちゃん、仕事は決まった？」「こっちは寮もついているよ。食事もうちはしっかりしているぜ」「山奥とかそういうのじゃないから」「兵庫だよ、兵庫」「尼崎のビルの解体だよ」「一日一万二〇〇〇円、寮費は三〇〇〇円でどうだ」と、あちこちから声が掛かると思う。

昔は「土方」と言っていたけれども、今は若い土工ならばいくらでも仕事がある。コロナでさすがに今は低調かもしれないけれどもね。でも、その隣で六十代くらいのじいちゃんが公園にたくさんいて、ぶらぶらしている。本当は仕事が欲しいんだけれども、こういう仕事は若さが資本だから誰も寄ってこない。

「その瞬間に安定的に見えても、すでに死滅しはじめているもの」って、この場合、若者？それともおじいちゃん？
（M）若者です。
その瞬間においては若いからもてはやされている。でも、それは一瞬のことでどんどん落ちる一方になる。これは土工の話に限らない。アイドルもそうだよね。

だから、一種の若さに頼ったらダメ。そうではなくて「発生し、発展しつつあるものだけが、うちかちがたい」。そういうものに目を付ける。ビジネスだと、これはベンチャー企業、スタートアップ企業のことだよね。

スターリンの言ったことは時代遅れ、資本主義社会に通用しないと思われがちだけど、かならずしもそうとは限らない。

## スターリンの弁証法には俗流ダーウィニズムの影響がある

さて、そこでこの弁証法と進化論の共通点を考えてみる。そうすると、この二つは似ているよね。弁証法においてはさっきも言ったように、そこには飛躍がある。議論を続けるのは連続的な発展を目指すのではなくて、飛躍的な結論を見いだすことにあった。

これってまさに進化論のロジックだよね。生命進化でも、それは徐々に起きていくというものではなくて、突然変異や自然淘汰という形で生命の形が飛躍的に変わる。明らかに、スターリンの弁証法には俗流のダーウィニズムが入り込んでいる。


形而上学とは反対に、弁証法は、発展の過程を、量の変化が質の変化をもたらすばあいの単なる成長過程とみなさないで、小さな暗々裏の量的変化からあらわな変化、根本的な変化、質的な変化への移行とみなすものであって、このばあい質の変化は、漸次的にではなく、急速に、突然に、一つの状態から他の状態への飛躍的な移行としてあらわれ、偶然にではなく、合法則的にあらわれ、目に見えない、漸次的な量的変化の蓄積の結果としてあらわれるものである。（前掲書、11ペー

ジ）

これはさっきの話の繰り返しでもある。「質の変化は、漸次的にではなく、急速に、突然に、一つの状態から他の状態への飛躍的な移行としてあらわれ」る――変化は漸増的に起きていくのではなくて、どこかで断絶が発生して、そこで質の転化が起きるということだね。

たとえば政治においても、デモで集まってくる人は徐々に増えていくんじゃないんだ。ある点を突破すると、急速に参加者が増えていく。増えていくだけでなくてその仕組み、体制そのものが変わるということだね。

ここにも社会的ダーウィニズムが通俗化した形で入ってきている。

　だから弁証法的方法の考えからいえば、発展の過程は、これを円環運動としてではなく、過ぎ去ったものの単なるくりかえしとしてではなく、前進の運動として、上昇線をたどる運動として、古い質的状態から新しい質的状態への移行として、単純なものから複雑なものへ、低度のものから高度のものへの発展として理解すべきである。（前掲書、同）

「単純なものから複雑なものへ」というのは、まさにハーバート・スペンサーのテーゼ。人類の文化は単純なものから複雑なものに「進化」しているのだと彼は説く。

で、ここにおいては歴史の発展は円環運動ではなく、前後の運動として、右肩上がりの上昇線を描くというわけだけれども、歴史を直線運動として見るという点で思い出されるのは何かな?

## カイロスとクロノス

(T) それはユダヤ・キリスト教的な歴史観ですね。

ユダヤ・キリスト教的な時間の概念は直線的であるのに対して、仏教的な時間の流れは円環を描く。日本人の思考は仏教的な影響が強いから、時間も円環で捉えている。

さて、T君、君は神学部だ。黒板に出て、聖書における時間概念を図示した上で説明してみてくれるか。

(T) キリスト教の時間概念では、神が世界を創ったとき——「はじめに言葉ありき」という言葉が有名ですが——そこから時間が始まります。その後、旧約聖書の時代が続くのですが、そこに神がイエス・キリストを地上に遣わして、「やがて神の国が到来する」というのを告げます。そこからが新約聖書の世界で、最終的には神の国が到来したときには歴史が終わりを告げるという構成を取ります。

今のT君の説明を聞いて、M君、理解はできたかな?

(M) その図の中に出てくる「カイロス」っていう言葉がまず分かりません。

T君、「カイロス」の説明を頼む。

(T) カイロスっていうは、英語で言うとタイミングという意味で、時間軸の中で現われる特別な何かという意味で、人類の中で一番のカイロスはキリストの生誕ということで……。
M君、それで納得した?
(M) いや、全然分かりません。
T君、全然分からないそうだよ。どうする?

(学生一同) (笑)

では、一つずつ説明していこう。クロノスという単語は、たとえば英語ではクロノロジーchronology(年代記、年表)みたいな言葉の元になっていることでも分かるように、時間が左から右、過去から現代、未来に向かって流れているイメージを表わしている。元々はギリシャ神話の時間を司る神様のことをクロノス(kronos)と言ったところが語源なんだけれどね。

これに対して、カイロス(kairos)という単語がある。クロノスは時間の滔々(とうとう)とした流れを言うならば、カイロスはその流れをばっさりと切り落とすというイメージ。英語でいうタイミングがいちばん分かりやすいね。

Wさんは初恋したことのことを覚えている?
(W) うーん、あんまり覚えていないかも。
でもデートしたことくらいは覚えているでしょう。
(W) たぶん(笑)。
人を好きになるっていうのはいろんな形があるけれども、あるとき、「あ、自分はこの人を好きなんだ」と自覚する瞬間みたいなことがあるよね。
（W）はい。
その瞬間がカイロスなんだよ。つまり、それまでは普通の友人だったのが、ある瞬間を以て、恋愛の対象になる。自分の中で何かが変化した瞬間、それがカイロスなんだよね。

こういうことは恋愛以外にもよくあることだよね。他人にとっては普通の時間の流れなんだけれども、講義中に「なるほど、そういうことだったのか」と分かる。それもカイロス。だから、みんな誰でもカイロスは持っている。

いちばん分かりやすいカイロスは誕生日だよね。なぜみんな誕生日のお祝いをするかというと、その人がこの世の中に生まれてきた瞬間が誕生日だからだよね。誕生日というのはその人にとっては、その前と後とではまったく意味が違うわけだからね。

またカイロスは国民とか民族にとってもある。たとえば日本人にとってのカイロスの一つが一九四五年八月十五日。この日をもって日本人の生き方は変わったわけだから、終戦記念日はカイロスなんだよ。また、この日は韓国人にとってもカイロスだよね。長い植民地支配から解放された日だからおめでたい日。同じ八月十五日でも、民族によって意味が違うという例だね。

## なぜ日韓合同歴史教科書は実現不可能なのか

我々が知っている「歴史」というのは、このカイロスを積み重ねて、そこにストーリーを創るという試み。だから歴史というのは物語性がある。単に年表を並べただけでは歴史にはならない。

それだから日韓合同の歴史教科書を創ろうなんていう話は最初から無理。そもそもカイロスの意味が違うんだから。もし、日韓共通の歴史教科書ができるとしたら、それはどちらかがどちらかを併合した場合だよね。

Sさん、この説明で何か分からないところはある？

(S) キリストの誕生もカイロスなんですか。

T君、答えて。

(T) キリスト教で言うと、イエス・キリストの誕生から復活までの……。それでその原罪が……。

それでは質問に答えていない。Sさんが聞きたいのは単純な命題で、「イエス・キリストの誕生はカイロスなのですか。そうではないのですか」と聞いているから、そういう質問に対してはまずイエスかノーで答えないとダメだよね。

(T) カイロスです。

「はい、カイロスです」と。

(T) というのも、キリスト教では人間は罪を持っていると考えているんですけど、イエス・キリストが誕生して、十字架にかけられて、その後に復活したことによって人間の罪は贖(あがな)われた、なくなった。それによって人間は神の国に入れるということなので、それ以前と以後では人間が救済されるか、されないかという話がまったく変わってくるのでカイロスなんです。

Sさん、分かった？

（S）今までのカイロスの説明だったら、初恋とかそういう個人的な出来事にカイロスがあるという説明だったと思いますが、キリストの誕生の場合は個人的な話ではないですよね。一人一人のキリスト教徒にとってキリストの誕生はカイロスで、したがってキリスト教にとってもカイロス、という理解でいいんですか？

その解釈でいいです。一人一人の人間はカイロスを持っている。しかし、キリスト教では「われわれ人類にとっての最大のカイロスはイエス・キリストの誕生だ」と考えるわけだ。

## イエス・キリストと呼ぶことそのものが信仰告白である

そこで質問だけど、イエス・キリストって何だろう？　イエスが名前で、キリストだと思っている人も多いんじゃないかな？　実は神学部の学生でも時々そう思っている人がいるんだけど、イエスは名前だけれども、キリストは名字じゃない。

イエスという名前も、日本で言うと「太郎」とか「一郎」といった、当時のパレスチナではありふれた男の子の名前なんだ。キリストというのはヘブライ語の「メシアーフ」という言葉、これは「膏(あぶら)を注がれた者」という意味。即位するときに膏を注がれるのは古代では王様や祭司だった。生まれながらにして膏を注がれている人という意味で、だから救世主を意味する。

その膏を注がれた者、メシアークという言葉を一世紀に流布していたギリシャ語に訳すと「クリストス」になるわけ。そこからキリストという名前が来ている。だからイエス・キリストというのは「イエスという男で、キリスト（救い主）である」という信仰告白だ。「イエスという人が救い主です」と。こういう信仰告白をイエス・キリストというわけなんだ。

で、イエスは何をしたかというと、ユダヤ人たちが掟、神様から与えられた律法を分かっていながら堕落した生活をしているので、彼らを救いに現われた。Sさん、神の存在を知っていながら悪にまみれた生活を送っているのと、神を知らないで自堕落な生活をしているのではどっちが悪いと思う？

（S）知っているほうです。

つまり、当時のユダヤ人たちは人として最低だったので、神様はこの人たちに神の子であるイエスを送って救ってやることにした。言ってみれば、ドブのいちばん深いところ、いちばん汚いところまで行って、全部をさらって救いあげる存在、つまりキリストとしてイエスが現われた。イエス・キリストがカイロスであるという意味は、そこにある。もっとも深い闇の奥底までイエスは入って行き、それを経験した。だから、それに比べれば、その後の人類に起きる不幸なんて楽なものだという考えなんだ。

しかし、ユダヤ教徒たちは、イエス・キリストというカイロスを認めないんだね。イエスのいた時代にはアウシュビッツのガス室はなかったじゃないか、広島や長崎の原爆もなかったじゃないか——これらの苦しみよりイエスの苦しみのほうが大きいというのは信じられない。だから、イエスがキリストである、イエスが救い主であるということも信じられないというわけだ。ユダヤ教徒たちは、神様がいつか我々を救ってくれると信じているが、それは未来の話で、希望は先取りされていないんだと考える。

## キリスト教の弁証法

つまり、キリスト教というのは「われわれはイエスによってすでに救われている」という希望と、「しかし、救われているという確証はない」という不安との緊張関係の中で生きているわけだ。これが弁証法の考え方なんだよ。カイロスという角度から説明すると、人類史の中でイエス・キリストというカイロスはある。だが、私自身の人生のカイロスの中にイエス・キリストはあるのか、つまり信仰を私は持っているのか、という疑問の中で生きている。

こうしたキリスト教の弁証法が欧米の人々の思考の鋳型(いがた)にあるということを理解することが重要なんだ。というのも、人間が自分の体臭に鈍感であるように、キリスト教文化圏の中にいる人たちは自分たちの思考が、ある鋳型によって制限されていることはなかなか自覚できない。でも、その外部にいる人間にはそれがよく見える。

そういう意味で、日本人でなおかつ神学者であるということはメリットがあるわけ。日本で暮らしていると日本の文化圏の中から、欧米の文化を観察できるポジションにありつつ、それでいてキリスト教徒であるわけだから、一種のハイブリッド性がある。欧米人には見えないものが我々には見える可能性がある。だから欧米の人に「君たちはこういうふうに思考しているんだよ」と説明すると、「なるほどなあ」とひじょうに納得されるわけ。

しかし、これは逆もまた真理なりで、我々日本人は仏教的な鋳型で物事を考えていることに無自覚だ。それに対して、欧米人は「その考え方は仏教的だ」と指摘してくれる。実際、近代的な仏教学は欧米の知識人たちによって拓かれているという面もある。

さて、ここまでの話でCさん、質問はある？

(C) イエスの誕生はカイロスであるとしても、そのイエスは人間なんですか？ 神なんですか？

さあ、T君、これにどう答える？

(T) それはですね。これは真の神が、真の人に……。

T君、そういうふうに長々と答えるのはここでは求められていない。Cさんは「生前のイエスは人なんですか？」と聞いているわけだ。だから、その答えはイエスかノーで答えるべきだ。

(T) あ、それはイエスだと思います。

それを神学では、真の人であるという言い方で言うよね。真の人っていうことは、どういうことか。イエスは男性か、女性か。

(T) 男性です。

じゃあ、ペニスはついている？

(T) たぶん。

とすると生殖能力はあったと。

(T) ありますね。

ウンチはするか。

（T）します。
それが真の人ということだよ。ということはイエスには性欲がある？
（T）あると思います。
だとしたら、イエスはマグダラのマリアとかをいやらしい目で見ていた？「こいつはなかなかいい女だ」とか思っていた？
（T）だと思います。
そこはちょっと違うんじゃないか？というのも、かりにそういう目で見ていたとしても、イエスの周りには信者がいるんだから、そこはグッと我慢したんじゃないの？

（学生一同）（笑）
（T）たしかに、そうですね。
つまりT君の考えるイエスは、ちゃんと性欲もあって、周囲の女性信者に対しても「いい女だなあ」と思っていたけど、「いや、俺は神の子なんだから、ここで手を出したら宗教共同体が成り立たないな」と自制していたわけだ。
（T）そうだと思いますね。
じゃあイエスは痛い思いをするのは好きなのか。嫌いなのか。
（T）うーん、そっちの趣味があったかどうかは……。
（学生一同）（笑）

そういうことじゃないよ（笑）。イエスはぶっとい釘で手や足を十字架に固定されたんだぜ。

その痛みは感じたかな、ってこと。

(T) 感じたと思います。

でも、ちょっとそこで考えてほしいんだけど、イエスは十字架にかけられて殺される。そしてその三日後に、甦るわけだよね。

(T) はい。

でも、イエスは真の人であると同時に、真の神でもあるわけだよね。そしたら、なぜいちいち十字架で死んで復活して……みたいな手間を掛けないで、さっさと人々を救って去って行かなかったんだろうか?

(T) そこは分かりません。

そこは「分からない」という答えでいいと思う。我々の限られた知恵では、神がどのような意図からいまだに我々を救ってくれないのかは理解できない。有限は無限を包摂しないという通りで、我々の有限の知恵では神の考えは把握できないんだ。

ただ一つだけ困るのはキリストが「見よ、わたしはすぐに来る」(ヨハネの黙示録22:7)と言って昇天したという伝承があることなんだ。だから初期のキリスト教徒は、せいぜい一年か二年くらいで救済が行なわれると思っていた。ところが何十年待っても、キリストは戻ってこない。そこで、これはまだまだ時間がかかるかもしれないので忘れないように記録しておこうということで、新約聖書が書かれることになった。今の研究だと、だいたい三〇〇年くらいかけて、今の形のような聖書ができたと言われている。

だから今でもわれわれキリスト教徒は「この世の終わりは来る」と信じている。その点ではオウム真理教と一緒なんだけれども、キリスト教のほうは二〇〇〇年も待ち続けているわけ。これを神学用語では「終末遅延」と表現するんだけど、いつまで終末が遅れるのかは分からない。でも、いつ起きても大丈夫なように、急ぎつつ待つという構えでいるわけ。ここがキリスト教理解においてひじょうに重要なところなんだ。

この話っていうのはみなさんが学んでいる学問とはまったく違う思考の様式をしているよね。常識ではとても理解できない。でも、その常識では理解できないことに取り組むというような訓練を日常的にやっているんだよ。

### 「テロス」とは終わりでもあり、目的、完成でもある

さて、ここで「終末」という言葉が出てきたよね。

キリスト教の世界では時間には終わりが来る。それが終末であり、それをギリシャ語で表現すると「テロス」ということになる。

テロスを英語に訳すと「エンド」だよね。エンドって辞書で引いてみるといろんな意味があるよ。終わりという訳語のほかにも目的という意味もある。テレオロジー（teleology）は「目的論」と訳される。ギリシャ語だと「完成」という意味も含まれている。

つまり、キリスト教の「終末」、テロスというのは「終わり」であって、「目的」であり、「完成」なんだ。

この目的論を身につけておくことは、勉強するときに役に立つ。たとえば卒論を書く。そのときに目先のことばかり考えないで、卒論が書き上がって口頭試問の場に自分がいる状況を想像する。そうしたら、そこでどのような質問が出てくるかが想像できるし、それに答えるためには論文はこのような形で書かないといけないということが逆算できるよね。試験に強い人、仕事ができる人はかならずこうした目的論的思考ができるんだよ。

東大医学部って、一学年にだいたい一〇〇人いるんだけれども、毎年、七、八人が医師国家試験に受かっていないよね。ということは合格率九二、三パーセントだから東大の医師国家試験の合格率は決して高くない。でも、東大理Ⅲというと日本で一番むずかしいと言われている。なんで、こんなことになるんだろう。

(M) 東大の理Ⅲに入ることがゴールだと思っているから。

受験に合格したところで満足して遊びほうける人。これが一番目だ。二番目は心の病気になっちゃう人。この二つは他の大学にもいるよね。

問題なのは三番目。それは完璧主義、物量主義の人。完璧主義、物量主義だと、大学入試まではこなせる。つまり、東大の過去問を二〇年分やって、それで対策本も全部きちんと読んで、端から端まで全部解けるような勉強をしていれば、東大には合格できる。

でも、それと同じやり方で医師の国家試験をやったら、範囲が膨大すぎる。入試のときと同じように物量主義、完璧主義で合格しようと思ったら、医師の国家試験は絶対に無理なんだ。でも、だからといって、こういう人はヤマを張れないわけ。ある特定の所だけ重点的にやろうというと、「もしヤマが外れたらどうしよう」と思ってノイローゼになる。でも、完璧主義でやったら何年かかっても合格しない。

これは司法試験も同じだね。今は三回しか受験できないルールになっているけれども、かつては何度でもチャレンジできたから、一〇浪なんていう人がざらにいた。そういう人は頭が悪いんじゃなくて、ヤマが張れないんだよね。「去年はここが出たから、今年は出ないだろう」と考えて、捨てることができない。

受験というのは目的論で考えないとダメなんだ。合格するには一〇〇点を取らなくてもいいわけだよね。合格ラインをクリアしていればいい。それが目的だよね。では、その合格ラインをクリアするのに最も効率的な勉強は何かと考える。例年の傾向を把握して、「今度の試験にはこの範囲が出そうだ」と予想すればそこを勉強するのでもいい。それで結果が出せればいいのであって、相手は君の努力ぶりなんか知らないわけだよ。

ほかに質問はあるかな?

## ユダヤ教の本質には「終末論的緊張」がある

(N)キリスト教徒にとっては、イエスが救世主として地上に現われたときがカイロスであるわけですが、ユダヤ教徒の場合、救世主は現われていないということになるわけですよね。そう考えると、ユダヤ教徒の場合、最も重要なカイロスはまだ存在していないということですか。

存在していない。ユダヤ教は希望を説くのではなくて、待望論なんだ。さっきも言ったけれども、カイロスは将来において訪れる。その日を待つのがユダヤ教徒。それは今、現に存在する地上のイスラエルではなくて、終末の日に本物のイスラエル、神の国が現われると信じているから、それをずっとは待望しているわけだ。

ユダヤ教とキリスト教の違いは、キリスト教は元本を保証されているわけ。キリスト教を信じると「絶対に救われますよ」という元本保証型商品なんだ。だから、生きている間に地上に神の国が現われなくてもいいわけ。すでにイエスによって救済が約束されているわけだから。その点、ユダヤ教は「こっちに入ると、今後、いいことがありますよ」と言うけれど、生きている間に「いいこと」があるという保証はない。死んだから天国に行けるというわけでもない。その点においては元本の保証はないんだね。いいところに気がついたね。

ユダヤ教の教えというのは、安心感を与えないんだよ。旧約聖書を見ても、そこにあるのは先人たちの失敗の記録ばかりだからね。だから、安心することなく、つねに前に前に進んでいく、努力していって、終わりの日に備えておかないといけないという「終末論的な緊張」がそこにはある。キリスト教にも終末論はあるけれども、そこのところの緊張関係というか、強迫観念はユダヤ教のほうがずっと強い。

はい。T君、ありがとう。よくがんばりました。いざ説明するとなると、大変だろう。よくがんばったね。

では『弁証法的唯物論と史的唯物論』の続きを読もう。

形而上学とは反対に、弁証法の出発点は、つぎのようなものである。自然物や自然現象はすべて、自己の否定的な側面と肯定的な側面、自己の過去と将来、その命数のつきつつあるものと発展しつつあるものとをもっているから、それには本来、内的矛盾がそなわっている。これらの対立物の闘争、古いものと新しいもの、死滅に瀕するものと生まれ出つつあるもの、命数のつきつつあるものと発展しつつあるものとの闘争が、発展過程の内的な内容をなし、量的変化の質的変化への転化の内的な内容をなしている、と。

だから、弁証法的方法の考えからいえば、低度のものから高度のものへの発展過程は、諸現象の調和のとれた展開としてでなしに、対象や現象に固有な諸矛盾の発露として、これらの矛盾にもとづいて作用する対立的な諸傾向の「闘争」としておこなわれるのである。(前掲書、14ページ)

ここのところの話の展開は、まさに社会進化論と瓜二つだよね。対立構造、闘争があることによって量的変化が質的変化へと転化して、より高度なものへと発展していく。つまり、闘争によって進歩が起きるということを言っているんだね。

**漢語の「矛盾」は哲学の概念では「対立」**

ところでね。ここで面倒くさい概念が出てくる。それは「矛盾」ということなんだよ。Wさん、矛盾って何?

Ⓦ 正しそうに見えて、実は筋が通っていないこと。

筋が通らない。日常語としてはその理解でいいと思う。矛盾という言葉の出典は知っているかな?

Ⓦ 中国に矛と盾を売っている商人がいて、「この矛は何でも突き抜ける」と言って売っていて、一方で「この盾はどんなものでも守れる」と言って、そうしたらそれを聞いていた人が「その矛でこの盾を突いたらどうなるんだ」と言って、そこから矛盾と言うようになった。

実際に突いてみたらどうなる?

Ⓦ うーん、どっちかが勝つ?

盾が通っちゃったら盾のほうが実は強くなかった、嘘だったということになる。矛のほうが突けなかったら矛を売っている商人が嘘をついていたということになるでしょう?

でも、哲学では、これは矛盾とは言わない。「対立」という。つまり、AとBとが違うことを言っていて、どっちかの主張が間違っている状況として考えれば。これは矛盾ではなくて、両者が対立しているだけの話だ。そして、それはたとえば、実際に矛で盾を貫いてみることによって、答えが出る。

だからこれは英語のcontradictionという単語に「矛盾」という言葉を宛てたことの間違い、誤訳なんだ。

矛盾というのは構造なんだ。

たとえば、カトリックには聖職者（神父）がいる。聖職者が神の言葉を取り次ぐ人であるとすると、一般の信者は聖職者の言葉に従えばいい。だが、その聖職者が実はろくでなしで、彼自身が聖書の教えに従った生活をしていないことが明らかで、神の言葉を取り次ぎする人にはとても考えられないとする。そこでどうするかというと、教会は「聖職者というのは人間性が不可欠なのではない。教会の教え、神の教えを取り次ぐという機能、ファンクションだけが重要で、それさえやっていれば、普段の行ないが多少、道を外れても問わないと答えた。なるほど、それでいちおう筋は通るけれども、でも、やはり聖書の教えを守れない人が神の言葉を伝えることが可能なのかと考えると、そこに矛盾が現われるわけだよね。

これは盾と矛の話とはちがって、実際にどっちが正しいかを突き合わせて勝利者を決めようという話ではない。教会は「それでいい」と言うが、信徒は「それでいいのか？」という疑問が生まれて、本当の意味での解決は得られない。ここに「矛盾」が現われるわけ。

ところが、そこにルターが現われて「信者一人一人が聖書の勉強をすれば、聖職者は不要になるんじゃないか」と言い出した。これを「万人祭司説」というんだけれども、そうなるところは構造改革だから、今までの矛盾が解決される機縁が出てくる。ちなみにプロテスタント教会に聖職者という概念はない。牧師は聖職ではない。神の言葉を伝えるという機能を担う教職に就いていると考えている。

対立は本質的に解決可能だよ。一方が他を圧倒すればいいわけだ。たとえば、マルクスは資本家と労働者は資本主義社会の中で互いに対立し合う存在であると同時に、どちらも相手を必要としている、この関係は解決不能である。つまり社会的な矛盾があるというわけだ。

しかし、そこに社会主義体制を導入すれば、この矛盾は解決される。経済のシステムを変えれば、資本家も労働者もいなくなって、そこに残るのは人間だけになる。構造が変化することによって矛盾は解消されるわけだね。

このように対立というのは相手を倒すことによってしか解決できない問題、矛盾というのは構造そのものを変えないことには解決できない問題という違いがある。そこのところが日本人はよく分かっていないんだ。

ちなみに、対立、矛盾と似た言葉に「差異」という単語があるよね。

答えを先に言えば「差異」は解消できない。たとえば男と女の間には差異があるけれども、その差異は解消できないよね。男と女では体のつくり、DNAからして違うわけだから。身長についても個人間では差異がある。でも、この差異はどうしようもない。みな同じ身長にするわけにはいかないからね。

「趣味」も同じく差異だよね。たとえば明るい色が好き、暗い色が好きという趣味の違いは変えることはできない。対立だったら、「どっちが偉い」という解決があるし、矛盾だったら「構造を変える」という解決方法もある。でも、差異の場合は解決のしようがないし、みんなが同じようになって意味があるのかという問題もある。

矛盾、対立、差異――この三つは、哲学的には別の概念だからね。日本語の場合、特に矛盾と対立はごちゃごちゃになっちゃっていて、ことに矛盾についての理解が間違っている。日常語のレベルならば、間違ったままでも何とか通用するけれども、学問のレベルで間違った用法をしていると、話が噛み合わなくなって、理解不能にさえなるから気をつけないといけないんだ。

## マルキシズムには人間観が欠落していると考えた「道標派」

さて、ここでアレクサンドル・ボグダーノフ（一八七三〜一九二八）の文章を紹介しよう。ボグダーノフという人は革命前の一時期はレーニンに次いでボルシェヴィキの中でナンバー2にもなったんだけど、そのレーニンと対立してボルシェヴィキから追い出されてしまった。でも彼自身は社会主義運動から離れたわけではなくて、ロシア革命後にはモスクワ大学の経済学部の教授になったりするんだけど、そこからが面白くて、彼は火星を舞台にしたSF小説を書いているし、不老不死の実現を本気で考えて、輸血によって若返りができるという仮説から自分自身も十一回にわたる輸血をやっている。でも、そこでマラリアや結核患者の血を間違って自分に輸血したために死んだと言われている人なんだ。

さて、そのボグダーノフはソ連の共産主義の中に潜んでいる宗教性を見抜いて、共産主義からどのように宗教性を抜いていくかを考えた人でもある。それがここで紹介する『信仰と科学』という著作なんだ。

私がこれからおこなおうとしているのは、宗教的思考と科学的思考との相互関係を、もっとも最近の例——一九〇九年に出たイリインの著書——を用いて明らかにすることである。そのため、双方の差異についての最新の見解のみを分析の出発点とし、長々しい歴史的分析に立ち入ることは控える。とはいえ、議論が一面的になるのを避けるために、手はじめとしてまったく相異なる出典から用語の定義をいくつか引いておきたい。

たとえば、反動の鞭の下で利口になったロシアの自由主義者たちが懺悔のために出した論文集『道標』に収められた論文で、フランク氏はつぎのように述べている。

（アレクサンドル・ボグダーノフ『信仰と科学』未來社刊、佐藤正則訳、8ページ。文中の傍点は原文ではゴシック体＝以下同）

アレクサンドル・ボグダーノフ

イリインというのはレーニンのペンネームのことで、ここで「イリインの著書」と言われているのは、レーニンの『唯物論と経験批判論』を指している。

で、その後に出てくる『道標』というのは、ロシア語ではベーヒ（Вехи）というタイトルです。英語だとマイルストーン。「道標派」というとベーヒストィとなるんだけども、これはロシアでひじょうに重要な思想的な潮流なんだ。

さて、そこで質問だけれどもYさん、どうしてロシアの第一次革命は一九〇五年に起きたの？　これは世界史的に見ると何があった？

（Y）日露戦争のあった年です。

その通り。一九〇四年に始まった日露戦争では、戦前の予想に反して、ロシアが日本に対して劣勢になった。そこでロシアでは「今の政府ではダメだ」という話になって。大規模なデモが一九〇五年の一月、当時の首都であるサンクトペテルブルクで起きたんだ。そのデモに対して警官隊が発砲して多数の死者が出た。これを「血の日曜日事件」というのだけれども、これをきっかけに革命が起きたんだ。それが第一次革命。

でも、この革命も長くは続かなくて、結局、鎮圧されてしまうんだね。

その革命失敗のプロセスを見て、インテリのマルクス主義者たち——たとえば、ブルガーコフ、ベルジャーエフ、ストルーヴェ——は、「この革命が失敗したのはマルクス主義に欠陥があるためじゃないか」と考えた。特にブルガーコフは、後に『唯物論から観念論へ』という論文集にまとめたように、「マルクス主義は社会の構造に斬り込んだけれども、人間の問題に踏み込んでいない。人間自身が持つ欠陥や罪について、常に目を向けていないといけない」という批判をした。そこにおいて、重視されたのがキリスト教的な価値観で、こうした主張を持つ人たちを「道標派」と呼んだ。

つまり、道標派というのはマルクス主義から宗教思想に転向していったグループなわけだよ。このグループは社会的正義を実現するにはマルクス主義では不十分だというので、レーニンと烈しくぶつかった。

きわめてさまざまな宗教的見解があるけれども、つねに宗教とは、絶対的価値を有するものが実在すると信じることであり、この世の存在のもつ現実の力と精神（霊）のもつ理想の真実が一体化している原理というものを認めることである。宗教的な情調は結局、もろもろの至高価値の、人間を越えた宇宙的な意味を認識することにゆきつく。それに対し、相対的で人間的な意味しか理想としない世界観はことごとく非宗教的、反宗教的なものである。（現代企画室刊『道標――ロシア革命批判論文集1』所収、フランク「ニヒリズムの倫理」御子柴道夫訳、202ページ）

ここで引用されているのは道標派のフランク Semyon L. Frank の文章だけど、要するに「人間を超えた、至高の理想を認めないと革命は失敗するよ」ということだよね。至高の価値とは、神のことだね。

さて、そこで、このフランクの思想と相通じるボグダーノフの文章に戻ろう。

他方、宗教的思考と命をかけて闘うことを目的としている『唯物論と経験批判論』には、つぎのように書かれている。

信仰主義とは、知識のかわりに信仰を置く、あるいは一般に信仰にある重要性を与える学説である。（二ページ、イリインは「信仰主義」を「宗教的思考」という用語の代わりに用いている）〔『レーニン全集』第一四巻、大月書店、一九五六年、一〇頁〕

われわれ史的唯物論者は、イデオロギーが結局のところ生産関係によって決定されるものであり、宗教的思考もまたそうしたイデオロギーの一種にほかならないことを知っている。したがって、われわれにとっては、長短にかかわらずこのような特徴づけでは明らかに不十分である。われわれに必要なのは、この種のイデオロギーの社会的本質を明るみに出すことである。まさしくこの問題に私は他の誰よりも時間を割いてきたので、この点についてあえてみずから、、、の見解を述べてみようと思うのだ。（ボグダーノフ前掲書、9～10ページ）

レーニンは「知識のかわりに信仰を置く」のは信仰主義であって、知識や理性を信じるのが共産主義であるということを主張しているわけど、ボグダーノフは「単に信仰主義を否定するだけではなくて、宗教が生まれてくる根源まで掘り下げていかないと、この問題は解決しないよ」と考えているわけだね。

## 権威の起源

> 宗教的思考は権威主義的労働関係（指導―実行、あるいは権力―服従）と分かちがたく結びついたものであり、そこから生じ、それを反映している。宗教的思考の特徴は、権力的物神（フェティッシュ）をつくりだし、それに恭順し服従することを人々に要求するという点にある。これは、人々の社会生活を「権威」が現実に支配しているがゆえに空想が生みだす理想像である。要するに、宗教的思考とは権威主義的思考にほかならない。（前掲書、10ページ）

ここでは「権威」がキーワードになっているわけだけど、権威はいったいどうやって生まれるの？　たとえば労働の現場では、資本家が命令する側、つまり権威になるわけだけれども、これは資本家が労働者に賃金を払っているからこそ生まれる関係だよね。そして、そういう関係が永続化すると、資本家の言っていることならば従うということになれちゃって、階級が出来てくる。そして、そういう関係性を下支えするのがイデオロギーであるというのがレーニンなどの見方になるわけだけど、でもこれですべてが説明できるわけではない。宗教なんかはその好例で、別に強制力を持っているわけではない。

では、いったい権威の起源はどこにあるのだという話なのだけれども、その起源は「贈与」にあると考えることも可能だよね。

たとえば柄谷行人（からたにこうじん）さんの本を読んでいると、ポトラッチの話が出てくる。ポトラッチというのはレヴィ＝ストロースなどの文化人類学者が重視することだけれども、アメリカ先住民族では、そこを支配する長がどんどんどんどん自分の財産を人に分け与える。そうして分け与えることによって権力を維持していくというわけで、これは一種の「ばらまき」だよね。つまり贈与で権威が生まれている。

そういう点では、お中元とかお歳暮も「あげて」「もらって」という形での贈与関係だね。ただ、この場合は相互的なポトラッチになるから権威が生まれるわけではない。でも、お返しができないほどの贈り物をもらったとしたらどうなる？　たとえばそれは現金でも、ダイヤでも車でもいいんだけれども、それを受け取ったら身分関係が生じるよね。気分として「この人の言うことには従わなきゃいけない」って感じになる。だから、贈与は実は権力の成立にはひじょうに影響があるんだというのが『贈与論』を書いたモースの主張だね。こうした関係の延長として、宗教権力もあると彼は言っているわけなんだ。

## ボグダーノフはなぜ失脚したか

さて、そこでボグダーノフは何と言っているだろう。

この観点から見るならば、先に引用したフランク氏のような観念論者たちが強調する「絶対的価値」が宗教的思考において果たす役割も、またイリインが問題を帰着させている「信仰」が意味するものも、明らかなものとなる。「絶対的なもの」への志向はあらゆる権威につきものである。なぜなら、権威への服従がゆるぎないものとなるのはただ、権威から出てくる命令や指図、承認といったものが、なにか無条件のもので、変更や批判の余地のない最終的なものとして受けいれられるときに限られるからである。そして言うまでもなく、宗教思想と宗教的気運がつくりだす理念上の権威は、こうした絶対的なものへの志向の究極のものでなくてはならない。他方、「信仰」とは、みずからが認める権威にたいして人間がとる態度のことである。それは、権威にたいするたんなる信頼、同意ではなくて、服従にもとづく信頼、同意である。つまり、個人的な思想や批判を排除すること、研究を拒否すること、起こりうるあらゆる疑いを抑圧すること、意志行為を受動的な認識へと向けることに依拠している。（前掲書、10〜11ページ）

党の指導を無条件に信頼するのも、宗教の変形だとも言えるね。そういったことをボグダーノフは批判する。「レーニンが言っている」という形であれば、何でも信用するのだったら、それはキリスト教から共産主義に信仰を変えただけのことで、服従の対象が変わっただけのことだとボグダーノフは批判しているわけだ。

キリスト教は「イエス・キリストに服従しなさい」と教えているけれども、それは知性を捨てよということに他ならない。それと同じように「レーニンが言っていることに従う」というのであれば、これも知性の否定であり、科学的精神の放棄となる。このボグダーノフの主張は、しごくまっとうだよね。

ボグダーノフは徹底的に共産主義から信仰や服従につながる、知性否定の傾向を極力排除して、もっと徹底的な無神論を組み立てようと考えるんだけど、その結果はどうなったかというと「既成の権威を無批判に受け容れるのではなく、神様を意図的に、積極的に作り出せばいいのだ」という建神主義に行き着くんだね。それだったら「服従」ではないから、科学性は担保されているというのが彼のロジックだ。

で、ボグダーノフはそれを実践するために、さっきもちょっと紹介したけど、人間の血液を入れ替えることで思想改造ができるという理論を立てて、自分自身も実験台になった。その結果、最後は命を落としてしまう人なんだ。

## 質料と形相

> このことからまったく明らかなように、宗教的思考は静的な特徴をもっている。宗教的思考は不変で不動なものを求め、認識と実践の歩みを停止させようとする。（前掲書、11ページ）

ボグダーノフは「宗教的思考は静的な特徴をもっている」という主張をしている。宗教は人の思考を麻痺させるというわけだけど、それは正しいかな？　Sさん、どう思う？

(S) 正しくないです。

なんで?

(S) 少なくともキリスト教では、そういうことはない気がします。そうでないと近代社会はできなかったと思うし。

たしかに、ユダヤ・キリスト教の神というのは動的な概念だ。ただし、中世のスコラ哲学は静的だった。というのも、スコラ哲学はアリストテレス哲学の枠組みを使っていて、そのアリストテレス哲学は静的なものだった。

M君、神学部の講義でやったけれども、アリストテレス哲学のキーワードは「質料」と「形相」だよね。

たとえば、机というものがあったら、机の材料となっている木が「質料」であり、それによって作られている机が「形相」という関係にある。質料と形相は実体的な概念ではなく、関係概念だから見方を変えると、質料とされているものが形相に転じることもある。

たとえば、パンと小麦粉においては、どちらが形相で、どちらが質料?

(M) 小麦粉が質料で、パンが形相です。

では、小麦粉と小麦であれば、どっちが形相でどちらが質料か。

(M) 小麦粉は小麦を製粉したものだから……小麦が質料で、小麦粉は形相です。

近代以前の哲学においては物事を観察するときの基本は「どういう質料・形相関係なのか」を追求することだった。で、その質料が分かったら、その質料の元になっている質料を探していく。そうやって最後に行きついたものを「第一質料」と言う。

アリストテレスによれば、この第一質料こそが「動かざるもの」であって、すべての原点にあるものだと言うのだけれども、それをトマス・アクィナスなどの神学者たちが「第一質料とは神である」とした。だから、彼らにとっての神とは「動かざるもの」であって、スタティック、静的なものなんだ。

こうした思想を一言で言えば、「神はある」ということになる。神はまるで山のように存在する不動なもの。

でも、実際の神というのは「ある」という言葉では片付けられない。神は人間には理解不能な存在で、つねに動いている。だから「神は成る」とか「神は行く」ということになるけれども、その動き方というのは人間には説明がつかないわけ。だからあえて静的な概念で「神はある」と説明する。

M君、動いているものを静的なもので説明することは可能かな？

(M) 不可能です。

そうかな。たとえば写真はどう？　動きのあるものを写真で撮る。写真は被写体の動きを、ある瞬間に切り取ったもの。絵画だってそうだよね。絵は静止しているけど、そこに動きを表現することができる。

だから、中世の神学において、アリストテレス的なアプローチでもって、神の動きを示そうとしているわけ。本当は動いているのだけれども、我々は静止した形でしか認識ができない。

そこに神学のむずかしさがあるわけだ。

ボグダーノフが「宗教的な思考は静的な特徴を持っている」と言ったのは、当時彼が読んでいる宗教文献が、スコラ的な、カトリックとか正教のものが多かったからだと思う。だから宗教というのは静的なものに見えたんだろうね。

**神はどこにいるのか**

信仰は、なんらかの生活形態、なんらかの真理を絶対的な意味をもつものとみなし、それらにたいする批判を許さない。したがって、それらがより発展することを認めない。ましてや、根本的な変化を加えたり、より高次のものととりかえたりすることはなおさらである。これは宗教的思考のとりわけ重要な特徴であり、いかなる粉飾によっても覆いかくすことはできない。にもかかわらず、科学的思考が未曽有の勝利を収めつつある時代である現代においても、宗教的思考はじつに頻繁に粉飾という手段に訴えようとする。（前掲書、同）

ここにもボグダーノフの宗教観が現われているよね。宗教は硬直した思考の体系であって、批判を許さない。科学が勝利を収めつつある時代において、完全に宗教は取り残されているけれども、それを粉飾することによってごまかしているというわけだ。

さて、ここまでの話を基礎に議論しておこう。Kさん、おとぎ話の世界とか聖書の世界とかで、神様はどこにいる？

（K）天です。

天にいる。天とは空のことだよね。でも、考えてごらん、日本にいる我々にとって神様が天にいるとするならば、地球の反対側、ブラジルの人たちにとって神様はどこにいることになる？

（K）日本は真裏だから、神様は足の下の方向にいる。

そうなる理屈だよね。どう考えてもブラジルの人にとっては足の下に神様がいることになる。

この矛盾を解決する方法は三つある。

一つは「地球は平らである」とする。地球が丸いという世界観、宇宙像は間違っている。君たちにとってはバカみたいな主張に聞こえるかもしれないけれども、アメリカには「地球平面説」を信じている人が何十万人もいて、そういう人たちが協会を作ったりしている。彼らは「地球が丸いと信じ込まされているのは一種の陰謀で、本当は地球はフラットで、どんどん進んでいくと大地の端っこに行き着いて、そこから先はないんだ」というわけ。これならば、ブラジル人にとっても日本人にとっても神様は頭の上にいることになる。

副島隆彦（そえじまたかひこ）さんって、聞いたことある？　在野の思想家で、私は二年に一回くらい、一緒に仕事をするんだけどね。『人類の月面着陸は無かったろう論』（徳間書店）という本を書いて、日本トンデモ本大賞を取っている。

（学生一同）（笑）

彼と最初に仕事をすることになる前から、一度会ってみたいと思っていたんだけど、なかなか勇気がなくてね。で、初対面のときに質問されたわけ。「一緒に仕事ができる人かどうか、私はまずお訊ねするんです」「佐藤さんは、人類は月面に到達したと思っていますか」と。

私は「はい、信じています」と答えた。「私はキリスト教徒なので、死人が三日後に復活したことを信じてしまいますから」「人類が月面に到達したくらいのことは信じちゃうんです」と。「信じているという話だったらそれでいいですよ、ハハハハ」とか言って、それで終わりだった。あのとき、私が「月面に人類が到達したのは事実です」と言ったら、話は違ったかもね。

## サイエンス・コミュニケーターの仕事とは

そうしたら、そのとき同席した編集者やライターに対して、副島さんが怒ってね。

というのも、太田竜という思想家がいて――元々は新左翼系の活動家だったんだけど――、彼が晩年に陰謀論の本を出したんだ。それは「世界支配を企む秘密結社のイルミナティの正体は、爬虫類(はちゅうるい)型の宇宙人で、人類は彼らに支配されているんだ」という内容のものなんだけど、それを作ったのが、同席した編集者とライターの二人だったそうなんだ。

で、副島さんは「君たちはけしからん。爬虫類人なんて陰謀論は、ユダヤ系のロックフェラーとかが世界を征服しようとする陰謀を隠蔽するために流したでっち上げで、それをうかうかと出版するとは」と、メタな話をするわけだ。「そんな低レベルの陰謀論に乗せられるとはけしからん」と言って、編集者とライターに説教しはじめたんだ。

そうしたら、七十歳近いライターが、耳を真っ赤にして反論をするんだよ。「お言葉を返すようですが、副島先生はホワイトハウスやウォールストリートにいる連中が本当に哺乳類だと思っているんですか」と。

私はそれを横で見ていて「これはすごい、レベルが違う」と心から感嘆したんだ。

（学生一同）（笑）

このライターとか編集者は「売れるから」と思って陰謀論の本を出しているんじゃない。本気でヒラリーやトランプが爬虫類だと思って、日本人に警告しないといけないと思っている。世の中は奥行きが深いなと、そのときつくづく思った。

（学生一同）（爆笑）

しかも、そういった本が二万部とか三万部売れている。つまり、ちょっとした野球場を一杯にできるくらいの人がこの国にいて、人類の支配者は爬虫類だと真剣に信じているわけだよね。だからアメリカのことを笑ってはいられない。

ここにいる人たちはサイエンス・コミュニケーターを目指しているわけだけど、このような人たちとどのように渡り合っていくかという、大変な課題を与えられている。こういう人たちの信念体系を外部から崩すというのは、本当に大変なことなんだ。

でも、ここまで高度なレベルでなくても、人間ってかならずしも合理的に動いているわけじゃないからね。

たとえば、宝くじを考えてみよう。

宝くじの期待値ってどのくらいか知っている？　くじの種類にもよるんだけど、だいたい四五から五〇パーセント。これはギャンブルの中でも最もリターンが少ない。宝くじを買ったら、その総額の半分は運営団体に流れるということで、こんなに率の悪いギャンブルはない。日本の競馬も控除率、つまり天引きされる率は高くて評判が悪いけれども、それでも二五から三〇パーセントだよ。まだ、競馬のほうが良心的だよ。

つまり、数学的、合理的に考えたら宝くじなんて買わないほうがいい。

でもジャンボ宝くじが発売されれば、メディアもかならず報じるほどのお祭り騒ぎになる。「ここから一等三億円が当たりました」という売り場があれば、行列してでもそこで買う。どこで買ったって当たる確率は同じなのにね。ものすごく不合理なことを人間はやっているよ。

爬虫類に支配されていると信じている人たちがいるのも不思議ではない。

**（学生一同）**（笑）

サイエンス・コミュニケーターの重要な仕事の一つは、人々にこうした不合理な行動をさせないように説得することがある。世の中はインチキやトリックがたくさんあるから、その警告をする。これは重要な仕事だ。

## インチキ宗教に騙されるな

さて、話を戻そう。

神様は「天にいる」としたら起きる矛盾をどうするか――その解決方法には三つあると言った。一つは「地球は平面である」と仮定することで解決するというやり方だけど、二番目は何だろう。

それは簡単に言ってしまえば、宗教と科学で棲み分けるという方法だ。

つまり、キリスト教の世界では「神は天にある」と考えるけれども、それを科学の領域にまでは拡大しない。宗教には宗教の真理があり、科学には科学の真理があるという二元論を構築する。

そういう構えにすれば、神が天上にいるという考え方に対して、科学の側が批判するのは無意味だということになる。

でも、こうして棲み分けすることで宗教の側にデメリットは発生する。それは何かというと、これだけ科学の領域が発展すると、宗教の領域が相対的にどんどん小さくなってしまうのではないかという危惧だ。

もし、宗教の領域がどんどん後退していって、狭くなると最終的にはどうなるだろう？　宗教が生き延びることの領域は何になるだろう？

Gさん、将来、君が結婚して、夫が浮気したことが発覚したらどうする？　事前に浮気をする男かそうじゃないかが分かれば苦労しないけど、それは無理だよね。

夫の携帯の発信履歴やメールをチェックして「これは何？」ってやる？　あるいは探偵を雇う？

でも、それで得られるのは夫が浮気しているという事実だけで、問題の解決にはなっていないよね。証拠を突きつけて何かを得るとしたら、離婚することくらいだよね。証拠があったところで、夫が悔い改めるという保証はないよね。あるいは心理カウンセラーのところに夫婦で行くということも一つの手かもしれない。でも、これも保証がない。

ただ、そこで絶対に気をつけなければいけないのは、「うちの神様にお祈りすれば問題解決します」とか「夫婦仲が悪くなったのはご先祖様の供養をちゃんとしなかったからです」なんて言って近づいてくる宗教だ。

これは病気のときでも同じだよね。

私の友人が先日、膵臓癌で亡くなったのだけれども、彼から自分の癌がステージⅣで、治る見込みがないというのを最初に聞いたときに「二つのことに気をつけなさい」とアドバイスをした。一つ目は高額な代替医療を薦めてくる医者。医者が全員、良心的であるとは限らない。世の中には患者の「藁(わら)にもすがりたい」という気持ちにつけこんで、自由診療の代替療法を受けさせて儲けようとする悪辣な連中もいる。日本の医療は世界一の水準にあって、国民健康保険制度を使っても最先端の、ちゃんとした治療をしてもらえる。

もう一つ、彼に「注意しなさい」といったのは宗教。こういった人たちの弱みにつけ込んで「病気を治してやる」と言って近づいてくる宗教があるが、それはみんな金目当てだ。「それは本来の宗教ではない」と彼に言った。

## キリスト教における「科学と宗教の棲み分け」

かつて貧しかった時代、そして今のような医療がなかった時代においては、「不治の病」にかかった人がすがれるのは宗教しかなかったのは事実だ。そこで加持祈禱や手かざしを行なうのは一種、心理的な作用があったことは否定しない。たとえば神学者として有名な滝沢克己は晩年、加齢黄斑変性という、当時としては治療のむずかしい目の病気にかかって、最後は手かざしのほうに行ったからね。ちなみに、今は加齢黄斑変性には治療法もいくつか見つかっているよ。

でも、やはりキリスト教的に考えるならば、誰でもが医療のリソースにアクセスできる体制、要するに保険制度を整えて、誰でもリーズナブルな治療費で最新の治療を受けられるように努力することが第一であって、「現代の医学には限界があるから、宗教に来なさい」という方法は間違っていると思う。

そういう意味では科学と宗教の棲み分けをしましょうという方法にはひじょうに問題があると言える。科学が発達していく中で、活動領域が狭まった宗教がいかがわしいことに手を染めてしまう危険性が高まる。それはキリスト教も同じだ。

では、キリスト教はどのようにして、この問題を解決したかといえば、それが第三の方法で、神の場所を転換した。

神様は天にいるのではない、心の中にいるとしたんだ。

そこでGさんに質問だ、君には心があるよね？　心はどこにある？
（G）頭……か。
Sさん、あなたは心はどこにあると思う？
（S）私もやっぱり脳だと思います。
まあ、ここで「爪先に私の心があります」とか「お尻にあります」という人はまずいないと思う。たいていは脳か、心臓とかにあると考えるわけだけど、でも、具体的に「心は脳のここに宿っている」と示すことは現代の科学でもできない。

我々は心を見ることはできない。でも、確実に心は存在する。

これは神様と同じだよね。キリスト教徒は神は確実に存在すると思っているけれども、それがこの宇宙のどこにいるかを具体的に指し示すことはできない。

心と神様がパラレルな関係にあるというのは、近代科学の時代になって分かってきた。つまり、パラダイム・シフトの後の時代の話だよね。だとすれば、それ以前のパラダイムでは「神は天にいる」と表現したけれども、新しいパラダイムでは別の表現に変換されるべきだということになる。

そこで出てきたのが「神は心の中にいる」という考えなんだ。

## シュライエルマッハーの思想

このパラダイム変換をやったのはフリードリヒ・シュライエルマッハーという神学者だ。彼は十八世紀の終わりから十九世紀の初めにドイツで活躍したんだけども、特に大学改革で重要な仕事をしている。実はサイエンス・コミュニケーターの考え方と、シュライエルマッハーの考え方がすごく関係しているんだ。

彼のいた時代は、ちょうどナポレオン戦争のあった時代で、ドイツはナポレオン率いるフランス軍にコテンパンにやられて、ナポレオンのベルリン入城を許してしまった。

そのときの敗因分析として言われたのが「ドイツの教育水準が低いからだ」ということだった。

当時のフランスはナポレオンによって総合大学から神学部が一掃されてしまった。それだけでなくて大学そのものを解体して、それぞれの学科を専門学校化したんだ。その代表がエコール・ポリテクニーク（理工系）、パリ高等師範学校（エコール・ノルマル・シュペリウール）などで、フランスではこういう専門学校が最高学府になっている。今、フランスで一番むずかしいのは、ＥＮＡ（エナ、フランス国立行政学院）だよね。

そこでドイツでもフランスに倣って、総合大学解体の動きが高まった。中でも神学部が最も攻撃の対象になったし、また哲学や文学などのリベラル・アーツも国力向上に関係ないから勉強する必要はない。実学として役に立つ法学とか工学、医学などを残して、それぞれを専門学校化しようとした。

こうした動きに最も反対したのがシュライエルマッハーで、「そんなことをしたら、中世の職人学校に戻る」と主張した。中世のヨーロッパの各都市にはギルドがあって、その中で職人の養成をしていて、親方はマイスターと言われていた。

シュライエルマッハーはそれと同時に「現代は学問が専門化・分化しているから、一人の人間がその全体に通暁するのは不可能だ」とした上で、哲学部の強化・拡充を求めたんだ。つまり、神学、医学、工学、法学……それぞれの学部の教授が哲学部で講座を持って、自分が今、どういう研究をしているかについて、他の学部の先生や学生たちに分かる言葉で講義をするようにしようというわけだ。つまり、哲学部を一種の知的センターにして、そこで文系・理系の壁を超えた教養教育を行なおうと言った。

シュライエルマッハーはプロイセンの王様付きの牧師でもあったから、王様への影響がひじょうに強かった。だからドイツはフランスとは違った方向での教育改革を行なった。それがおそらく、十九世紀から二十世紀にかけてのドイツの歴史に、良くも悪くも影響を与えていると思う。

フリードリヒ・シュライエルマッハー

**教養教育をどう復活させるか**

戦前の日本の教育システムはドイツの教養主義の影響を受けていた。その象徴が高等学校教育だよね。つまり、戦前の高校というのは大学で専門教育を受ける手前の、いわば教養学部としての役割を果たしていた。今は中学の続きが高校で、高校と大学の連係が断絶している状態だけれども、戦前は高校に入った学生は基本的にみんな帝国大学に入学できた。そのくらい、高校と大学はつながっていた。

この間、竹内洋先生と教育問題について対談をした（『大学の問題　問題の大学』時事通信社）。そこで竹内先生が提案していた大学改革が面白かったんだけど、私も竹内先生も日本の場合、大学の学部教育を短くしたほうがいいという点で一致した。

戦後の日本の教育はアメリカの影響がすごく強い。アメリカの大学も日本の大学も四年制である点は同じだよね。でも、アメリカの場合は高校での学習進度が日本よりも遅いから、その分、大学で教えているわけだよね。そう考えると。日本の大学はアメリカと同じにする必要はない。もっと短くてもいい。私も竹内先生も大学は三年制にしたほうがいいという話になった。それで私は大学院の修士課程は三年にするというプランなんだけれどもね。

で、そこで竹内先生の話で面白かったのは、その三年制の大学は二種類あったほうがいいという提案だった。つまり、一つは徹底的な教養重視。すなわち、いわゆるリベラル・アーツと呼ばれる哲学や歴史などと、あとは数学と外国語、これだけに絞る。ドイツ型の教育だ。その一方で、専門学校的な大学を作る。法律や経済、理工学などに特化した大学を作る。これはフランスの考え方に近いよね。で、大学院には、この二種類の大学のどちらからでも進学できるようにする。

いわばこれは複線型だよね。大学院を頂点とすれば、そこに行くには二通りのルートがある。複線型の教育は戦前の日本もそうだった。

高等教育としては高等学校から帝国大学に進学する道もあるけれども、師範学校もあるし、軍人を希望する人は陸軍幼年学校、陸軍士官学校、海軍だと海軍兵学校などに進学する。そのほかにも専門学校として農学や薬学、工業、商業などがあった。一橋大も元々は商業専門学校だからね。

ちなみに師範学校や陸軍士官学校や海軍兵学校は学費が不要。どれも国家に必要な人材を育てるための学校だからね。そこで、戦前は家庭の経済事情が厳しくて高等学校に進学できない子はこれらの学校を目指す。師範学校を出れば小学校の先生になる。中学校の先生を目指す人は高等師範学校に行く。師範学校は各道府県に一校ずつあるけれども、高等師範学校は東京、広島、金沢、岡崎の四つ。女子のほうは女子高等師範学校というのがあって東京、奈良、広島に置かれた。

こういう具合に戦前には複数の進学コースがあったんだけど、戦争に負けてGHQがこれらのシステムを全部叩き壊して、単線にした。陸士や海兵は当然なくなったけれども、専門学校や師範学校はみな大学に吸収されて、農学部や工学部、教育学部などになったんだね。ただ、教員養成に関しては単に大学を出れば資格が与えられるのではなくて、いわゆる教員養成課程を選択しないといけない。ここでは教科教育法といって一種のプレゼンテーション・スキルを教えるので、将来、教職に就くつもりがなくても受けられたら、受けたほうがいいよ。

世の中にはリベラル・アーツみたいなのが苦手な人もたくさんいるしね。それよりは少しでも早く、専門性の高い教育を受けた方がいいという人もいるんだから、大学生全員にエリート教育を受けさせることはないというのが竹内洋先生の意見で、「それはそれで一理あるな」と思った。

いずれにせよ、日本の高等教育は曲がり角に来ているのは間違いない。

## 第一次大戦で生まれた「疑念」

さて、話を戻そう。

シュライエルマッハーによって、神様は心の中にいるということになった。これで「自分の心の声に忠実であれ」ということにもなるから、自然科学的な問題とは全然矛盾がなくなった。そこでドイツを始め、イギリスやオランダなどプロテスタント国において、科学が発展することになった。また、フランスもカトリック国とは言われるけれども、一定数のプロテスタントがいる。いわゆるユグノーと言われる人たちがそうだけれども、この人たちがフランスの科学技術を発展させる上で、大きな役割を果たした。

ところが、そこで問題が生じた。それは何だと思う？

それは今、言ったことと重なるのだけれども、心の中に神様がいるというふうになると、自分の意見や思想と神様の声が一緒になってしまって区別がつかなくなる。その中には「自分は絶対に正しい」「自分の考えは神のご意志なんだ」という人が出てくる。

そういうことが積み重なっていった結果が第一次大戦なんだ。

第一次大戦が起きるまでは、心の中に神様がいて、人間が理性をどんどん発展させていけば理想的な社会が生まれ、戦争もなくなるんじゃないかと思われていた。ところが、誰が仕掛けたというわけでもないのに、欧州で大戦が勃発してしまった。しかも、そこでは大量殺人兵器である機関銃や毒ガスが使われて、たくさんの兵隊が死んだ。町も廃墟になった。

これを見て、ヨーロッパの知識人たちは、人類の理性に対する信頼というか、楽観主義を失ってしまったわけだよ。

でも、そこからぜんぜん違う発想が出てきた。相対性理論もそうだし、量子力学もそう。また哲学の領域でもゲーデルの不完全性定理や、ハイデッガーの実存哲学が出てくるのも第一次大戦で生まれた「理性の限界」という問題意識とも結びついている。

このままでは欧州の文明、人類の文明は滅びてしまうかもしれないという危機感があったからこそ、新しい思想が出てきた。そういう意味では第一次大戦は大きなターニングポイントになった。前に「長い二十世紀」という話をしたけれども、その原点はまさにここにあったわけだね。

## なぜアメリカの問題意識は一〇〇年も遅れたのか

ただし、こうした思想を共有できなかったのがアメリカだった。アメリカは第一次大戦に後から参戦したわけだけど、自国は戦場になっていないから、人間の理性は疑わしいものだという問題意識を共有できなかった。だから、今でもアメリカ人の意識は十九世紀のままなんだよね。つまり、啓蒙的な理性によって科学技術が発展すれば、理想的な社会ができると今でもナイーヴに信じている。そしてその国が今でも世界一の超大国だということが、ひじょうに重要なポイントなんだ。

だから、ある意味、一九一九年、第一次大戦が終わったときに欧州の人たちが直面した問題がそれから一〇〇年経った今日でも解決されないまま、持ち越されているとも言えるよね。つまり、人間の知性は本当に信じられるかということだよね。

それが端的に表われているのが、やっぱりトランプ大統領の支持者たちだ。

**（学生一同）**（笑）

君たちは笑っているけれども、日本だって「NHKから国民を守る党」とか出てきている。幸い、今のところ、N国党が国政にコミットすることはないけれども、似たような党が出てくる可能性は十分にあるよね。「常識で考えたら、そんな無茶な政策はしないよね」と有権者は思っていても、「外交問題は戦争で解決する」みたいな政党が本当に現われるかもしれない。

## なぜ専門化が進むと保守的になるのか

そこで話を戻せば、ボクダーノフは社会の専門化こそが人間の進歩を阻んでいるという問題提起をしているんだよね。

> 専門化とは一つの社会関係であり、分業の一形態である。それは技術の分野に

おいても、科学においても同様である。専門化は、一方では人間の労働の場を狭める、が、他方ではこの限定された場のなかで人間の力を集中させるという意味をもっている。第一の事情は人間の活動の保守性を強め、人間を前進させる外的作用の量を減少させ、人間の発展をもたらす材料を奪いとる。他方、第二の事情は労働生産性を高め、そのことによって通常は人間をより進歩的なものとする。（前掲書、135ページ）

なんで専門化は人間を保守的にするのだろう？　そこでキーワードになるのはパラダイムだ。専門家は、ノーマル・サイエンス、つまりすでにエスタブリッシュされた科学の中で思考するわけでしょ。そうしたらその発想はどうなる？　単なるパズル解きになるわけだよね。「今のルールの中でパズルを解いていく」という発想になる。それでは新しい発想、画期的な発見は生まれてこない。結局、本当はもっと新しいところに向かっていくべき専門家がかえって保守的になってしまう。これはボグダーノフの指摘が正しい。

## 官僚化がもたらす「悪の凡庸性」

どちらのほうが重要なのか？　どちらの傾向のほうが強いのか？　これは事実の問題であり、歴史の問題である。長い間、技術と科学の進歩は専門化とともに進展してきた。しかし、集団労働の場が限りなく広くなると、個人的な労働の場は狭められ、そのため個人は次第に集団から切りはなされるようになり、無力なものとなっていった。専門化のもつこうした根本的な矛盾、その傾向の二面性は、現実においてますますはっきりと現れるようになっている。たとえば、技術の分野では、かつてのマニュファクチュア労働者のような単純作業のみに携わる、いわば死せる労働者を生みだしている。また科学、とりわけ哲学では、机上の学識のみに携わるやはり死せる官吏（マンダリン）をもたらす。もちろんこれは極端な例ではあるが、それほどはひどくないにしても、大なり小なり生命力の弱まったさまざまなタイプが生じ、現在も存在している。（前掲書、同）

「技術の分野では、かつてのマニュファクチュア労働者のような単純作業のみに携わる、いわば死せる労働者を生みだしている。また科学、とりわけ哲学では、机上の学識のみに携わるやはり死せる官吏（マンダリン）をもたらす」。

ここで言う「マンダリン」というのはオレンジの品種（みかん）のことでなくて、中国の科挙官僚のことを言っているわけなんだけれども、専門化は科学者のようなインテリの官僚化を招くということをボグダーノフは指摘している。それはより具体的に言うと、自分の専門領域だけしか見ていなくて、世の中全体に興味を持たない人間ということだ。

その端的な例がアイヒマンだ。アイヒマンというのは何をやっていた人？

（N）ユダヤ人を大量虐殺した人です。

アイヒマンが大量虐殺を実際にやっていた？

（N）自分はボタンを押していただけ……か。

正確に言うと、彼はダイアグラム、列車の運行表だけ書いていた。多数のユダヤ人をどうやれば効率的に鉄道で収容所に送り込めるかという、移送プロジェクトの最高責任者だった。それで彼は四〇万人とも言われるユダヤ人をアウシュビッツに送り込んだ。

戦後、アイヒマンはカトリックのフランシスコ会の援助を得て、アルゼンチンのブエノスアイレスに逃亡する。反共主義という点で、カトリックは戦時中、ナチスと結びついていたので、彼らの助けでうまくドイツから脱出するんだけど、イスラエルのモサドに発見されて、イスラエルに連行されて、そこで裁判を受けることになった。それが有名なアイヒマン裁判なんだけれども、なぜ有名なのかというと、もちろん彼自身が行なった罪もさることながら、その裁判で彼が「自分は上からの命令に従っただけだ」と主張したことが世界にショックを与えたんだ。

イスラエルとしてはアイヒマンを公開裁判にかけることで、世界中に「こいつこそが大悪人の一人なんだ」とアピールしたかったんだけど、実際のアイヒマンはぜんぜんふてぶてしくもなくて、どう見ても小役人にしか見えない。まるで、どこにでもいるサラリーマンだった。

その裁判を現地で傍聴したアメリカの社会学者で、ドイツから亡命したユダヤ人のハンナ・アーレントが『エルサレムのアイヒマン』（みすず書房刊、大久保和郎訳）という本を書いた。そこで彼女が書いたのが「悪の凡庸性」ということなんだ。

つまりみんなはアイヒマンは血も涙もない、冷酷な男だからホロコーストの片棒を担いだんだと思いたがっているけれども、現実のアイヒマンはどこにでもいる平凡な男なんだ。しかし、そういう凡庸な男が地位と権限を与えられると、人類史上、例のないほどの大虐殺をやる。人間とは本質的に、そういうもんなのだという指摘をした。

それを聞いて、世界中のユダヤ人たちは激怒するわけだね。なぜなら、ハンナ・アーレントの指摘が正しいのなら、ユダヤ人だって時と場合によっては同じようなことをするという話になるからね。

実際、彼女はこうも書いている。

「アイヒマン、あなたが死刑にならなければならない理由はたった一つだ。あなたはユダヤ人が、ユダヤ人であるだけでこの世にいてほしくないと考えて、それを実行した。われわれユダヤ人も、あなたがこの世にいてほしいと思わない。だから殺す。それ以上でもそれ以下でもない」と。

つまり、倫理的に見たら、ホロコーストとアイヒマンを処刑することは等価なんだよと言うわけだね。

だから、彼女の本はイスラエルでは禁書みたいになって、ヘブライ語に翻訳されたのは十数年前のことだった。

もし、アイヒマンについて知りたければ、この裁判の記録映像を再構成して作った『スペシャリスト　自覚なき殺戮者』（監督エイアル・シヴァン）というドキュメンタリーが作られているから、ぜひ見たらいい。タイトルの「スペシャリスト」というのは、殺戮のスペシャリストというのではなくて、鉄道のダイアグラムを作る専門家、という意味でのスペシャリストだよ。

## 「日本のアイヒマン」石井四郎陸軍中将

このアイヒマンと似ているのが京都大学医学部出身の石井四郎陸軍中将だ。彼については青木冨貴子さんというノンフィクションライターが『731』（新潮文庫）という本を書いている。そう、石井中将というのは、人体実験で知られている七三一部隊のトップのことなんだ。

青木さんの本によれば、石井四郎は部下たちにはやさしくて、ひじょうにいい人だったそうだ。まさしく悪の凡庸性だよね。

ハンナ・アーレント

彼は人体実験のデータを、戦後、アメリカの占領軍に持ち込んだ。なぜかというと、戦犯で死刑になるのを避けるため。彼は捕虜になったソ連人とか中国人をたくさん人体実験で殺している。ジュネーブ条約の明らかな違反で、引き渡されたら死刑になる。

それでアメリカが彼に与えた仕事は何かというと、アメリカ軍用の連れ込み宿をさせるわけだ。ＧＨＱの高官が女性を連れ込むための旅館の管理人になった。つまり、アメリカは彼の研究結果の提供を評価したけれども、彼自身を尊敬していなかったということだね。だから、そんな仕事を割り振ったんだろう。

自然科学系、特に生物系の人たちに言いたいけれども、アイヒマンとか石井四郎とかのことを勉強してほしい。そして、「もし自分がそのような組織や構造に巻き込まれたらどうするか」ということを自問してほしいと思うんだ。

そのときに「自分は専門分野の専門家であって、悪事そのものに手を染めていない」という言い訳が果たして通用するか、あるいは自分の良心をそれで騙すことができるのか、と考えてみてほしい。人殺しまではなくても、組織の中にいたら、時として反社会的なこと、倫理に反することに関わることを求められる可能性は十分にあるよ。組織は自己を維持し、守るためならば何でもやりかねないという特質を持っているからね。これはどんな組織でも同じだ。

## 「入り口」を間違えないようにする

プロフェッショナルになること、研究者になること、その道の専門家になることは何も悪いことではない。だけれども、マクロな視点から見たら、今、自分がやっていることが社会にどのようなつながりを持つのか、という大枠を見る訓練をしておくのはひじょうに必要とされるよ。

そこで大事なのは「入り口を間違えないようにすること」。いったん、その入り口を潜って（くぐ）しまったら、後になって「こんなことに関わっていたとは」と気付いても、なかなかそこから抜けることができない。だから、組織に入るときにはよほど気をつけたほうがいい。

これは宗教だってそうなんだ。私は同志社の神学部を出たあとに外交官になった。それはなぜかといったら、私にとってキリスト教はひじょうに重要な価値観だから、それを食い物にはしない、それで飯を食っていこうとはしないと決めた。だからあえて、神学やキリスト教とは無縁の組織を選んだ。

でも、同志社大学神学部に入ってくるのは私みたいな人間ばかりじゃない。なかにはまったく信仰心とか持ってなくて、大学入試も最初は医学部か何かを狙っていたんだけれども、二浪か三浪をしてから入ってくるやつもいる。医学部に入り損ねたから、他の学部、たとえば理工学部みたいないところに進学するのではカッコがつかないと思って、奇をてらって京都の同志社の神学部に入るわけだ。

そういう人間は受験偏差値も高いから、入学後もそんなに勉強には苦労しない。でも、いざ就職となると何回も浪人しているから、なかなか入れてくれるところがない。すると、急に信仰心が湧き上がってきて、教会に通うようになる。

それはなぜかというと、牧師になるには十数科目の試験に合格しなくてはならないのだけれども、同志社大学の神学部の大学院を出ていると、そのうちの二科目以外が免除になるんだよ。普通に受験すると教会史とかヘブライ語とかギリシャ語とか勉強が大変なものがある。

ただ、日本基督教団の補教師試験を受験するには最低でも信徒歴が三年はないとダメなんだ。大学院に入ってから通い出したのでは、試験に間に合わないわけ。だから学部の四回生のうちに洗礼を受ける。そうすれば大学院を出たら、すぐにどこかの教会に赴任できる。

こういう感じの人に「自分は信仰を持っています」と言われても、どうしても「嘘っぽいな」と思ってしまう。もちろん、信仰は内面の問題だから、私の第一印象が正しいとは限らないけれどもね。

でも、私が神学生時代に会った、こういうタイプの人は牧師になってからトラブルを起こすことが多かった。たいていはカネか異性だけれどもね、いつの間にかいなくなっちゃうんだ。そうでない人もいるけれども、あんまり牧師として尊敬されているという話は聞かない。

私はそういう例をいくつも見てきたから、どうすればこういうふうにならずに済むだろうとずっと考えてきた。神学部から大学院に進んで、そこから教会に行ったとしても、自分も同じ穴の狢（むじな）にならないとは限らない。

ちなみに、今の日本の社会は高齢化しているから、第二の人生として大学や大学院に入って勉強しようという人がたくさんいる。これに対して私はひじょうに慎重なんだ。

## 本来、大学は若い人たちの「場」である

というのも、やはり大学というのはそもそもこれから社会に貢献していく人材を育成するためのものであって、「お達者クラブ」になっては困るんだ。でも、こういう人たちは若い頃に受験勉強で鍛えられているから、大学院入試くらいだったら平気で突破できる。入って他の若者と同じように勉強するかというと、たいていは「俺の若い頃は」とか「昔の大学は違った」

みたいな話をしたり、自分が現役の働き手だったころの自慢話を若い人にしたりするばかりで、肝心の勉強はちっとも真面目にやらないんだ。

だから、定年後も勉学意欲のある人は、いろんな大学で今は公開講座をやっているし、カルチャーセンターも質の高い講義をやっていたりするから、そっちに行ってもらったほうがいい。単に修士学位が欲しいという動機の年配者が多くなると、大学院自体が腐ってくるんだよね。ただでさえ腐っているのに、なおさら腐敗してくるからね。

ただ中長期的に見れば、現状のままの大学院は自然淘汰されていくだろうね。今のPh.Dってほとんど意味がなくなっちゃった。こういうことになったのは、大学院の後期課程まで進んでPh.Dを取れないのはいかがなものかという話になったからだ。そこで今ではPh.Dを乱発するようになってしまった。でも、これでは学術的な貢献なんかありはしない。むしろ大学院でどのような教育をしているかが問われてくる。

みんなに身につけてもらいたいのは、形式的な学位とかそういった資格ではなくて、社会に出てから本当に役に立つ力だ。競争社会というのは問題もたくさんあるけれども、力のある人にとっては全然悪い場所じゃない。その競争の中で生き残れるから。

そこで基本的につけなきゃいけないスペックは、分野ごとにあると思う。理科系や社会学部や文学部の話は分からないけれども、神学や哲学、あるいは外国語の分野ならばどういう力を身につけていないといけないかは知っているので、神学部の学生にはそれを教えている。もちろん、そうしたアドバイスを守ってくれる人もいるし、まったく聞かない人もいる。聞いてくれても部分的にしか実行しない人もいる。

でも、話を戻せば、やはり入り口が大事だと思うわけ。入り口の時点でミスってしまったら、なかなか後になって取り返すことはできないよ。だからそこはよくよく考えてほしい。

話を戻すと、ボグダーノフは一九一〇年の時点で、つまりロシア革命の前の段階で、専門化の弊害に気付いて警告している。彼はやはりひじょうに知的水準の高いマルキストだと思う。とても一〇〇年前の文章とは思えないね。

さて続けよう。

たいていの場合には、人間の思想の発展においてなんらかの重要で大きな前進がなされるまさにそのとき、専門性は否定的な作用をおよぼす。とはいえ、その後、前進がなされ、ギルド的な学識の抵抗が打ち破られるならば、専門性は新しい発見、発明に熱心にとりかかり、大いに成果をあげる。(前掲書、136ページ)

Sさん、なんで専門性は新しい発見に対して否定的な作用を及ぼすんだろう?　パラダイム論を使って説明してみて。

(S)　古いパラダイムにこだわっているために、視野が狭くなる、ということだと思います。

## 新しい科学発見は「アカデミズム」の周縁から生まれる

それをクーンは「新しい科学的な発見は異常科学として扱われる」と言っているけれども、通常科学の世界の常識の中に入っている人からすると、新発見は異常な話にしか見えないんだよね。だから、これはつねに、どんな時代でも繰り返されている。

実際、新しいことをやる人は、アカデミズム――マックス・ウェーバーの言う「制度化された学問」――からちょっと離れているところから現われる。マルクスも制度化された学問の中にはいなかった。彼は大学ではなくて、大英博物館（図書館）で『資本論』の構想を考え出した。アインシュタインも制度化された学問のど真ん中ではない。彼は後に「三大論文」と言われるものを発表したときは、特許局の職員でしかなかった。その意味では、マルクスもアインシュタインも大学の外周にいたと言える。

制度化された学問の規範というのは、ものすごい重力を持っているわけ。だから、その中にいる人はオリジナル性はなかなか発揮できないし、かりにオリジナルな考えを思いついたとしてもそれを発展させられない。マルクスやアインシュタインのような能力を持った人は大学の中に何万人もいたかもしれないけれども、そこで本当に新しい科学を作り出せる人はめったにいない。

しかし、人類の進歩はこの専門化という不完全で矛盾した分業形態にはとどまらなかった。一歩一歩ではあるが人類の進歩は専門化を克服しつつある。技術においても科学においても、普遍的で統一的な方法がつくられつつある。技術においては機械生産、科学においては一元論的諸理論、すなわちエネルギー論、ダーウィニズム、マルクスの学説によってである。（前掲書、136ページ）

ここにおいてはエネルギー論、つまり物理学とダーウィニズムとマルクスの学説が並列になっている。ボグダーノフにとっても、ダーウィニズムはマルキシズムと同様に決定的に重要な学説になっているわけだよね。

では、また読んでいこう。

## 近代社会における三つの疎外とは

さて、ここで初期マルクスの考えの中で二つの重要なキーワードがあるから、それを説明しておこう。

そのキーワードというのは「疎外論」と「物象化論」だ。

「疎外論」というのは、この産業社会において人間は人間らしい生き方ができていない。言い換えると我々は人間だけれども、本来の人間の姿をしていないんだということ。これを「疎外」と言う。「疎外」というのは、分かりやすく言うと「おろそかにされる」「のけ者にされる」ということだけれども、近代社会の中では人間は人間として扱われないということだ。

具体的には、人間は労働しないと生きていけないけれども、その労働によって産み出されたものは自分のものになっているだろうか？

その答えは「なっていない」だよね。

自動車の組み立て工は、自分が作った自動車を自分のものにできる？　できないよね。労働者が作った生産物は資本家が持っていってしまう。これを「第一の疎外」という。つまり人間は生産物から疎外されている。

第二の疎外とは「労働過程からの疎外」。自動車の組み立て工の話を今、引き合いにしたけれども、組み立て工は自動車を一から完成品になるまで手がけるわけじゃない。エンジンの据え付けの仕事を与えられたらそればかりで、ボディとかインテリアのことにはコミットできない。そういう仕事をしたくても、資本家はそれを許さない。これは知的労働でも同じだよね。本当は自分はバイオテクノロジーの研究者としての知識や経験を持っているけれども、入社したら総務や経理に配属された。もちろん、それは本意じゃないけれども、でも、その状況を変えることはできない。人間は組織からも疎外されている。

さらに我々は「人間からの疎外」もされている。人間とは本来は集団生活をしていく生き物で、共同体の中で居場所を与えられていた。しかし、近代になったら、そういう共同体は解体されてしまう。同じ労働者でも大企業の中では、販売と経理、生産と人事という各セクションの人たちはみんなバラバラでつながりがない。それまでの人間共同体そのものが崩壊され、人々は結果、他人からも疎外されることになる。

要するに疎外論というのは、人間が本来の姿を失ってしまうという考えだね。そこでは「本来の人間」とは何かということが想定されている。その本来の人間というのは、言い換えれば「理想的な人間」ということになるだろうというのは、君たちにも容易に想像がつくだろう。

人間論の原点に、理想的な人間像を措定するというのは、すごくキリスト教的だよね。神様がアダムとイブを想像したときは理想的な人間だった。本来の人間だった。しかし、そこで二人が罪を犯してしまって堕落したから、本来の人間のあり方を失ってしまった。だが、ここにイエス・キリストが降臨したことによって、人間は本来の姿に戻ることが可能になったというのが、キリスト教的な疎外論だ。

ここにもマルクスの考え方とキリスト教の思想とはシンクロしているんだ。

**物象化論**

一方、マルクスは物象化論も唱えている。

物象化論とは何かを要約するならば「人間社会においては関係性が第一義であって、その関係性を操作することによって、人間は任意の社会を構築することができる」という考えだ。

この説明を聞いて分かるように、ここには「本来の人間の姿」とか「正しい人間の姿」というのは出てこない。その代わりに出てくるのが「関係性」だ。

物象化論においては、人間は関係性の中で初めて立ち上がってくる。

たとえば、夫婦とは何かと考えたときに、最初から夫という人間はいない。妻という人間はいない。二人の人間が出会って、夫婦という関係性を作るという約束をしたときに夫婦関係がはじめて生まれ、そこに夫婦が誕生する。

教師と生徒も同じだ。人間という点においては、教師も生徒も同格で、対等な人間と言える。しかし、そこに師弟関係というのが生まれたときに、教師と生徒の区別が出来てくるよね。

これを経済学に応用すると、資本主義というのも関係性によって規定されている。資本家と労働者という関係性によって、資本主義が生まれている。あくまでも関係性が先だ。だから、その関係性を壊せば、新しい経済システムが生まれてくるというのが社会主義、共産主義だというわけなんだ。

この考え方は実に仏教的だ。仏教では「縁」を重視するよね。縁があって、すべてのものが存在する。その縁の中から離脱することを、悟りと呼んだり、解脱と呼んだりする。この世は、縁、つまり、しがらみの中にあるというわけだ。

マルクスの思想には、キリスト教的な疎外論があり、仏教的な物象化論がある。どっちを採用するかでマルクス主義の見え方がまるで違ってくる。

なんでこの問題を出すかというと、日本の科学哲学でひじょうに強い影響を持っているのが廣松渉さんという哲学者で、彼はマルクス主義者なんだ。この人は『相対性理論の哲学』（日本ブリタニカ刊）とか、『科学の危機と認識論』（紀伊國屋書店刊）とかを書いている。

廣松渉はマルクスとエンゲルスの論理は、当初の疎外論から、この物象化論に転換したんだと指摘した。その転換点となったのは二人の共著として書かれた『ドイツ・イデオロギー』（岩波文庫、廣松渉編訳）という本だというんだけど、この指摘以来、日本ではマルクス主義を「疎外論」から見るか、「物象化論」から見るかで大きな二つの流れができた。
サイエンス・コミュニケーターとして読んでおいてほしいのはさっきも挙げた『科学の危機と認識論』、それから『相対性理論の哲学』。ともに今は絶版だけど、Ａｍａｚｏｎやウェブサイト「日本の古本屋」で手に入るよ。

## 二十世紀初頭に始まっていた学的共同体の崩壊

ではまた、ボグダーノフの話に戻る。

専門化によって生じた人間の分裂は、数多くの深刻な矛盾を引き起こし、個々人にとっての世界を狭め、人々の相互理解を損ね、個人の利益を集団の利益とは隔たったものとし、異なる人々の利益とも対立するものとした。ここから万人の万人にたいする闘争が生じ、そのため人間は、自分では理解できず、それゆえ克服することもできない社会的自然力の支配下に屈してしまった。哲学がめざしてきたのは、引き裂かれたものを結び合わせ、人々の世界観を全一的で統一のとれたものにし、人間の経験を分割して閉ざされた籠（かご）のなかに入れてしまっていた障壁を破壊し、思考の深淵を埋め、思考と限りなく複雑なため不可解で恐ろしい実在との間に橋を架けることであった。明らかにこれらはすべて、なんらかの専門の枠内でなしとげることなど考えられない。偉大な巨匠たちの哲学の礎はつねに百科全書的であった。（前掲書、137〜138ページ）

資本主義は人間の関係性を破壊して、人々をバラバラにしてしまったとボグダーノフは指摘している。特にそれが悪い方に出たのが、専門化の流れだ。つまり、同じカテゴリー、同じジャンルで働いている人たちの間では給与や待遇などで差別をして、相互に競わせて、中で働いている人はくたくたに、ボロボロになってしまう。自分ではどうにもできない、だから克服することもできない、社会的な自然力に屈してしまった。本来の哲学が目指してきたものは、人間の世界観を統一し、人々の間にある壁を打ち壊すことだったのに、それとは逆になっている。

これを一九一〇年の段階、つまり一一〇年も前に指摘していたボグダーノフは炯眼だよね。で、彼はそこで百科全書を引き合いに出しているけれども、これは今で言う百科事典。英語で言うと、エンサイクロペディアだけれども、言葉の中には「サイクロ」、つまり「サイクル」が含まれているよね。つまり知は円環をなしているものであり、そうでなければいけないというわけで、百科事典は重要なツールなんだよ。一番手に入りやすい小百科事典は日本では『広辞苑』。あれは国語辞典に加えて、いろんな学問用語などの解説もきちんとしているから、つねにデスクの上に置いておくといい。私はドイツの『マイヤー・レキシコン Meyers Lexikon』（『マイヤー百科事典』本邦未訳）を使っている。特に東ドイツ版が使いやすいので、それをしょっちゅう参照しているよ。

## 哲学が現実から遊離してしまった

さらにボグダーノフの話を続けよう。

しかし、哲学はその巨大な課題を解決するには無力であった。現実に分裂しているものを観念の力で統一することはできないのだ。それでもこれは、人間の思想を統一しようとするさらなる事業への道を切りひらく、重要で価値ある試みであった。しかし、結局のところ、その哲学の分野でも専門化の力が勝利し、哲学の意味を曲解し、哲学をその課題とは根本的に反するものにしてしまった。（前掲書、138ページ）

でも哲学は専門化という事態に直面したときに、無力さを露呈した。専門化した、分極化した知識を持っている人からすれば、哲学者の言っていることは「現場も知らない空理空論」「素人の発想に過ぎない」と軽んじられている。でも、本来の哲学というのは、こうした分化した学問を統合するものなんだというのが彼の主張であり、これはシュライエルマッハーの伝統にも結びついているわけだ。

## 小説を読むことはなぜ大事か

　現存するすべての認識論と形而上学を読破した人は、諸概念の批判的分析という点では巧みになるが、その時代の実生活、人間の労働が立脚している諸科学の方法と結果、同時代の文学や芸術の現状については知らない。（前掲書、138ページ）

　これは哲学をやっている人だけに限らない話で、神学や法学をやっている人たちは小説を読まない。小説を軽視している。だけど小説ってすごく重要なんだよ。

　どうしてかというと、小説を読むことで人間の在りようを心情を通じて知ることができるから。それに小説を通じて、我々は悪について知ることができる。小説を読むことで、経験しないでいいこと、あるいは普通では経験できないことを知ることができるから、大変、知的なトレーニング、刺激になる。

　小説というのは近代になって生まれてきた文学の形態だから、そこには近代で生き残っていくうえでの知恵や教訓が自然と入ってきているわけ。

　上場企業の社長とか会長になった人はだいたい小説を読む。日経新聞の「私の履歴書」でも、どんな小説を読んでどんな影響を受けたということが書いてある。あの人たちはそれぞれに仕事の立場から小説を読んでいるから、一種、独自の読みがある。

　M君は小説は読む？

(M)あまり読まないですね。

かつて読んで、何か印象に残っているのはある?

(M)学校で扱った『こころ』、ですか。

あれもひじょうに面白い小説だよ。考えてみて。主人公は鎌倉の七里ヶ浜(しちりがはま)でたまたま出会った先生に、なぜあんなに惹かれるんだろう? 変だと思わない? 毎日、先生が浜の茶屋にやってくるのを待って、近しくなるチャンスを探しているなんてストーカーだよね。だからあれは主人公と先生との同性愛小説とも読めるよね。

それから、先生は陰険な人間の典型だよね。親友のKが下宿のお嬢さんに恋をしているわけでしょ。その想いを告白したら何と言った? 「精神的な向上心のない者は馬鹿者だ」って非難するわけだよね。それでKに先回りされないように娘の母親に「結婚したい」と言う。どちらかというと最低の類の男の話だよね。

そうして先生と結婚した奥さんの陰険力も相当なものだよね。「明治天皇が崩御した。その明治の世の中で育った自分たちが生き残っているのは時勢遅れだ」と先生が言うと、奥さんは笑ってとりあわず、「では殉死でもなさったらどうですか」と言い放つんだね。そういう点からすると『こころ』は人間の陰険力のかたまりだよね。そういうふうにして漱石を読んでいくのは面白い。

漱石で言えば、『坊っちゃん』は、なんであんなものが教科書に載っているのか、私はよく分からない。「坊っちゃん」は基本的には、人から聞いた話をそのまま鵜呑みにして、それを正しいか検証することもせずに、物事を全部、暴力的に解決しようとするんだよね。これはきわめて反社会的な性向の高い人物だよね。最後には、教頭の赤シャツが気にいらないといって、同僚の山嵐と一緒に待ち受けて、赤シャツを殴って「俺は逃げも隠れもしない。警察に訴えたいならそうしろ」と言って、最後には松山を去って東京に帰るわけだよね。

もう一つ、『坊っちゃん』の中で重要なのは、「清（きよ）」という下女の関係だよね。坊っちゃんは父親からも兄貴からも家の中で軽く扱われているんだけど、この下女だけはいつも坊っちゃんの味方をする。坊っちゃんが松山から帰ると、清はふたたび下女になるんだけど、それほど経たないうちに死んでしまう。そのときの遺言が「坊っちゃん後生だから清が死んだら、坊っちゃんのお寺へ埋めて下さい。お墓のなかで坊っちゃんの来るのを楽しみに待っております」と言うんだよね。

この清についてはいろんな読み方ができるんだけれども、清の坊っちゃんにかける愛情は普通じゃないよね。そこで推理できるのは、清は実は坊っちゃんの実母じゃないかということだ。兄貴のほうは父親の実の子だけれども、坊っちゃんは兄貴にも父親にも似ていない。それもあって両親は兄の味方をするというのだから、実は坊っちゃんは父親が清に産ませた子どもじゃないかと思うんだ。清は実家に返されていたんだけど、しばらくしてからまた下女として、坊っちゃんの家で働くことになった。まあ、生活は面倒見てやるということだろうね。こういう解釈も可能だ。

また、坊っちゃんは漱石自身をモデルにしていると言う人が圧倒的に多いけれども、むしろ、この作品の中では赤シャツのほうに近いんじゃないかな。帝大卒で、インテリ風を田舎で吹かせているというところは、むしろ漱石の後悔とか反省が表われているんじゃないか――そういう見方もできる。

日本の作家で読んでおくんだったら、漱石がいいよ。漱石には近代社会の矛盾、近代の中で人間が抱える問題を多面的に描いている作家で、そういう意味では世界性を持っている希有な小説家だ。実際、明治文学の中で「古典」として不動の地位を占めているのは漱石を措いて他にないよ。だから、機会があったら他の作品も読んだほうがいい。社会に出たら、もっと深く漱石が読めるようにもなると思うよ。

## 専門性の俗物

そのような人物は哲学にたいする嘲笑の権化である。彼の「哲学」にどんな価値があり、それがどのような経験を統一し、組織化することができるというのか？ 彼の書斎での経験と数千冊におよぶ他人の考察の経験をなのか？ この戯画的な哲学の「Fachphilister〔専門性の俗物〕」は現在きわめて広範に広まり、成功を収めているので、ナイーヴな人々は、彼らがまさしく哲学的思考の真の担い手である、と信じてしまっている。（前掲書、138～139ページ）

ここで言っている「そのような人物」とは前の引用にもあった「現存するすべての認識論と

形而上学を読破した人は、諸概念の批判的分析という点では巧みになるが、その時代の実生活、人間の労働が立脚している諸科学の方法と結果、同時代の文学や芸術の現状については知らない」ような人間のことだね。

つまり、知識を豊富に持っていることと、そこで得られた思想を体現するというのはまったく別物なんだということだね。

一九七〇年前後の全共闘運動の時代、学生たちは大学の建物の入り口にバリケードを作って、中に入ろうとする教員を捕まえては「お前らは頭でっかちの、専門バカじゃないか。今の日本の現状が分かっているのか。自己批判せよ」と罵倒（ばとう）したと言うんだけれども、でも、学生にはそもそも、その「専門性」すらないわけだから、バカという点で言えば、学生のほうがずっと悪質なんだよ。

でも、その頃の教官たちは根性が据わってなかったんだなあ。私が教官だったら「お前らのほうが専門性もないから、ただのバカじゃないか」と言い返していたと思うよ。

ちなみに一九七〇年前後、なぜ全共闘運動が全国的にさかんになったかといえば、その理由は単純なんだよ。要するに、この時代に大学入試を迎えたのはベビーブーマー、団塊の世代で、世代人口が前よりもずっと多かった。

だから入学試験も厳しいし、就職試験も競争が激しい。だから、この時代の若者たちは「自分たちこそ社会制度の矛盾の犠牲者なんだ」と感じて、大爆発を起こした。基本的な動因は人口なんだよ。戦後生まれ、一九四五年くらいから五〇年過ぎに生まれた子どもが大学入試世代を同時に迎えたわけだ。これは世界中で同じで、アメリカでもイギリスでもフランスでも同時に学生運動が起きた。

全共闘世代は私よりも一〇歳くらい年上なんだけれども、その世代は本当に面倒くさいよ。ものすごく戦闘的というか、攻撃的なメンタリティが身についているからね。彼ら全共闘世代は、自分たちの居場所を作るために、その前の世代や大人たちと戦い続けなければいけなかった。だからある種の改革者ではあった。今では、その世代たちがリタイアして、それも数が多いものだから、彼らをどう処遇するかで先進国はどこも困っているんだけどね。

## ロシア正教的な文脈で「エネルギー」を捉える

あるそのような専門家、正真正銘の、と言ってよいであろう思想家であって、さまざまなしかるべき学会の会員であり、しかるべき雑誌の寄稿者である人が論文で、すべての現存するものが発展するわけではない、と書いているのをかつて読んだことがある。自然におけるエネルギーの総量は不変である、というのだ。ここに現れているのは、現代の技術と科学の発展にたいする言葉では表せないほどの深刻な無学であり、労働と純粋科学の現代的な組織化の中心概念である「エネルギー」というシンボルが、生産と認識においてなにを意味するのかということにたいする完全な無知である。この思想家は、エネルギーとは自然と呼ばれる別の物のなかに見いだせるある物のことであり、増大したり、ふくれあがったり、「発展したり」することもありそうに思われるが、現実には自然にはそのような物はなにも生じてはいない、とみなしている。「エネルギー」とは、生産や認識における多種多様な現象にたいする人間の一元論的な関係にほかならず、われわれの眼前でますます発展していく生産と認識とを統一する方法であるのだが、このことを彼は知らないのである。（前掲書、139ページ）

ここはロシア正教の教義が分かっていないと読み解けないところなんだ。

ロシア正教には「エネルゲイア」という概念がある。これは「活力」とも訳されているんだが、元々はアリストテレス哲学からの引用なんだが、いわゆるエネルギーとはちょっと違う。

キリスト教理解における要点というか、難所というのは「聖霊」の理解なんだ。キリスト教の根本ドグマは三一（三位一体）だよね。つまり、「父と子と聖霊」は一つであるというわけだけど、神がイエス・キリストという形で我々の世界に降臨してきたというのまでは分かるけど、では「聖霊」って何？　それはイエス・キリストは十字架に掛けられた後に復活するんだけれども、「私はすぐに来る」と言い残して天上に昇っていった。でも、「すぐに」と言ったわりにはなかなか戻ってこない。では、神は嘘をついて、我々を見放したのかというと、そうではない。キリストの昇天のあとに、使徒たちがミサを開いているとそこに聖霊が現われて、人々の体の中を通り抜けるわけだよ。そうすると、使徒や信者たちは「あ、神様がお越しになった」と言って、奮い立つわけだね。

こういう思想はおそらくキリスト教以前の古い宗教から流れ込んだものだね。

たとえば沖縄には「セジ」という言葉がある。私は母親のルーツが沖縄だから、沖縄独特の宗教観が分かるんだけど、このセジというのは「霊力」とも訳される。琉球には国王がいて、その国王の奥さんか妹が聞得大君（きこえおおぎみ）という最高の女性神官となる。天皇制のもとでは天皇は同時に最高の神官だけど、琉球では女性が最高の神官になる。

で、今でも沖縄では国王や聞得大君から末端の巫女（みこ）まで、このセジという特別な力によって守られると信じられている。たとえば巫女になるまでは弱い人だったのに、急に強くなったという形でもセジがつくし、ナイフが急に切れるようになったら、このナイフにセジがついたと考える。目には見えないけれども、特別な力がこの世に存在するという考え方があるのね。

似たような思想は今でもあるよね。

たとえば、気合と言うじゃない。「今日はちょっと気合が入っているな」と。「気合が入りすぎ」とか。そのときの気合というのがセジに雰囲気が近い。そういう「気」だよね。

で、エネルゲイアに話を戻せば、想像の通り、この語は物理学の用語としてエネルギーと呼ばれるようになるんだが、エネルギーとエネルゲイアは別物なんだというのをボグダーノフは主張している。

物理学では「エネルギー不変の法則」があると専門家たちは言うんだけれども、彼らは本質が分かっていない。彼らの見ている現実の裏に、エネルゲイアが満ちている世界があって、それが膨（ふく）らんだり、発展していったりすることによって、この現実世界も進展しているということが分かってないんだ、ということを彼は言っているわけ。ボグダーノフは近代科学の力をある程度は認めているんだけど、それ以上のものがこの世にはあるのだということが専門化、分化の流れとともに理解されなくなっているということを嘆いているわけだ。

# 第6講

# 宗教になった「マルキシズム」

## スターリンが作ったソビエト版『聖書』

この講義では特定のテキスト読みから少し離れて、「無神論」とは何かということを手短に説明したい。そうすることによって、その次の講義の、マクグラスによるドーキンス批判の意味が初めて分かってくる。

みんなも知っているように、スターリンは宗教を否定したから、ソビエトには国家の規範、社会の規範となる『聖書』がなかった。

そこでスターリンはまず『ソ同盟共産党ボルシェヴィキ歴史・小教程』という本を出版した。これは今でも古本屋で買えるよ。日本でも戦前から出版されていたし、戦後もモスクワで日本語版が印刷されていた。

なぜモスクワで日本語の書籍が印刷できたかというと、一九四五年の八月九日にソ連軍が満洲に侵攻して、日本語用の印刷機や活字を接収してモスクワに持っていったから。そしてモスクワに外国語図書出版所というのを作って、さっきの『ソ同盟共産党ボルシェヴィキ歴史・小教程』や、七三一部隊の生物兵器についての、ハバロフスクにおける軍事裁判である『細菌戦用兵器ノ準備及ビ使用ノ廉(カド)デ起訴サレタ元日本軍軍人ノ事件ニ関スル公判書類』とかを日本語で出していたんだ。

ところで。「ソ同盟」って変な言い方だよね。なんで「ソ連」と言わないで「ソ同盟」と言うの？

（M）連邦だと、いくつかのかたまりとか集団があって、それぞれが一体になった考え方を持っていないと見えるから。

ソ連って英語で何て言う？　USSRだよね。ロシア語では「ソユーズ・ソヴィェーツキフ・サツィアリスチーチェキフ・リスプーブリク」だから、英訳すると「ユニオン・オブ・ザ・ソビエト・ソーシャリスト・リパブリックス」だよね。「ソビエト社会主義共和国連邦」と訳すんだけども、「ユニオン」だから同盟。「フェデレーション（連合）」じゃないよね。

そして、同盟とは契約関係を意味する。それぞれに対等な主権を持っている一五の共和国が、自発的にソ連という同盟を作ったというのがSSSRという名前に込められている。だからソ連邦じゃないんだ。そこで昔、左翼の人たちは「ソ同盟」という言葉を使った。

前に話したように、ソ連の共産主義では国家はやがて消滅するというビジョンを持っていた。だから、この一五ヵ国はあくまでも過渡的な国家であって、その過渡的な国家が一五、集まって同盟した。だからソ連は連邦「国家」ではなくて、「同盟」なんだという構えなんだ。それで、ソ連憲法には「ソ連の構成共和国には離脱する権利がある」という条項があるわけ。その条項があるからバルト諸国が独立を主張し、結局ソ連は崩壊してしまうわけだけど。

でも、その当時のビジョンとしては、たとえば日本で社会主義革命が起きたら日本もソ連邦に加盟し、日本社会主義共和国になるということになっていた。だから、ポーランドとかチェコスロバキアも将来は加盟するというのが本来の考え方だった。

実際、これらの国もソ連に加盟させようと思ったら、加盟できたわけだよ。バルト三国、エストニアとラトビアとリトアニアは加盟させていたでしょ。ただし、スロバキアは「ソ連に加盟したい」と言っていたが、しかし加盟させなかった。どうしてだと思う？　これは超応用問題だ。

## ロシア人は国境を「線」で考えない

　これはロシア人の国境観と関係している。ロシア人は国境を「線」で考えない。「面」で考える。そもそも国境を線で考えるようになったのは、近代の考え方だ。一六四八年のウェストファリア体制以降の考え方。それまでは領域はだいたい面なんだよ。

　たとえば同志社大学あたりの土地は、大きく言えば、京都所司代、後には京都守護職が最高の管轄者であったわけだけど、同志社のあたりは相国寺の土地だから、同時に京都の寺社奉行も管轄している。つまり二重管轄であったわけで、それぞれが税を徴収していた。

　近代になると、このようなことは起きなくなる。というのは、近代的な管轄の発想ではきちんとそれぞれの管轄区が線で区切られるようになるから。

　ところがロシアでは、長らく「線の国境」ではなくて「面の国境」という発想が続いていた。

　たとえば一八五五年に日本——といっても、当時は江戸時代だ——とロシアは日露通好条約を作って、国境を決めた。そのときの国境は択捉島（えとろふとう）と得撫島（うるっぷとう）の間で、北方四島に関しては日本領として、その向こう側はロシア領に決めた。

　ところが問題は樺太なんだよ。樺太は「従来のしきたりのまま」として、ロシア人、日本人が混住できることにした。つまり「樺太はどちらのものでもなく、双方が自由に使える」という形になった。

なぜこんな形式になったかというと、ロシアにとって国境は面だったから。樺太全体が国境だというわけだね。で、それを当時の日本も承認した。

しかし、明治維新になって近代国家になってみると、面の国境は紛争の元になるということになった。そこで面の国境を線の国境にするために、一八七五年、千島・樺太交換条約を行なって、千島列島——得撫島から占守島まで——を日本が譲り受けるかわりに、樺太は完全にロシアのものとするということで決着した。

## キタイとは

日本の場合は、それで面から線の国境への移行は済んだのだけど、今でもロシアには「国境は面で持つ」という発想が抜けない。というのも国境線で敵対する隣国と直接に向かい合っているのは不安でしょうがない。いつ国境を越えて攻め込まれるか分からないものね。実際、ロシアはモンゴルに何度も攻め込まれてきているから、これは深刻な問題なんだ。

Wさん、英語で中国を何て言う?

(W)チャイナです。

チャイナだよね。Sさん、ロシア語で中国を何て言う?

(S)キタイ。

フランス語では中国はシナ、ドイツではヒーナ。チャイナ、シナ、ヒーナ……どれも同じ系列だ。これは一説には中国最初の帝国「秦」に由来すると言われているんだけれど、ロシアだけはキタイと、違うよね。

これはなぜかというと、ロシア人にとっての中国というのは騎馬民族の「契丹（きったん）」のことだったから、キッタンがなまって、キタイになった。

この契丹人は北方の遊牧民で、十世紀に「遼」という国家を作って、今の中国の北半分を支配した。その後、中国では北宋という国ができるんだけれども、北宋は遼と対決しても勝てないものだから、一〇〇四年以後は北宋が遼に莫大な朝貢をすることで、勘弁してもらった。

これで豊かになった遼は中央アジアに遠征し、そこで西遼という国家を作る。今のキルギス共和国のあたりなんだけれども、ロシア人にとっては漢人も契丹人も区別がつかないから、中国のことをキタイと呼ぶことになったんだよ。ロシア語ではインフルエンザのことをキタイスキー・グリップ、「中国風邪」と言う。日本では一時期、香港風邪、香港インフルエンザとか言っていたけれども、どこでも新しい流行病は海外から来ることになっているんだね。今のコロナウィルスだって、トランプは「中国ウイルス」「武漢ウイルス」と言っていたけれど、それと同じ発想だね。

ちなみにWさん、スペイン風邪が流行ったのはいつ頃だったかな？

これも香港風邪とかと同じく、スペイン風邪といっても、スペインが発生源ではない。まだ確定しているわけではなくて、フランス、北米、中国と諸説ある。

第一次大戦はロシア・フランス・イギリス・アメリカの連合国と、ドイツ、オーストリア＝ハンガリー帝国などの同盟国に分かれて戦ったんだけれども、そのどっちの軍隊でもこのスペイン風邪が大流行した。

何しろ、軍隊は密集・密接・密閉の「三密」そのものだからね。だけれども、どこの国も戦時中だから、自国の軍隊で正体不明の風邪が流行っているとは公表できない。だから最高レベルの国家機密にしていた。

ところが当時、スペインは中立国だったものだから、スペインで謎の風邪が大流行しているということで有名になったので、「スペイン風邪」と呼ばれることになった。

でも、今でもロシア人はどこが発生源であろうともみんな「キタイスキー・グリップ」、中国風邪と呼ぶんだね。

また、ロシア語では「彼はずいぶんとずるい」ということを「中国人一〇〇人分くらいずるい」とか平気で言うね。ロシア人にとっての中国イメージというのはそれほど悪いわけだ。

## バッファー国家だった東ドイツ

そこで話を戻すけれども、この中国——昔のキタイではなくて、今の中国ね——との関係においても、ロシアは中国と国境線を接することをできるだけ避けたいと思っている。その象徴がモンゴルだ。

ソ連はやろうと思えばモンゴルをソ連に加盟させることは簡単にできたはずだ。しかし、そうしなかった。でも、それをすると中国と直接国境を接することになる。それは東欧諸国でも同じだ。ポーランドも、チェコスロバキアも、ハンガリーも戦後は衛星国となったけれども、これらの国もソ連に加盟させることは可能だった。しかしそれではソ連が国境を接することになるから、これもまた行なわなかった。

地政学の用語でバッファーという言葉がある。日本語に直すと緩衝地帯ということ。間に入ることで衝撃を弱める装置のことをバッファー、緩衝装置とも言う。ロシアにとってモンゴルもポーランドもチェコも、みんなバッファーなんだよ。このバッファー国家に対して、ロシアはいつでも好きなタイミングでソ連軍を展開できる。そういう領域をつねにソ連は必要としている。そうして安全保障を二〇〇パーセント担保するわけだ。もちろん、戦後に分割されて生まれた東ドイツもそういう緩衝国の一つだ。

でも、ソ連の建て前としては、これらのバッファー国家、衛星国はあくまでも独立国であって、保護国ではないし、傀儡(かいらい)国家でもない。

## 戦後も残された「東ドイツ版ナチス党」

それを内外に示すために、ソ連はソビエト共産党の一党独裁制だけれども、東ドイツなどは複数政党制にした。

たとえば東ドイツにはどんな政党があったと思う? 敗戦後の占領統治時代、東ドイツにはドイツ共産党とドイツ社会民主党があったんだけれども、それが対等の立場で合同して……というのが表向きの形で、事実上はドイツ共産党が社会民主党を吸収して、ドイツ社会主義統一党というのができた。東ドイツはこの社会主義統一党が事実上、一党独裁をするのだけれども、他にも政党があった。たとえば自由民主党は中小企業の経営者たちが党員だった。このほかにも農民党やキリスト教民主同盟、さらに戦時中にナチスの党員で、今は反省したという人たちや、旧ドイツ国防軍の兵士だとかが集まって作った国民民主党というのもあった。言うなれば東ドイツ版ナチス党だよね。

いったいなぜ東ドイツはナチス党を作ったのか。それはナチス体制を完全に否定してしまうと、ほぼ国民の全員が何らかの形でナチスの関係者だったわけだから国家運営ができなくなる。特に高級官僚やテクノクラートである技術系官僚はほとんどナチスの党員になっていたからね。もちろん民間でもナチス党員でないと大企業経営者にはなれなかった。だから、この人たちを犯罪者扱いすると国が成り立たなくなる。

そこで「たしかに自分はナチスであったけれども、今は悔恨している」とか「本当に悪いことをやったナチスの連中はみんな西ドイツに逃げたんだ」といった理屈をつけて、国民民主党を作った。つまり、事実上、ナチスに対する戦争責任を東ドイツは追求しなかった。だから東ドイツでは反ナチス教育はやらなかった。東西冷戦が終結して、ベルリンの壁が崩壊したあとに、ネオナチが東ドイツから出てくるのはそういう事情があるからなんだよ。

ちなみに、ナチス党員の処遇について西ドイツはどうしたか。西ドイツは第二次大戦直後に死刑を廃止した。ちなみに東ドイツの死刑廃止は一九八七年。

西ドイツが戦後すぐに死刑を廃止したのは、人権意識に目覚めたからではないんだよ。ナチスの戦犯たちはこれまでの法制度では、みんな死刑になってしまう。そうなったら、西ドイツの戦後復興が遅れてしまう。だから死刑を廃止して、なるべく早く社会に復帰できるようにしたという側面もある。東ドイツのナチス党の設立理由と五十歩百歩だ。

ところで東ドイツには複数の政党があると言ったよね。ということは選挙がある。でも、選挙の結果、共産党が第一党から落伍したらどうなる？　共産党支配が終わってしまうよね。では、どうやってそれを東ドイツは防いだか？

これには仕掛けがあって、最初から議席数が決まっているんだよ。東ドイツの議会は人民議会と言って、五〇〇の議席がある。そのうち一二七の議席は社会主義統一党、キリスト教民主同盟、国民民主党、民主農民党はそれぞれ五二議席といった具合にあらかじめ分配されているわけ。だから国政選挙というのは有名無実で、あらかじめ決まった候補者リストに賛成するか否かだけが問われた。こういうのを人民民主主義と言ったりするんだけれども、絶対に政権交代が起きないようになっていた。

ソ連はこうして周囲の国家をバッファーに仕立てあげて、何かあってもまず周辺国が戦場になるようにした。

その点、日本は海という天然のバッファーがあるのでそういうことを考えないで済む。それだけにロシアの行動が理解しづらいという側面もあるんだよね。

## 無神論・汎神論・理神論・不可知論

さて、話を戻して、今度は『世界大百科事典』で無神論のところを読んでみよう。

【無神論　atheism】神の存在を否定する哲学的学説。有神論 theism に対する。無神論という言葉はしばしば濫用されたが、汎神論、理神論、不可知論等と混同されてはならない。無神論は歴史的には多くの場合唯物論と結びついていた。古代における無神論の主要なものは、原子論的唯物論の立場に立つデモクリトス、エピクロス、ルクレティウスの思想である。ルネサンス以降、古代思想の復興に伴いさまざまな無神論的傾向が現れたが、無神論が古典的形態をとって現れ、宗教にたいして公然と宣戦したのは、18世紀半ばのフランスの唯物論者たちにおいてである。機械論的な自然哲学に立つラ・メトリーやドルバックは、感覚、思考、意志をすべて物質の作用に還元し、神の存在を否定した。エルベシウスは、道徳の基準を感覚的な快と苦から構成し、道徳に神の入り込む余地がないことを主張した。ディドロも無神論者であったが、彼は宗教批判よりも、機械論的唯物論を有機的力動的唯物論に高めようと努めた。この無神論は勃興するブルジョアジーの反アンシャン・レジーム闘争の武器であった。（平凡社『世界大百科事典』竹内良知）

atheismの「a」は否定の「a」だよね。theismは有神論なので、それを否定するから「無神論」。テキストには「無神論は汎神論と混同してはならない」とあるんだけれども、汎神論とは何だろう？

（S）「汎」なので、この世のすべてに神がいるという考えです。

具体的に言うと、みんなのスマホにも神の一部は宿っているし、野口範子先生自身にもSさん自身にも神の一部は宿っているし、Sさんが今持っているボールペンにも神の一部が宿っているし、M君の前にあるペットボトルにも神の一部は宿っている。つまり、宇宙全体の総和を神と言っているんだと。これが汎神論だ。

では理神論って何か？

ニュートン力学であれ、相対性理論であれ、物理学は宇宙に起きるすべての事象を法則や方程式で説明したり、記述したりできるというわけだよね。そうした考えに立ったとき、この世界で起きていることは、あらかじめ決まっていたことなんだという仮説が立てられる。

つまり、この宇宙はビッグバンから始まったというけれども、そのビッグバンで生まれた物質やエネルギーは、それ以後、すべて物理学の法則通りに動いているわけだよね。そうなると、我々に無限の計算能力があるとするならば、それ以後の物質の動き、エネルギーの分布はすべて、ビッグバンという「最初の一撃」の時点で確定しているんだとも考えられるわけだ。

これが理神論。つまり、神は最初の一撃と、物理法則を与えただけで、後は世界に介入しない。神は最初の一撃を与えた時点で、その後に起きることをすべて計算しつくしていた。我々が生きているこの世界は、そうした神の計算にしたがって生成し、変化しているというわけだね。

で、不可知論というのは、この場合で言えば、「神はいるかもしれないし、いないかもしれない」ということで、我々には神が本当に存在するかどうかを判断、認識する能力を持っていないという考え方だね。これは後に価値相対主義とも結びついてくる話だ。

19世紀に無神論は人間主義的無神論という新しい段階に達した。ヘーゲル左派の宗教批判は無神論的立場に達したが、そのなかで絶対的な新しさによって異彩を放っているのはL・A・フォイエルバハである。彼は神を人間の願望の対象化されたものとみて、〈神学の秘密は人間学である〉という見地から宗教と神学の変革を企てた。彼によれば、既成宗教は人間が自己についての十全な意識に達する過程の一段階である。宗教は人間にその本質を啓示するが、人間は自己の類的本質を神に投影することによって自己を疎外する。この疎外は人間からその本質を奪い、人間を否定する。だから、人間が自己の存在を実現するためには、疎外された類的本質を自己に奪回することが必要であり、神の否定こそが真の人間存在の実現の先決条件である、と彼は説いた。（前掲書、同）

この理屈は分かるよね。ようするに、人間は自らの願望を神というものに投影している。だがそれは、人間にとって自分自身を疎外している、転倒した世界であるから、世界を人間の手に取り戻さなければいけないというわけだ。これは人間主義的な唯物論とも言える。

でも、ここでフォイエルバッハ（フォイエルバハ）は暗黙の前提として、人間は合理的な存在であるという仮定を置いている。神から自分自身を取り戻せば、人間はその合理性でもって、理想的な形の世界を構築できると考えている。だから、彼の考えは啓蒙主義の延長線上にあることは間違いないんだよね。

## なぜマルクスは「宗教は阿片だ」と言ったのか

フォイエルバハの宗教批判は、マルクスに宗教的疎外の観念を提供した。しかし、マルクスにとって、宗教的疎外は人間疎外の一側面にすぎない。彼は宗教的その他の疎外形態の基底に〈労働の疎外〉があることを見いだし、そこから史的唯物論を構築し、資本主義体制を根本的に批判した。人間の疎外からの回復は、階級を廃棄する共産主義革命によってのみ可能であり、宗教的疎外は〈労働する人間の実践的日常生活の諸条件が合理的関係になる〉ときおのずから消滅する。したがって、神と宗教だけを否定する闘いは無益である、と彼は考えた。共産主義は神の廃棄をめざすよりも、神を必要とする社会的条件の廃棄をめざすのである。マルクスは、（フォイエルバハを含めて）有神論に対立する無神論はすでに超克された思想であると考えたが、エンゲルスは、マルクス主義の普及に努める過程で、弁証法的唯物論という哲学体系をつくり、マルクスが批判した18世紀的無神論をマルクス主義に導き入れた。レーニンをはじめ、マルクス=レーニン主義の無神論はマルクスよりもエンゲルスによって鼓吹されている。そして、ロシア革命以来、その無神論は社会主義国家のイデオロギーの重要な柱となっている。（前掲書、同）

フォイエルバッハは「人間は自分自身を神から取り戻して、人間を確立しないといけない」という形で無神論を提示したわけだけど、マルクスは「それはあべこべの議論だ」と言ったんだね。

ルートヴィヒ・フォイエルバッハ

つまり、なぜ人が宗教にすがるかというと、現実において貧困や病などに苦しんでいて、解決策がない人生を送っているからだというわけで、マルクスに言わせれば「宗教とは悩める者の溜め息」なんだ。人間は本来、自立した意識を持っていたけれども、世の中があまりにも過酷なために人生に挫折して、行き場がない人が宗教に逃げ込む。もちろん、それは本質的な解決にはならない。でもも、宗教に入ることで偽りの解決を得ることはできる。そういう意味でマルクスは「宗教は阿片である」と言ったんだよね。

でも、こうした仕組みは社会の問題が現実に解決できれば、宗教という阿片には頼らなくて済む。フォイエルバッハは「そんな阿片に頼るのは辞めなさい」と説教しているんだけど、マルクスは「そんなお説教をするよりも、阿片を必要とするような社会構造を変えたほうがいいんだ」といって、宗教批判からいわば身をかわした。

エンゲルスは違う。彼は「神を追い出してしまわないかぎり、労働者を解放できないんだ」という考えを強く持っていたんだ。

## エンゲルスの「無神論」

マルクスとエンゲルスとでは宗教に対する姿勢が違うんだけれども、マルクスの家庭はあまり宗教的な雰囲気は強くなかった。マルクスの先祖はその名前から分かる通り、ユダヤ人で、代々、ラビを務めていたような家なんだけど、お父さんはプロイセンの国教だったプロテスタント（ルター派）に改宗した。あまり宗教にこだわりのある父親じゃなかったんだね。

一方のエンゲルスのほうはひじょうに強烈なカルヴァン派の家庭で生まれていて、お父さんは「自分に与えられた能力を神様のために使わなければいけない。そのためには与えられた天職に没頭して、一日も気を緩めずに仕事のためにエネルギーを注ぎ、そこで得た利益は社会に還元するんだ」という信念を持っていた人だった。

こうしたカルヴァン派の精神が初期資本主義を作っていくんだとマックス・ウェーバーは『プロテスタンティズムの倫理と資本主義の精神』(岩波文庫、大塚久雄訳)で言ったわけ。たしかに、こうしたカルヴァン派的な思考の回路は「稼いだお金を貯め込むのではなく、投資に回すのが正しい」という形で、資本主義に接続するのだけれども、しかし、それが果たして善行なのかというと、実はそうはならなくて、資本主義が発展するに従って、労働者に対する搾取がどんどん強化されていってしまうのが現実だ。でも、こうした信念を持っている人たちはそれについての自覚がなかったり、希薄だったりする。

それどころか、むしろカルヴァンの説からすると「怠惰な人たちというのは、生まれる前から神によってそういうふうに定められているのだから、かりに手助けしても自立する可能性はないのだ」というふうに解釈されて、そういう人たちには「施し」を与えるという形で十分なんだという話になる。でも、そういうチャリティでは、一時の食事や宿は得られても、近代的な搾取の構造からは絶対に抜け出せないとエンゲルスは考えた。だから、エンゲルスは無神論を中心に考えた。

実はこのあと述べる、ドーキンスの無神論は、エンゲルスの無神論にひじょうに近い。ドーキンスもまた「宗教というものがあるかぎり、神というものがあるかぎり、人間は誤った処方箋をいろいろ作ってしまう」と主張している。宗教のせいで有害なことがしばしば起きるのだから、神を排除することを意図的にやらないといけないという論理なんだ。

## ソ連では科学が宗教になった

ニーチェは唯物論者ではないが、徹底した無神論者である。ニーチェの無神論は〈神は死んだ〉という命題に集約される。彼にとって〈神の死〉は取返しのつかない既成事実である。それにもかかわらず神が保証していた形而上学的・道徳的価値が生き残っているとして、彼は西欧文明の諸価値を激しく攻撃した。彼によれば、神の死んだ後の困難な課題は、神の死によって人間が直面したニヒリズムを克服する新しい価値を確立することである。それは人間にあらゆる救いを断念することを余儀なくさせるが、それに耐えうる人間こそ超人であり、超人のみがニヒリズムを克服しうる。ニーチェの無神論は後に通俗化されてナチスのイデオロギーを支えた。(前掲書、同)

この項目を書いた竹内良知先生はロシア・マルクス主義とエンゲルスの間の断絶をあまり強調していないけれども、さっきも言ったように実は大きな断絶がある。

でも、こういうむずかしい議論、精緻な議論はロシアの一般国民はあまり分からないものだから、「無神論を信じる」という立場を採った。つまり「細かな論議は分からないけれども、『神がいない』ということを絶対に信じよう」と、こういう姿勢を採らせた。

だからソ連の科学的無神論というのは、無神論でありながら、「科学を信じよう」という、一種の科学信仰になった。神様が退場した代わりに、そこに科学が据わったというわけなんだ。だから、ロシアの無神論はニーチェが言ったような徹底的な無神論とは別のカテゴリーのものになってくるわけだね。

実際、ソ連には形を変えた宗教があちこちに残った。

昨日話した、レーニン廟の存在なんか象徴的だよね。ロシア正教では「聖人は腐らない」という伝承があるから、レーニンにも防腐措置を施した。

また、デモのときにプラカードを掲げるけれども、そのときにロシアではマルクスやレーニン、スターリンなどの肖像画を掲げる。あれはロシア語でシェスティビエ（шествие）、という、教会の行列をそのまま倣（なら）っている。ロシア正教では、イコン（聖画像）を掲げながら教会の周りを行進するという行事がある。それがソ連ではイコンの代わりにマルクスやレーニンの肖像を掲げるという形に変わっただけなんだよね。

あるいはソ連は「第三インターナショナル」、別名コミンテルンという組織を作ったよね。これは当初、世界革命の実現を目指す組織として作られて、世界中の資本主義国における共産党の指導機関となった。日本共産党はコミンテルンから「天皇制打倒」というミッションを与えられて、それを忠実に実行しようとしたから治安維持法で徹底的に弾圧されたわけだけれども、第三があるということは、無論、第一、第二のインターナショナルもある。

第一インターナショナルはマルクスの時代、一八六四年に作られた。正式名称は「国際労働者協会」で、世界の労働者が団結して、資本家たちに対抗しようというので作られた。でも、この第一インターナショナルはマルクス派と、アナーキストのバクーニン派が対立したことで分裂したりして、とうとう最後には解散してしまった。

その次の第二インターナショナルは一八八九年にパリで結成されるんだけれども、第一次大戦の勃発で、ドイツの社会民主党が自国の戦争政策を支持すると宣言して、フランスやオーストリアなども同調する。でも、ロシアのレーニンは逆に「ロシアが戦争に敗北することによって革命が近づく」と考えていたから、「戦争を支持するような連中はマルクス主義者ではない」という、革命的祖国敗北主義を採ったので、この第二インターナショナルは分裂してしまう。

そうしていよいよ、第一次大戦の影響もあってロシアで革命が成功するわけで、そこで第三インターナショナルが出来るという話なんだけれども、この「第三」という言葉には単なる数字以上の重要な意味が込められているんだ。

## 「第三のローマ」という神話

というのは、昔から「第三のローマ」という言葉がロシアでは広まっていたからなんだ。ローマというのはローマ帝国の首都であると同時にローマ教会のある場所で、そこにはローマ教皇が神の代理人としていた。でも、そのローマ帝国はゲルマン人の侵略によって五世紀に滅びてしまう。と言ってもゲルマン人はすでにその頃、教化されていたのでキリスト教徒だったんだけれども、主流派のアタナシウス派ではなくて、異端とされていたアレイオス派の信者だった。だからキリスト教の中心もローマから、コンスタンチノープルの東方教会にシフトすることになったとロシアの神学者たちは考えた。コンスタンチノープルはそこで「第二のローマ」と呼ばれるようになっていくわけだ。

ところが、この第二のローマである東ローマ帝国は度重なるイスラム帝国からの襲撃に耐えかねて、とうとうコンスタンチノープルは陥落してしまう。それが一四五三年のことなんだけれども、キリスト教徒たちの中から「第三のローマ」信仰が生まれるようになる。

「やがて出来る第三のローマこそが正真正銘のローマであり、それが永遠に続くんだ」という思想だ。キリスト教では三位一体、つまり父と子と聖霊は同一のものだと考えるわけだけど、第一のローマが父の時代で、第二のローマが子の時代、そして第三のローマが聖霊の時代に対応しているというわけだ。

では、その第三のローマがどこにできるかというと、それがモスクワなんだという説が十八世紀くらいにロシア人の中で信じられるようになった。

その「第三のローマ」というイメージをそっくり換骨奪胎したのがソ連共産党で、第三インターナショナルこそが本物の共産主義で、永遠にモスクワは世界の中心になるんだという話にした。ただし、この第三のローマにあるのは教会ではなくてソ連共産党で、『聖書』の代わりに『ソ同盟共産党ボルシェヴィキ歴史・小教程』という新しい『聖書』が編まれることになった。それを編集したのは他ならぬスターリンで、だからスターリン体制下ではまるで『聖書』のように読まれたわけなんだよ。

世界中で最も読まれた本は間違いなく『聖書』であるわけだけど、その次は『毛沢東語録』、そしてその次に位置するのはスターリンの『ソ同盟共産党ボルシェヴィキ歴史・小教程』じゃないか。この本はおそらく『星の王子さま』と同じくらいたくさん出版された本だろうと思う。

ちなみにナチスも「第三帝国」を自称するんだけれども、あの場合は第一のローマは神聖ローマ帝国で、その次がビスマルクの帝政ドイツ、そしてその後に来るのがナチスという構成になっている。でも、父、子、聖霊と思想的な組立ては同じだから、第三帝国であるナチス・ドイツは永遠の帝国になるはずだったんだ。

### スターリンが用いたキリスト教的な表象

実際、ソ連共産党はキリスト教のシンボルを相当に利用しているよ。ソ連では共産党用語で「同志諸君」товарищи と呼びかけた。英語だと「コムレイズ」comrades。今はもうロシアでもそう言わなくなった。

ところで、独ソ戦が一九四一年六月に始まった瞬間に、スターリンは何と言ったと思う?「兄弟姉妹のみなさん」と言った。これは教会で神父が信徒に呼びかけるときの言い方と同じなんだ。「兄弟姉妹のみなさん、祖国の危機が迫っています」と語りかけた。そこでは「共産主義を守ろう」とはひとことも言わない。「ナチス・ドイツの侵略から、ファシストの侵略から、祖国を守りましょう」と言って、「この戦争を『大祖国戦争』と名づける」と宣言した。

「大」祖国戦争というのがあるというのは、その前に祖国戦争、祖国防衛戦争があったということだよね。

ではロシアにとっての祖国戦争とは何か。それはナポレオンのロシア侵攻なんだ。ヨーロッパを席巻した無敵のナポレオンが、ついにロシアに標的を定めて攻め込んだ、あのときがロシアにとって最大の危機だった。だが、それを凌ぐ危機がやってきた、というので「大祖国戦争」と名付けて、国民を鼓舞したわけだ。

そういった道具立てにしたおかげで、ロシア正教会も全面協力で、キリスト教徒だけの戦車隊なんかを作ると、これがまた強かったりする。そんなわけで、スターリンは徹底的に、ロシア人の心の中、生活の中にあるキリスト教的な表象を用いた。こうした観点から歴史を読み込むのは重要なことだよ。

## なぜ人間の宗教性はなくならないのか

人間の宗教性、宗教に心を惹かれる性質というのは文化や文明が発達してもなかなかなくならないわけだけど、それはいったいなぜなのかということを真正面から考える必要があると思う。人間に死があるからなのか、それとも人間そのものが弱い存在で、宗教なしに生きていけないのか、人間の合理性や知性に限界があるからなのか――宗教が存続している理由を考えるべきだと思う。

私はキリスト教徒だけれども、どう考えてもキリスト教は合理性に反しているよね。まず生殖活動なくして子ども、つまりイエスが生まれたということ自体がありえない話だ。また、イエスが死人に対して「若者よ、あなたに言う。起きなさい」と命じたら生き返った（ルカ7：

14）といった話もあるし、イエスの弟子のペテロが湖の上を歩いたという話も聖書には書かれている。

そうした中でも極めつきが、十字架にかけられて殺されたはずのイエスが三日目に甦って弟子の前に現われたばかりか、「私はふたたび戻ってくる」と言って天に上った――こういう話を二十一世紀の今日でもキリスト教徒は信じている。近代合理主義からしたら、絶対にダメなことだよね。

あるいはオウム真理教の問題を考えてほしい。

オウム真理教の事件が起きたのはみなさんが生まれたくらいの時期だから知らない人もいるかもしれないけれど、麻原彰晃という教祖がいて、教団の邪魔になると思った人間を「ポアせよ」という命令を出した。ポアっていうのは暗殺指令だよね。これで実際に何人もの人が殺された。

さらには地下鉄霞ケ関駅でサリンを撒いた。あれは警察の捜査が近づいてきているのを察知した教団が「自分たちの教えが広まるのを弾圧する勢力がいるから、先手を打って退治してやろう」というロジックなんだよね。サリンを吸えば死んじゃうけれども、魂は永遠だからそのうち転生するから心配ない、というわけだ。

みんなはオウム真理教のロジックに賛同できる？　できないよね。

十六世紀の宗教改革の中心人物となったマルティン・ルターのことは知っているよね。ルターはそのころ起きたドイツ農民戦争で、農民を弾圧する側の諸侯たちにこういう手紙を出しているんだ。王に反抗することは神に反抗することなので「農民を叩き潰し、絞め殺し、刺し殺せ」と言うんだ。農民たちが権力に反逆するという罪をあまり犯していないうちに殺せば、終末の日にその人の魂と肉体が救われるとルターは考えた。それで実際に諸侯軍は農民軍を容赦なく、徹底的に叩き潰した。ルターは農民虐殺の扇動者になった。彼と麻原彰晃とは、どこが違う？ 違わないよね。強いて言うならば、キリスト教はエスタブリッシュされた宗教で、オウム真理教はそうではなかったという違いでしかない。

だから「いい宗教、悪い宗教」と言うけれども、その区別はなかなか簡単じゃない。また、どの宗教が危険で、どの宗教が危険じゃないということも言えない。

## 「モスクワのソクラテス」

ところでロケットの起源はロシアにあったという話は知っているか。

「ロケットの父」あるいは「宇宙旅行の父」と言われるのはコンスタンチン・ツィオルコフスキーという十九世紀に生まれたロシア人。彼は独学で数学や天文学を学んで、ロケット工学の基礎を作ったと言われている。生きている間には評価されなかったんだけど、ソ連がアメリカより先に地球を周回するロケット「スプートニク」を打ち上げたことで再評価が進んで、今では広く知られるようになった。

でも、このツィオルコフスキーに思想的影響を与えた人がいる。それがニコライ・フョードロフという人物なんだ。この人は十九世紀の終わりにモスクワにいてルミャンツェフ博物館

（現在のロシア中央図書館）で司書をやっていた。生涯独身で、毛布を持って図書館の隅に暮らしていたという逸話があるくらい研究熱心で、仕事以外の時間はずっと読書に充てて、独自の研究をしていた。

生前から「モスクワのソクラテス」と言われていて、トルストイもドストエフスキーも分からないことがあると、彼のところに相談しに行っていた。給料もそこそこもらっていたらしいけれども、学生たちに「本を買え」「ちゃんと飯を食え」と言って渡してしまって、自分は黒パンと水だけで生活をしていた。ロシアには時々、こういう人が現れるんだよね。

彼はいろんな原稿を書いていたらしいんだけど、生前には本を一冊も出さなかった。死後、彼の原稿を整理して出された本が一冊だけある。タイトルを『共同事業の哲学』というのだけれども、その中に書いてあるのはいわゆる未来学だ。

そこには「近未来において文科系と理科系の学問の完全融合が起きるだろう」という話が書いてある。物理学や生物学や哲学とかがすべて統一された学問体系が生まれて、人類は死者さえも復活させることが可能になるとある。それもさっき死んだ人間ばかりではなくて、時間を遡って、最後にはアダムとエバまで甦らせることができるとある。

もちろん、そんなことは不可能だけれども、もし、それが実現したらどうなるかな？　そう、アダムとエバ以来、どれだけの人類が地上に生まれたか分からないけれども、途方もない数の人間が甦ってくるのは間違いないよね。それは何百億どころではなく、何千億、いや、何兆人になるかもしれない。そうすると土地や空気が足りなくなる。

ニコライ・フョードロフ像（ロシア・ボロフスク市）

その点についてもフョードロフは抜かりがなくて「この宇宙のどこかにはかならず、地球と同じ環境の惑星があるはずだから、そこに移住すればいい」と書いてあって、そこから具体的な移住の方法としてロケットの考察が始まるわけ。

**ロケットの父はロシア人だった**

ロケットの父と言われるツィオルコフスキーは、このフョードロフに実際に会って教えを乞うているんだよ。だから本当の意味でのロケットの父はフョードロフで、そのアイデアがツィオルコフスキーに伝えられて、ロシアのロケット工学が始まるわけ。ツィオルコフスキーもユニークな人で、十歳のときに猩紅熱（しょうこうねつ）で耳が聞こえなくなったんだけれども独学で数学や天文学を勉強して、ロケット工学の基礎となる論文を次々と発表した。

そして、このツィオルコフスキーの始めたロケット工学は、ドイツでフォン・ブラウン博士という人によって発展して、ついに実用化された。といっても、それは宇宙旅行のためのロケットではなくて、ナチス・ドイツの敵であったイギリスを攻撃するためのミサイルV1号、V2号となるんだけどね。

ちなみにミサイルとロケットは名前は違うけれども、原理はまったく同じだよ。ロケットは平和利用のためのものだけれども、それに弾頭を付けて兵器として用いればミサイルと呼ばれる。

そして、このフォン・ブラウン博士の開発したロケット工学はナチス・ドイツの崩壊とともに、ソ連とアメリカが接収した。フォン・ブラウン博士自身はアメリカに行くんだけれども、ソ連のほうがロケット開発に熱心で、アメリカよりも先に人工衛星を打ち上げる。それがスプートニクだ。そのスプートニクが打ち上げられてしまったことでアメリカは大ショックを受けた。なぜかというと、ミサイルとロケットは同じ技術だから、アメリカはいつソ連から核ミサイル攻撃をされるか分からない。しかも、それを防御する方法がないわけだから、アメリカは丸裸になったも同然だった。これをスプートニク・ショックとも呼ぶんだけど、以後、アメリカはフォン・ブラウン博士に命じてロケット開発を始めて、米ソのロケット競争が始まることになる。

それ以後の歴史はここでは省略するけれども、ロケット工学という、二十世紀の最先端技術の始まりは、フョードロフという一人の男の、「万人復活説」とも言うべき奇っ怪な思想から始まったんだ。当時としてはフォードロフの思想は異常なものだったけれども、それが現代史を実際に動かす技術にまで発達したわけだから、どれがいい思想で、どれが悪い思想なんて誰にも分からないということだよね。

ちなみにこの『共同事業の哲学』には日本の陸軍が関心を持って、昭和十八年、一九四三年に白水社から翻訳が出ている（高橋輝正訳）。その思想を知りたいと思うんだったら、うちの大学の図書館に入っているから、読んでみたらいいと思う。

## 「宗教を否定する宗教」もある

話を宗教の危険性に戻そう。

私は同志社の神学部に入った学生に対して、「まだ経験がないなら、一度は教会を見てきたほうがいいよ」と言うことはあるけれども、「キリスト教徒になれ」とか「信徒になったほうがいい」と勧誘したことはない。「洗礼を受けることを考えてみたほうがいいんじゃない」というくらいのことは特定の人に言ったことはあるけれども、それはかなり信頼関係ができていて、本当にそのほうがいいんじゃないかなと思った場合に限る。

なぜかというと、宗教の危険性をよく分かっているからなんだ。

でも、ここでみなさんに注意したいのは、世の中には「宗教であると明示する宗教」もあるが、「宗教を否定している形での宗教」があるということ。

この次に扱うドーキンスは自分は科学者だと言っているけれども、彼の主張はひじょうに危険な無神論教、宗教ヘイト教というべきものであって、彼の著作である『神は妄想である』（早川書房刊、垂水雄二訳）は彼の信念体系の表出であると同時に、宗教体系の著述でもある。

これからの講義では、そのドーキンスの主張を直接読むのではなく、ドーキンスを批判しているマクグラスの著作を扱う。彼は神学者なんだけど、もともと生物学者でもあるし、またマルキストでもあったから、思想の幅が広い。思想の幅が広いということは、それだけ思想を相対化して見ることができるということでもある。

ドーキンス自身もマクグラスの言説に関して、「自分はマクグラスの言っていることには賛成できない」と言っている一方で、「恐ろしいほど正確に自分の主張をまとめている」と評している。つまり、マクグラス自体はドーキンスの主張を捻じ曲げていない。

そこでこれからの講義では、時間的な制約もあるのだけれども、ドーキンス自身の著作を読むのではなくて、マクグラスの書いたドーキンス批判を読み解いていきたい。そうすれば、ドーキンスの思想を要約できるし、その反論も分かる。マクグラスはさっきも言ったようにドーキンス自身が認めるほど、ドーキンスの思想を正しく解釈している人だから、このやり方でもいいんじゃないかと思っているわけだよ。

さあ、ここで一休みしよう。

第 7 講

# 「神殺し」をするドーキンス進化論

## キリスト教神学に一時代を画した『ローマ書講解』

さあ、再開しよう。

これから無神論について語っていこうと思うんだけれども、ここで語る「無神論」での神とはキリスト教が考えている神とは違う。マルクスやフォイエルバッハが言っている、人間が幻想として抱いている神のことを指す。そういう神はキリスト教では「偶像」と言う。

だから、マルクスやフォイエルバッハの宗教批判は、キリスト教神学と何ら対立するものではない。なぜならキリスト教でも、そうした偶像は否定しているから。つまり、マルクスたちの宗教批判は、キリスト教神学においての宗教批判——矛盾しているように聞こえるかもしれないが——と軌を一にしているとも言える。

結局のところ、宗教というのは人間が創り出したものなんだよ。マルクスが言うように、人間が搾取されていくなかで、慰藉、慰めを見いだすために作り出したのが彼らの神であって、キリスト教の教えとは反するものが山のように含まれている。だからキリスト教神学においても宗教批判は不可欠な前提になるわけだ。

しかし、そのキリスト教においても神を語る際には、宗教という形態を採らざるをえない。そこに大いなるジレンマがある。そこにおいて、一つの「解決」を提示したのがカール・バルトというプロテスタント神学者なんだ。

ここで思い出してほしいんだけれども、十九世紀末から二十世紀初頭のころにシュライエルマッハーの「神は心の中にいる」という思想が広まり、そこから人間の心の働きと、神の意志とが混同されてしまうようになったという話をしたよね（377ページ）。その結果、人間は欧州大戦――繰り返すけれど、当時は「第一次大戦」とは言わなかった。第二次大戦が起きるなんて誰も想像してもいないんだから当然だ――が起きて、西欧文明は滅びる手前にまで行った。

この衝撃が第一次大戦以後の新しい科学や文明の勃興を作り出した。人類の知的な地形がまったく変わってしまって、その存在を確率でしか表わせないという量子力学とか、どのような数学の体系であっても、解決不能な命題が存在するということを証明したゲーデルの不完全性定理といったものが生まれてくる。どっちも人間の知性や認識には限界があるということを示唆するものだね。

それと同じような動きは神学でも生まれていた。これは量子力学や不完全性定理よりも早く、第一次大戦が終わった一九一八年に出版されたカール・バルトの『ローマ書講解』（平凡社ライブラリー、小川圭治他訳）という本だ。これは使徒パウロが書いたとされる、新約聖書の「ローマの信徒への手紙」を読み解くというものなんだけれども、これがキリスト教神学においては時代を画する決定的な本となったんだ。

## なぜバルトは「ローマの信徒への手紙」を読み返したか

バルトは一九一四年に第一次大戦が始まったときに、スイスの田舎の村のザーフェンヴィルの牧師だった。バルトは、大戦が始まったときにドイツの文化人たちが出した「知識人宣言」

を読んで、ショックを受けた。というのも、これはドイツの九三人の大学者たちが「これはドイツ文化を守るための正しい戦争なんだ」という戦争を支持する声明なんだけれども、こともあろうにそれをまとめたのがアドルフ・フォン・ハルナックという当時、最も有名な神学者だった。本来ならば平和の大切さを説くべき学者たちがこぞって、戦争肯定論に与(くみ)しているのを知って、バルトは「今まで自分が信じていた神学というものが根底から崩れてしまった」というようなことを述べている。

なぜかというと、バルトにはこの戦争が、国益や民族のためという正当化の下に、最新の科学技術を用いて大量殺戮、大量破壊を行なうことが見えていたからなんだ。

バルトは「なぜプロテスタンティズムに基づく西欧文明がこのような愚行をなすのか」ということを考えるために、パウロが書いた「ローマの信徒への手紙」をギリシャ語で読みなおし、自分自身で翻訳をし、その注釈を書くことによって、もう一度、ゼロからキリスト教について考え直した。

その結果、バルトはこういう結論に至った。すなわち「人間が神について語ることは止めよう」と。

なぜならば、人間が神を考えるということは、偶像を作るということに他ならない。我々は宗教という形で、神について勝手なことを語ってきた。それは人間自身の願望に他ならず、キリスト教が本来禁止をしてきた偶像崇拝を行なっていることと変わらない。

では、いったいどうしたらいいか。

神について語るのではなく、神が語ることに虚心坦懐に耳を傾けるべきだ——バルトはそういう結論に達した。

これは言うなれば、神が上、それも人間の理解を超えた場所にいるということを再認識しようということでもある。

言い換えれば、外部性という形での神の捉えなおしということだけど、要するに人間は神ではないから、神の意志や意図について語ることは本来、不可能なんだという話なんだ。でも、教会で牧師は説教壇に立って、神の言葉、神のご意志を信者に語らなければいけない。ここに大いなる矛盾がある。

カール・バルト

この矛盾を本当の意味で解決するには神の国がやってきて、神自身が語るのを待つ以外にないわけだけど、「この緊張の中で、我々は『不可能の可能性』に挑まなくてはいけない」とバルトは結論づけた。

### 「無神論者の神学」の典型がドーキンスだ

ここから新しいプロテスタント神学が始まるわけなんだけれども、無神論者が考える神というのはバルトの言う神とは違って、偶像崇拝の神のことなんだよね。その典型がドーキンスのキリスト教観なんだ。

では、そのドーキンスの無神論について、マクグラスがどのように語っているかを読んでみよう。


科学は、世界を理解するためにわれわれが有する唯一の信頼できる道具である。科学に限界はない。われわれは、現在未知の問題があるかもしれないが、将来には知ることになるであろう。それはまったく時間の問題である。ドーキンスのいくつもの著書全体を通じて認められるこの見方は、『神は妄想である』の中でとりわけ強調されており、その著書は自然科学の適用範囲が普遍的であることや自然科学が有する概念の優美さを精力的に擁護している。（教文館刊、A・E・マクグラス／J・C・マクグラス『神は妄想か？——無神論原理主義とドーキンスによる神の否定』村岡良彦訳、44ページ）

現時点で、われわれが知ることができないことがあるのは、まだわれわれの科学の発達が不十分であるためで、それは科学が発達した未来においては知ることができるだろう——これはいわゆる「科学主義」という考え方だよね。

前にカイロスとクロノスについて説明したときに「テロス」という単語について説明したのを覚えているか（350ページ）。テロスというのは終末という意味もあるけれども、目的という意味もある。そういう説明だったよね。未来において何かを完全に知ることができるという考え方は、ものすごくテロス的、目的論的だよね。最終的には我々はすべてを知ることができるというドーキンスの考えは、終末論的構成とも言える。そのことをここでは覚えておいて。

それは、実在に対する還元主義的アプローチを提示し拡大するドーキンスに特有の考えでは決してなく、フランシス・クリック（Francis Crick）をはじめとする過去の著述家たちにも認められる。その論点は簡単である。つまり、神が隠れることのできる「隙間（すきま）」はないということだ。科学はすべて——そこには、神という滑稽な考えをいまだに信じる人がなぜいるのかという理由も含まれる——を説明するだろう。しかし、科学界がそのアプローチをどのように理解するかにかかわらず、これが科学界を代表するアプローチであると認めることも、あるいは正しいことが自明な立場のアプローチであると認めることも、まったくできない。（前掲書、同）

ここでマクグラスが指摘しているのは、ドーキンスの考え方は要するに二十世紀初頭、つまり第一次大戦が起こる直前までに西欧世界を覆い尽くしていた、科学万能主義と少しも変わらないということだよね。第一次大戦後に出てくる量子力学や不完全性定理などは理性の限界を示唆しているけれども、ドーキンスはそれを理解していない。だから、彼のアプローチは科学界を代表するアプローチでもないし、それが正しいことが自明であるとは言えないアプローチでもあると、マクグラスはここで立場表明を行なっている。

## ローレンツがナチスに与えた影響

誤解を避けるために、科学には限界があると示唆することは決して科学的方法の批判や中傷でないことを、特に明らかにしておこう。ドーキンスは実際のところ、残念ながら言わなければならないが、科学の適用範囲について疑問を呈する誰に対しても、科学を嫌う大ばか者だと見なす傾向がある。（前掲書、44～45ページ）

しかし、ドーキンスは「科学に限界はない」という命題は自明なものであると信じてやまず、それに疑問を呈する人は大馬鹿者だと決めつける。でも、そこのところが真実かどうかは、哲学的な検証が必要なんだと、マクグラスはすかさず反論をしている。

さて、話が前後するけど、ドーキンスはどういう人かというのを説明しておこう。

彼の主著は『利己的な遺伝子』（紀伊國屋書店刊、日高敏隆他訳）。タイトルにもなっている、利己的な遺伝子とは人間も含めた動物、そして植物はすべて遺伝子の乗り物にすぎないという意味で、遺伝子は自らを複製し、増殖していくこと自体を目的としている存在であるというわけだ。それまでの自然観をいわば主客転倒させるドーキンスのアイデアは、ものすごく大きな思想的なインパクトを与えたんだね。

みんなはコンラート・ローレンツという名前を知っている？　彼の著書である『ソロモンの

指輪』（ハヤカワ文庫NF、日高敏隆訳）とか『攻撃』を読んだ人がいるか。面白い本だよね。

コンラート・ローレンツはノーベル生理学・医学賞を受賞していて、動物行動学の祖であるとされているんだけど、彼の理論で最も有名なのは「インプリンティング」という現象だ。

たとえば、ここに卵から出たばかりのひな鳥がいるとする。そのひな鳥は最初に目にしたものを親だと認識する。普通はそこで自分の生物学的な親を親として見なすわけだけど、もしそれが人間だったらその人が親だと思って、その後を追うようになるし、それが長靴だったら、長靴のあとを追い回す。

ローレンツは優れた発見や観察をたくさんしているんだけれども、一つだけ間違ったのは、動物の行動は種を維持するためにあると考えたところだと、ドーキンスは考える。今では動物の行動は種全体ではなくて、それぞれの個体が生き延びるためにあり、それを子孫に伝えるのが遺伝子の働きだというのが主流説になっている。

ローレンツの時代にはDNAはもちろん、遺伝子の存在もまだ分かっていなかったからしょうがないんだけど、でも、「種の保存」という思想はナチスなどの全体主義にも影響

コンラート・ローレンツ

を与えたんだよね。つまり、個々の個体が生きたり死んだりするのは、種全体に奉仕するものだという俗流解釈が定着してしまった。これは危ない思想だよね。

端的に言えば、日本民族を守るために神風特攻隊に志願するのは、生物学的にも正しいんだという話になってしまいかねないわけだ。実際には動物は種のために生きているんじゃない、個々が生き延びるのを最優先にして行動した結果として、種が保存されているにすぎないというのが、ドーキンス・モデルだ。

余談はこのくらいにして、話を戻そう。

## 「遺伝子は人間に依拠している」と考えるノーブル

（遺伝子は）巨大なコロニーの中で、外界から遮断され、大きな動きの悪いロボットの中で安全に群れをなして動いている。［遺伝子は］外界と複雑で間接的ないくつかの方法を使って交信し、外界を遠隔操作でコントロールする。遺伝子は、あなたの中にも私の中にもある。遺伝子は、われわれの身体も心も造ったのだ。遺伝子の保存は、われわれの存在にとっての究極の理由なのである。

（筆者注・『利己的な遺伝子』よりの引用）


われわれはここに、基本的な科学概念に関する説得力と影響力をもった解釈を見る。しかし、こうしたきわめて解釈的な発言自体が、実際に科学的なのであろ

うか。（前掲書、45ページ）

ドーキンスはコンラート・ローレンツみたいに「遺伝子は種の保存のためにある」とは言わない。しかし、動物は種の保存ではなく、動物自身の生き残りのために行動しているという仮説を、もっと下位のレベルにシフトさせて、動物は自分自身のためではなくて、遺伝子自身の生き残りのために行動しているというわけだよね。

でも、これはあくまでも仮説であって、それを証明することはできない。遺伝子の意思なんか誰も検証できないよね。ドーキンスによれば、遺伝子は外界と交信して、外界を遠隔操作でコントロールしているという。ここまで行くとナラティブ、つまり物語的な話で、科学の領域を超えているよね。

リチャード・ドーキンス

この問題を正しく評価するために、オックスフォード大学の著明な生理学者でシステム生物学者であるデニス・ノーブル（Denis Noble）が、この発言を書き直した次の文章を考察しよう。経験的事実であると証明されたものは保持され、解釈されたものには変更が加えられた。すると今回は、いくぶん異なった解釈を提供している。

（遺伝子は）巨大なコロニーの中にとらえられ、高度な知的存在の中に閉じ込められ、外界によって形造られ、そして外界と複雑なプロセスによって交信する。こうしたことによって、まるでマジックを使ったように、あたりかまわず機能が現れる。遺伝子はあなたの中にも私の中にもある。われわれは遺伝子コードが読まれることを許可するシステムである。遺伝子の保存が完全に依拠するのは、われわれが子孫を残す際に経験する歓びなのである。われわれは、遺伝子の存在にとっての究極の理由なのである。（前掲書、46ページ）

ここでマクグラスは、より事実に基づいた解釈を提示している。ノーブルの新しい解釈によれば、遺伝子は外界と交信することができて、その結果、遺伝子の中に仕組まれていた機能が現われる。そして、遺伝子が存在できるのは、我々が子孫を残すときに経験する歓びがあるからだ――つまり、セックスの歓びが遺伝子を次代に伝える役割を果たしている。我々がいるから遺伝子は存在できている。

この二人の学者の考え方はまったく対立しているよね。我々のような部外者にはそのどちらが正しいかは分からないが、どっちの解釈もそれなりにエスタブリッシュされているというわけだ。

## 神学では複数の解釈が並存しうる

この二つをどうジャッジしていいのかは、私は専門家じゃないから分からない。しかし二つの相異なる見解が、エスタブリッシュされたギャラリーの中にあるというのは事実だよね。

こうした見解の相違はキリスト教神学の中にもある。たとえば、パンと葡萄酒について、カトリック教会はミサと呼ばれる儀式の中において、これらが本当のキリストの肉と血に変化すると考える。

アリスター・マクグラス

それに対して、ツヴィングリ派だとパンもワインも単なる象徴で、パンはパンのままで、ワインはワインのままだと言っている。一方、同じプロテスタントでもルター派だと「キリストの肉と血、パンとワインが混在している」と言っている。

この三つはそれぞれ権利的に同格だよね。どれもエスタブリッシュされている神学者たちが主張していることで、それぞれに支持者がいる。

われわれ神学者というのは、このように複数の解釈が並存していることには全然抵抗感がない。でも、科学においては究極においては理性を優先する。で、その理性を行使して得たデータが誰が実験しても同じであれば、そこにおいては結論も一緒になるだろうという了解が科学主義の中にある。つまり、二つの見解があるときに、どちらかがより正しく、どちらかがより誤っているという形で決着をつけなければならなくなるんだよね。

では、科学的に見たときに、ドーキンスとマクグラスのどちらが正しいか。ここでポイントになるのは、価値判断がそこに混入しているか否かだ。人間は往々にして、自己の価値基準に基づいて物事を判断しがちだ。こういうのを「認識を導く利害関心」と言う。「自分は客観的に考えている」「科学的な思考をしている」と本人は思っていても、その人の背後のところ、無意識の領域も含めて、何らかの利害が関係している。

しかし、進化に関しては、科学の大前提である「追試」などができない以上、こういう解釈的な言説についてはどちらが正しいか、決着がつかない。

## 論点ずらしをやったマクグラス

認識を導く関心について、本当はこの講義の中で扱いたかったんだけれども、私の能力では与えられた時間数ではとてもそこまで触れることができない。せめて、そのとっかかりだけでも紹介したいので、ユルゲン・ハーバーマスのことを紹介したい。彼はドイツの社会哲学者であり、マックス・プランク研究所の所長を務めたこともあるので、まさに文理融合的な知性の持ち主だ。

【ハーバーマス　Jürgen Habermas　1929〜】ドイツの哲学者、社会学者。いわゆるフランクフルト学派の中に育ち、《公共性の構造転換》（1962）によってハイデルベルク大学教授となり、まもなくフランクフルト大学教授として哲学と社会学を講じた。つぶさに学生紛争を味わい、1971年以降は、科学技術によって刻印されている現代文明世界における人間の生体験の諸条件の研究を目的とするマックス・プランク研究所教授に任ぜられ、その後もきわめて多産な著作活動を展開している。学派的にはM・ホルクハイマーとT・W・アドルノの衣鉢をついだ第2世代フランクフルト学派のマルクス主義者であるが、とくに社会学における批判的合理主義（H・アルバート、K・R・ポッパー）、精神科学における解釈学（H・G・ガダマー）との方法論争をつうじて、マルクス主義に従来欠けていた柔軟な方法論的基礎を与え、西欧マルクス主義の再構成に大きく寄与した。主著《史的唯物論の再建のために》（1976）ほか。（平凡社『世界大百科事典』細谷貞雄）

『史的唯物論再建のために』もいい本だけども、認識を導く関心の関連で読んでいただきたいのは『認識と関心』（奥山次良他訳）という本だよね。未來社から出ているので、関心がある人は、この講義の後に読んでほしい。

## マクグラスの失点

さて、マクグラスに話を戻すよ。

ドーキンスの見解では、科学は神への信仰を破壊したのである。そして、科学は神を文化の隅へと追いやり、そこでは神が妄想を抱いた狂信者たちによって信奉される。もちろん、その見解には問題点があることは明らかだ。つまりその問題点とは、むしろ多くの科学者が実際に神を信じているという点である。『神は幻想である』は二〇〇六年に出版された。その同じ年、三冊の著書が優れた科学者たちによって出版された。ハーバード大学の著名な天文学者であるオーウェン・ギンガリッチ（Owen Gingerich）は『神の宇宙』（*God's Universe*）を出版し、「宇宙は意志と目的をもって創造され、そしてこの信念は科学的な営みによって妨げられることはないのだ」と断言した。フランシス・コリンズは、『神の言語』（*The Language of God.* 邦訳『ゲノムと聖書』）を出版し、そこで自然に対する驚きと自然の秩序は創造主である神を指し示していると論じたが、それはほぼ伝統的なキリスト教の概念に添うものだった。この著書の中で、コリンズは自分自身が無神論からキリスト教信仰に転向したのだと述べている。このことは、真の科学者は無神論者であるとのドーキンスの頑なな主張には、ほとんど適合しない。

（マクグラス『神は妄想か？』、52～53ページ）

ここのところは、マクグラスも筆が滑ったということだろう。

マクグラスはドーキンスの仮説はしょせんナラティブなもの、物語にすぎないと言っていたにも拘わらず、自分も似たような主張をしている。

それはどこかというと、「ドーキンスは『科学は神への信仰を破壊する』と言っているけれども、実際には神を信じている科学者はいるじゃないか」というところだ。これは言ってみれば論点をずらしている。神を信じている科学者がいるからといって、ドーキンスの仮説の反証、否定にはならない。論争をやっていると、こうした論点回避を行なう人がいるが、残念ながらマクグラスも例外ではないということだ。

でも、これは典型的な神学の考え方ではある。結論をまず決めておいて、そこへの道筋をどのように付けていくかと、いわば逆算的にロジックを組み立てていく。そのプロセスにおいて、相手から反論をされても本質的な影響は受けない。それが神学者の議論の特徴ではある。だから、マクグラスはこういう組立てをしているとも言える。

でも、科学者はそれを真似したらダメだよね。「最初に結論ありき」で、議論を拒否していくのではなく、フラットな、開かれた精神で議論をしていき、その中で結論を見いだしていくというのが近代科学のモデルだ。

でも、こういうコミュニケーションモデルというのは、実際のアカデミズムにおいてもきわめて成立しにくい。それも事実だね。

科学者だって人間だから、他人をうらやんだり、嫉妬したりする気持ちから自由になれるわけじゃない、誰かが大きな成果を上げたといったら、全員が心の底から喜んで手放しで拍手してくれるわけじゃないよ。

たとえば、小保方晴子さんで有名になったＳＴＡＰ細胞事件を見る上においても、実はそういった焦りとかライバル意識、人間的な葛藤という、そういう側面を無視しては論議ができないよね。

ただ、大人というのはそうした気持ちを上手に押し殺して「よし、頑張ろう」というふうに思うものだけれども、でも、そこでほころびが起きてしまうことは少なくない。

## 宗教には世界観的宗教とそうでないものがある

だから、君たちに忠告するけれども、将来、みんなの前で褒められるようなことがあったとき、単純に喜ぶだけじゃなく、自分の周囲の人たちがそれをどのように受け止めているか、思いをはせることも大事なんだよ。

少なくとも、この問題にささやかな光を投げかける調査がある。一九一六年に、現役の科学者たちに、神——特に人間と積極的にコミュニケーションをとる神であり、また人が「答えを受け取ることを期待して」祈りをささげる神——を信じているのかどうかを尋ねた。その定義によれば、理神論者は神を信じていないことになる。その結果はよく知られており、約四〇％がこの意味での神を信じていた。そして四〇％は神を信じておらず、二〇％はよく分からないとするものだった。まったく同じ質問を用いて、一九九七年に再度同じ調査が繰り返し行われ、神を信じないとする人々が少し増加していた（四五％まで）が、ほとんど同じパターンが見出された。こうした意味での神を信じる人の数は依然として約四〇％と安定していた。

もちろん、これらの結果をどのような仕方でも解釈することができる。無神論者はこの結果を解釈して、「科学者のほとんどは神を信じていない」ということが多い。しかし、事態はそれほど単純ではない。同様に、五五％が神を信じているかあるいは不可知論者であるという点で、その結果は「科学者のほとんどが神を信じていないわけではない」ことを意味していると解釈することができるだろう。しかしながら、二つの点を心に留めておかなければならない。（前掲書、53〜54ページ）

調査対象になった科学者はもちろん神学的な訓練を受けていないから、「神を信じている人」といっても、前にも説明したように、人間が自分自身の表象の中で組み立てた「神」を信じている人や、あるいはひじょうにプリミティブな形での「全能の神」みたいなものを信じている可能性は高いよね。キリスト教の神を信じているとは限らない。

改めて説明しておくと、宗教は二通りあるわけね。

一つは、自分が悩んだり、困ったりしたときに救ってくれる神様を信じるという形の宗教。たとえば、お祓いをするとか、加持祈禱をしてもらうとか、お布施を包むとか、いろんな形があるけれども、こちらが何かを提供したら、それに対してお返しをしてくれるような神様だね。

それともう一つは、生活のすべてが宗教によって律されないといけないという、「世界観型」の宗教。

キリスト教は言うまでもなく、本来、こちらに属するわけだけども、時代を経るにしたがって、「すべての教えを守らなくてもいいのだ」というふうに変わっていった宗派もある。その結果、欧米のキリスト教徒は自分はクリスチャンだと自称していても、クリスマス以外、教会にはほとんど行かないという人も多い。

### 国家神道は宗教だったか

そこでちょっと話は横にそれるんだけど、日本の固有宗教は神道だと言うけれども、自分は神社の氏子として活動しているという人はどれだけいるだろう？　地方ならばともかく都市部ではほとんどそういう人は見いだせないと思う。キリスト教徒なのに教会にはクリスマス以外には行かないというのも、それと同じ感覚だと思えばいいよ。

ちなみに、戦前の神道は「宗教」ではなかった。戦前は国家神道だったということは教わるだろうけれども、国民――いや、戦前は臣民と言った。国民はみな天皇の臣下という位置づけだから――が、みな神社へ行って参拝しなくてはいけなかった。そういうのは宗教活動でなくて、習俗、習慣であると戦前の日本政府は主張していた。

なぜなら、戦前の日本にはクリスチャンもいたし、新宗教の熱心な信徒であるという人もいた。そういう人たちもみんな神社に行って参拝しなくてはいけない。あるいは天皇のおられる皇居のほうを向いて、拝礼をする。学校行事では天皇のご真影に対して、拝礼をする。

こうなると、もう宗教性はそこにはないという扱いだった。それが「国教」ということなんだ。

だから戦前の日本キリスト教団は、朝鮮半島のキリスト教徒たちが神社参拝を拒否したのを諫めたわけ。「これは信仰の問題ではなくて、単なる習俗の問題なんです。神社を参拝したからといって、偶像崇拝にも当たりません」と。

大阪の森友学園は今ではなくなってしまったけれども、あの学校の問題は、安倍晋三記念小学校を作ろうとしたとか、幼稚園児に「教育勅語」とか「五箇条のご誓文」を唱えさせたことじゃない。

それを言ったら、キリスト教系の幼稚園で「主の祈り」を読ませているところもある。「天にまします我らの父よ」という有名な祈りだね。その「主の祈り」と教育勅語は、原理的には同格だと思う。だから、教育勅語を子どもに読ませたい親は読ませればいい。

しかし、あの籠池（かごいけ）さんという人は「神道は宗教じゃない」と言った。それは大きな間違いで、戦前の国家神道は確かに宗教ではないけれども、戦後の神道は宗教だ。だから宗教教育ではないという主張は完全に間違っている。日本国民の習慣であるという理由で学校が強制して、教育勅語を読ませたりすれば、それは完全に憲法違反だし、教育基本法に反している。

## なぜ中立的な戦没者追悼施設は不可なのか

私がひじょうに危惧しているのは、東京・千代田区にある「千鳥ケ淵（ちどりがふち）戦没者墓苑」なんだ。キリスト教も、創価学会も「靖国神社の参拝は問題だが、戦没者墓苑なら問題ない」という見解を持っているようだけれども、これは絶対にダメだと私は思っている。

というのは、追悼行為自体が宗教儀式だから。追悼という行為そのものに宗教性がある。追悼というのは、『広辞苑』第七版によれば「死者をしのんで、いたみ悲しむこと」だけど、この前提には人間は死んだのちにも魂があるから、それを慰めるという観念がある。これは宗教的感覚だよね。そうした施設を「宗教的に中立である」と認めた瞬間に国教になる、千鳥ケ淵戦没者墓苑への参拝を強要することは、政教分離原則に違反する。

私は、靖国神社は別に問題ないと思っている。靖国神社は宗教団体であることを標榜しているし、「靖国神社に行きたい」と思う人は行って、二礼二拍一礼であそこに祀られている戦没者、神社の立場からすると英霊にお辞儀をすることは全然かまわないと思う。自分が内発的に「それでいい」と思うのなら、それでかまわない。それは信教の自由の問題だ。

ただ、外国との関係において、靖国神社にはA級戦犯が合祀されていて、天皇自身もあそこには参拝していない。そういう場所にあえて総理大臣が行くことは、外交的にはある種の意味を持ってしまうから、そこのところは慎重に対応すべきだ。これは政治におけるリアリズムの次元としての話だ。

ただ、総理大臣を離れて私人になって靖国神社に行くということだったら、それは彼自身の内心の話だから、それは全然問題ない。総理大臣もまた日本国民であるわけだから内心の自由を有している。

でもそのへんの線引きをよく考えないと、見えない形での国教が入ってきちゃうというのがあるんだよね。

さて話を元に戻そう。

## 科学者たちははたして「無神論者」なのか

繰り返しになるが、科学者たちに尋ねられた質問はかなり限定されたものであったことは強調されなければならない。つまり、質問を受けた科学者たちは祈りに応(こた)えることを期待されているような人格神を信じていたのだろうか。この質問は、科学的証拠が何らかの神あるいは究極の霊的原理を指し示すと信じるポール・デイヴィスのような科学者を締め出してしまう。もしも、その質問がより一般的な用語で作られていたならば、二回の調査でさらに多くの肯定的な答えが得られていただろう。この質問が有するその本質は、一九一六年と一九九七年の両者の結果に関する論評では見過ごされていることが多い。（前掲書、55ページ）

ここのくだりは面白いよね。要するに「神を信じている」と言う科学者の中で、キリスト教のような人格神を信じているかというと、そうとも限らないのではないか。つまり、宇宙の隅々まで通用する物理法則に神や宇宙の精神を感じるという人たち——いわゆる理神論だけれども——がかなり多いのではないかということをマクグラスは示唆しているわけだ。

しかし、こうした調査の詳細になると実際には話が変わる。ドーキンスは、次のようなかなり厄介な事実との格闘を余儀なくされる。つまり、自然科学は無神論に至る知的な高速道路であるとする彼の見解が、その科学者たちの宗教観とは関係なく、彼らのほとんどから拒否されているという事実である。私と面識がある中で、神を信じないとする科学者のほとんどは無神論であるが、このことは彼らが営む科学とは別の理由に基づいている。つまり、無神論という前提は科学に基づいているというよりも、無神論者である科学者が科学へと無神論を持ち込むのである。（前掲書、55ページ）

ここの指摘は面白いよね。科学研究をしている中で無神論者になったというよりも、もとももと無神論的傾向のあった人が科学者になっているのではないかという指摘だ。これは立場設定の問題だとも言えるよね。

## ヒトラー、スターリン、ドーキンス

ドーキンスはこの問題を扱うが、その方法はまったく受け入れがたい。例えば、量子電子力学における画期的な仕事でノーベル賞を受賞した物理学者のフリーマン・ダイソン（Freeman Dyson）に関するドーキンスの批判的な発言を考察しよう。二〇〇〇年に宗教分野でのテンプルトン賞を授与された際に、ダイソンは宗教がもつ負の側面にも注意を向けながら（そして批判しながら）も、宗教の功績を称える受賞演説を行った。彼は、無神論のもつ負の側面も明確に知っており、二〇世紀の悪の典型である二人、アドルフ・ヒトラー（Adolf Hitler）とヨシフ・スターリン（Joseph Stalin）は、共に無神論を表明していたことに注意を向けた。ドーキンスは、「世界で最も代表的な物理学者の一人による宗教の承認」であると述べ、これを臆病者の背徳行為であり裏切り行為であると見なした。（前掲書、56ページ）

ヒトラーも無神論を表明しているし、スターリンも無神論を表明したけれども、ヒトラーの無神論とスターリンの無神論は同じだろうか、それとも別物だろうか。

結論から言えば、ヒトラーは何も信じていないんだよね。まっさらな無の上に人間はある。そういう世界観なんだ。そしてその上に生存競争があって、強い者は生き残って、弱い者は滅びる。そういう考え方の無神論だった。

スターリンの場合は、無神論が内包されている共産主義という体系を信じていたんだよね。だから、彼の場合には無神論には目的がある。最終的には階級がなくなった、いわば楽園のような世界が生まれるという、目的論的構成があるわけだよね。

ヒトラーの無神論には目的論がない。生存だけがすべて。スターリンの無神論には目的論があるよね。だからだいぶ違う。

そこで本文に戻ると、ダイソンが指摘していることは重要だ。たしかに宗教にはさまざまな問題があって、宗教的な偏見から人類はひどいことをさんざん行なってきた。だが、逆に無神論者だってそれ以上にひどいことを行なっているじゃないかとマクグラスは主張する。

無神論だから科学的であり、なおかつそうした知的態度が人間にとって良き事柄なんだとは全然言えない。無神論か、神を信じているかということは、科学から独立している事象であり、また倫理観も科学から独立した事象だ。

## はたしてドーキンスは無神論者か?

しかし、事態はさらに悪化することになる。ダイソンが、自分はキリスト教徒であるが三位一体の教理にあまり関心がないと論評した際に、このことが意味しているのはダイソンがキリスト教徒ではまったくないということだと、ドーキンスは主張した。ダイソンは単に信心深いようにふるまっていただけなのだ！「もし、自分がキリスト教徒であるように聞こえることを彼が望んでいたのだとすれば、それは、無神論者である科学者であればだれでも言うであろうことにすぎないのではないか」。それが意味するのは、ダイソンは非常に迎合的であるが、それは金銭的な利益を得るために宗教に関心があるふりをしているからということだろうか。ダイソンは実際のところは無神論者であるのに、キリスト教徒のように「聞こえる」ことを望んでいたにすぎないのだと、ドーキンスは言っているのだろうか。同じことはアインシュタイン（Albert Einstein）にも当てはまる。彼は科学を説明する際に、宗教的な言葉と宗教的なイメージを用いることが多かった。（前掲書、56〜57ページ）

ここはちょっと分かりにくいね。要するに、ドーキンスは「ダイソンとかアインシュタインは本当は神様を信じていないんだけども、神のような概念を尊重するとか宗教に敬意を払っているふりをしているだけに過ぎない」と批判している。つまり、そのように振る舞ったほうが、無知蒙昧（むちもうまい）な一般人が喜ぶからだというのがドーキンスの解釈だ。

でも、それが正しいとすれば、なぜダイソンやアインシュタインは大衆を喜ばせたいわけだろう？ それは要するに、世間を敵に回したら得にならない。さらにそれを別の言葉で言えば、お金が儲からない。だから、そういうふりをしているんだというのがドーキンスの主張なんだね。

でも、ここで端なくも、ドーキンスの信じている宗教が現われているよね。それはどういう宗教だろう？　Tくんは何だと思う？

（T）金儲け教というか……。

まさにその通り。いわゆる拝金教（はいきんきょう）だね。

「ヒトはお金で動く」、それをもうちょっとソフィスティケートして言うと「ヒトは利害得失によってのみ動く」ということをドーキンスは暗黙の裡（うち）に前提にしている。ということは、ドーキンス自身がそういう価値観を持っている人だということだよね。「カニは自分の甲羅に合わせて穴を掘る」。そういうことだね。

卑俗な例で言えば、ある男性教授が特定の女子学生に対して熱心に指導をしているとする。それを見た別の教授が「あの男は女子学生に気があるんだよ」と言ったとするよね。それは、その人自身が「もしもチャンスがあれば、自分ならば女子学生と仲良くなりたい、口説きたいと考える」と告白しているようなものなんだ。世の中には、なんでもそういう解釈に持ち込みたがる人がいるけれども、それはその人自身がそういう欲望を持っているということに他ならない。でも、当人はそれについてはまったく自覚していない、というわけだ。

ドーキンスはアインシュタインもダイソンも人の子なんだから、カネや尊敬が欲しいんだと解釈するわけだけど、それは彼自身のことなんだよね。

## 独断論か不可知論か——フッサール

ここでも他の場所と同様に、ドーキンスは真の科学者は無神論者でなければならないという彼の核心となる前提によって駆り立てられている。科学者たちは宗教的信念、宗教への関心、あるいは宗教への関与を告白するときに、自分が無神論者であると言えないだけなのだ。ドーキンスの仲間である科学者たちの発言をこのように拒否しながらも、彼がどのような人々への説得を望んでいるのかが私には分からない。それはまさに独断が観察に勝ることを示している。（前掲書、57ページ）

ここはすごく重要な話をしているね。ドーキンスは独断の人なんだけれども、独断ってすごく強いんだ。生命医科学を学んだり、社会学をやっていたりする人たちから見ると、神学をやっている我々の主張は全部、独断論に聞こえると思う。実際、その通りなんだよ。

二十世紀の現象学者フッサールは「人間の思考は二通りのスタートしかできない」と言っている。それは何かというと、独断論と不可知論だ。この二つのどちらかからしかスタートできない。

独断論というのは「これが正しい」「世の中はこうなっている」というところから始まる考え方だね。まず、大前提があってはじまるのが独断論。一方の不可知論は「何が正しいのかまったく分からない」というところからスタートする。つまり、あらゆる前提を取り払ったところから、ゼロから考える。

いわゆる自然科学は不可知論から始まっているよね。たとえば、太陽と地球の関係について、我々は地球の周りを太陽が回っているように思うけれども、それが正しいかどうか分からない。だから、ゼロから考えてみる。そうすると、太陽が地球を回っているということはどうもうまく説明できない。それよりも地球が太陽の周囲を回っていると考えるほうが合理的に説明できるから、こちらのほうが正しいのではないかと考える。

でも、その地動説も本当に正しいのか分からないから、またいろんな形で検証してみると、我々は太陽系の中に属していて、その太陽系自体が宇宙の中を動いていると分かってくる。科学はそういったぐあいに、つねに結論を留保しておく。それはなぜかというと、「我々はなにも知らないのではないか」ということが原点にあるから。

それに対して、神学とか哲学とか文芸批評とか、そういう分野は独断論から始まる。というのも、こうした学問は基本的に主観から、つまりナラティブなことをベースにしているから。たとえば「私は神の存在をたしかに感じた」とか、「こう生きるのが正しい」というところから始まるのが独断論だ。

もっと卑小な話で言うならば、誰かが「僕はさっき今出川（いまでがわ）通りを歩く牛を見た」と言う。それに対して「こんなに車が走っているところに牛が歩いているわけはない」と反論しても、「そんなことを言っても、実際に歩いていたんだ」とその人が言い張るので、実際に今出川通りに二人で行ってみるけど、牛なんか歩いていない。そこであなたが「ほら見ろ、牛なんかいないじゃないか」と言っても、「僕はたしかに見た。もうどっかに牛は行っちまったから、ここにはいない」という具合で、どうにもならない。

こうなるとあとは喧嘩しかないけれども、学問の場合はそうならずに、もうちょっと実証的なところで批判が始まる。「あなたはそう思っているかもしれないけれども、現実は違うんじゃないんですか」という形でね。

## 小説はすべて独断論である

たとえば、司馬遼太郎の『坂の上の雲』という作品を知っている？　読んだことある？　ドラマで観た人もいるだろうね。

外務省で私が若い人たちの研修をしたときに言ったのは、『坂の上の雲』でロシアを知ろうとしたらダメだということ。

それは何かというと、あの小説の中にスパイ——当時の言い方だと「間諜」——の明石元二郎の話が出てくる。そこでは明石とレーニンが親友であるという話が出てくる。たとえば、こんな一節だ。

明石は、葉巻をすすめた。
モトは、その贅沢そうな葉巻をみて、多少ひるんだような顔をした。

明石はすかさず、

「私は、独立運動や革命運動につよい同情をもっている。しかしこの葉巻だけはやめられない。かつてレーニンが、労働者とつきあおうとすれば葉巻だけはやめよ、という意味の忠告を私にした」

というと、モトは表情を急にあかるくし、

「君は、レーニンの友人か」

と、反問した。明石はたしかにレーニンの友人であったといっていいが、しかし謙虚に、

「理解者のつもりでいる」

とのみいった。（文春文庫『坂の上の雲』六巻）

司馬遼太郎は日露戦争のときに、明石元二郎がレーニンに働きかけて、モスクワやキエフなどでのデモを扇動させ、政府攻撃をさせたと書いている。陸軍の長岡外史（ながおかがいし）が「明石の活躍は陸軍十個師団に相当する」と言ったという話も有名だ。

でも、実際のところ、明石はレーニンには一度も会ってないんだ。というのも、日本人・明石元二郎の行動については当時の帝政ロシアの秘密警察がずっと監視しているんだよ。その記録が残っているんだけれど、明石がレーニンに会った形跡はない。ではなぜ司馬遼太郎が『坂の上の雲』でそのようなことを記しているかというと、明石元二郎の回想録を元にしているか

らなんだ。

明石はすごくナラティブな人なんだ。たしかに彼は優れたインテリジェント・オフィサーだったけれども、優れたスパイは話を面白く膨らませる能力もある。だから、レーニンに会ったという話も、葉巻きの話もすべて彼の証言しかない。

だから私は外務省の研修で、「みなさんは外務省のロシア専門家だから、日露戦争に関する知識は実証的な日露戦争研究の本で覚えてください。司馬遼太郎の『坂の上の雲』で日露戦争を勉強してはいけません」。こういうふうに言った。

小説は全部、独断論なんだ。不可知論から小説を始めることはできない。小説の読者は、その登場人物たちは普通の人間のように考えると思って読んでいるからね。それなのに作者が「いや、彼が何を考えていたかはまったく分からない」としていたら、話にならないよね。

明石元二郎大將（明石元長男藏）

明石元二郎

もちろん、科学者だって四六時中、不可知論の中で生きているわけではない。科学に対する情熱とか、生き方とかについては独断論的な部分を持っているかもしれない。それがはたして実際の研究にどれだけの影響を与えているのか、それともいないのか。そのあたりはとりあえず問題点として、ここはオープンエンドにしておいて、性急に結論を出さずに話を進めていこう。

## 合理的ではあるが、非科学的な結論

ドーキンスが宗教の起源の心理学的説明を行う際に直面する問題は、以下のようだと言えよう。つまり人間の認知プロセスのいくつかの特徴は、宗教的観念がどのように生じ、維持されるのかを説明するのに役立つと論じることは確かに可能である。しかし、心理学者のフレイザー・ワッツ（Frazer Watts）が指摘するように、こうした領域にあるさまざまな原因の多様性を認識することが必要である。「Aの原因は何か。その原因はXか、あるいはYか」という慣れ親しんだ問い方に陥ってしまった科学者もいる。（前掲書、84ページ）

この最後の文章、「Aの原因は何か。その原因はXか、あるいはYか」というのはどういうことを指しているんだろうか？

Sさん、エイズの原因は何？

（S）ＨＩＶウイルスです。

ある人がエイズに罹（かか）ったことが分かったら、どういう経路でＨＩＶウイルスに感染したかを知ろうとするのは、一つの合理的態度、科学的態度と言えるよね。

でも「因果関係を問う」という合理的態度であっても、かならずしも科学的であるとは限らない。

エイズという伝染病に罹った。その原因は何だろうかということを村の呪術師に訊ねたら、それはよその村の呪術師が呪いを掛けたんだという答えが返ってきた。これもまた「因果関係を問う」という意味では同じだよね。ただし、科学的ではない。

今の例などは分かりやすいけれども、実は我々の周囲には「合理的であっても、科学的ではない」というロジックがたくさんある。その代表格が、この講義でさんざん扱ってきた、ナチスの人種説だよね。いかにも科学的な装い(よそおい)をしているけれども、実はきわめて非科学的な言説――これは、いわゆる代替療法などの中にも多いよね。

さて、さっき言った病気と呪術師のたとえは、ハーバーマスが『コミュニケイション的行為の理論』(未來社刊、河上倫逸他訳)という著書の中で述べている話なんだ。論理性と科学性、合理性と科学性をみな一体として見ているけれども、そうじゃない。合理的だけど、非科学的な言説はいくらでもある。

思いつくままに挙げていくならば、新宗教とか、自己啓発セミナーとか、陰謀論とか、民間療法とか、みんな科学的な外見をしている。しかし、それは実は一種、合理的な説明であっても、科学とは何の関係もないんだよね。

それらに共通するのは、ロジックの前提となるものに飛躍があるということ。

たとえば、「エホバの証人」などの一部の宗教や宗派では輸血を禁じている。それはなぜかというと、輸血は神の意思に反しているからだと言う。たとえ医者が輸血をいくら勧めても、そういう言葉に従ってはいけない。そういう話になる。

みんなは輸血を禁じるなんて非科学的で、非合理だと思うよね？　でも、最初の段階で「輸血は神によって禁止されている」とすり込まれてしまうと、どんなに周りの人が説得しても、その人にとっては合理的な話には聞こえない。むしろ、悪魔の囁きのように思えるわけなんだ。

合理性と科学性の間はイコールでつながらない。そこを認識しておいてほしい。非科学的なんだけども、合理的な思考というのはいくらでもある。そこにハマってしまうのは、とても危険なことなんだ。

**はたして神風特攻隊は無意味だったか**

でも、世の中にはさらに怖いものがある。それは何かというと「限定合理性」だ。

前の戦争のときに、日本は神風特攻隊というのをやったよね。アメリカ軍の艦船を狙って、体当たり攻撃をする。もちろんパイロットは死ぬし、飛行機も失ってしまう。これは合理的かな？

（K）非合理です。

現在の我々が考えると、非合理的だよね。

そもそも、パイロットというのは軍隊の中でも、ひじょうに貴重な存在なんだ。他の兵隊を養成するのに比べたら、パイロットの養成にはその何倍、何十倍ものコストがかかっている。

その貴重なパイロットを体当たり攻撃に使うというのは、どう見てもおかしいよね。そもそも、その攻撃が成功したからといって、戦局が逆転するわけもない。かりに逆転したところで、肝心なパイロットがいなくちゃ、反転攻勢もできないよね。

しかしそこでちょっと視点を変えてみる。

つまり、このまま行けば、どんなことをやっても日本は負ける。それを前提として考えたときに最も合理的な手段は何かということだ。

当時の日本にとって、最も避けなければいけないのは本土決戦。つまり米軍が日本列島に上陸して、非戦闘員をも巻き込むかたちで戦闘が起きる。沖縄戦の何十倍、いや何百倍もの犠牲者が出るだろう。

こういう最悪の状況を避けるにはどうしたらいいか。

それには、アメリカ軍に「もし、日本に上陸しようとしたら、手ひどい反撃を受けることになるよ」と思い知らせるのが一番いい。つまり、最後の最後まで降伏しないばかりか、命を捨てるのを覚悟でゲリラ攻撃、肉弾攻撃をしてくるかもしれない。そうするとアメリカの兵士の損耗率も高くなるけれども、それでもいいのかというシグナルを送る。

それには、日本上陸が行なわれる前に徹底的に特攻をして、日本人の覚悟を見せる。そうすれば、アメリカ人も本土決戦をためらって、講和に持って行けるのではないか——こういうふうに考えるのはけっして不合理なことではないよね。本土決戦で死ぬ日本人の数に比べれば、特攻隊のパイロットの死は微々たるものだ。

これが「限定的合理性」の典型例だ。本土決戦という、ある限定的な条件の中で最も合理的な選択肢は何かと考えたときに、神風特攻隊も正当化できるというわけだ。

でも、現実はそうならなかった。

カミカゼ・アタックや壮絶な沖縄戦を体験したアメリカ軍のほうも「これでは日本本土に上陸したら、どれだけ我が軍に被害が出るか分からない」と考えた。そこで彼らは彼らなりの限定的合理性の中で考えた結果が、原爆投下だ。

これ以上、日本の継戦意思が続かないようにするためには、我が方の秘密兵器を使う。原爆を日本に投下すれば、いかに日本人といえどもアメリカに抵抗するのはムダだと分かるだろうと考えた。たしかに原子爆弾でたくさんの民間人が死ぬけれども、上陸作戦を行なわずに済むと思えば、このほうがずっと人道的だとアメリカ政府は考えた。

実際、今でもアメリカ人の多くは、広島、長崎への原爆投下は人道的だったと信じていて、それがアメリカ人の大多数の見解でもある。

### 日本軍にも「限定合理性」はあった

菊澤研宗(きくざわけんしゅう)さんという慶応大学商学部の先生がいる。その人は『組織の不条理――日本軍の失敗に学ぶ』(中公文庫)という本を書いている。これはすごく有益な本で、アメリカの制度学派という経済学の考えに基づいて、企業の経済活動を分析するのが彼の専門なんだけど、そのツールを使って日本軍の失敗がどこにあったのか、そしてそれが今の日本企業でも繰り返されているかを書いた本なんだ。

みんなはガダルカナル島の戦いって知っている？　ガダルカナルはパプア・ニューギニアの東にあるソロモン諸島の島なんだけど、第二次大戦のとき、日本軍はオーストラリアとアメリカとの連絡を遮断するために、ガダルカナルに飛行場を作って、この一帯の制空権を得ることにしたわけ。

ところが日本軍が予想したよりも早く、アメリカ軍がガダルカナル上陸作戦を決行したから（一九四二年八月七日）、日本軍はほとんど反撃もできないまま飛行場を奪われてしまう。それで今度はその飛行場を奪い返すために、日本軍はガダルカナルに兵を送り込むんだけれども、古来から「やってはいけない」とされている、戦力の逐次投入（ちくじとうにゅう）をやってしまうんだね。つまり、最初から全兵力を投入するのではなくて、戦力を小出しにしてしまったために奪還できなかったばかりか、きちんと食糧や弾薬の手当ができなかったから、ガダルカナルに派遣された部隊は戦うどころではなくて、どんどん餓死してしまう。それで最終的にはガダルカナルを諦めることになるのだけれども、当時の軍部はそれを「撤退」とは呼ばずに、「転進」と言い換えた。以後、日本軍は転進に次ぐ転進で、どんどん後退していくことになる。どこから日本軍の敗北が始まったかは人によってさまざまな解釈があるけれども、このガダルカナル島の戦いでの敗北が大きな転換点になったのは間違いない。

そのガダルカナル戦に関しては、兵力の逐次投入だけでなく、日本軍の戦い方についてさまざまな批判がなされてきているんだ。

たとえば、アメリカ軍は自分たちが占領した地区は鉄条網で完全に囲って、大量の機関銃を配備して防衛をしていた。これに対して、日本軍は日露戦争以来の得意技とされてきた夜襲を何度も仕掛けるんだけど、そのたびに機関銃を浴びせかけられて、どんどん死んでいくわけだ。アメリカ軍の兵士と白兵戦に持ち込めれば勝てると日本軍は思っていたんだけど、そもそも鉄条網にたどり着くことさえもできないのでは、どうしようもないよね。

そこで、「日本軍は非合理な精神主義に基づいて作戦行動を行なっていたから、合理的で、しかも物量において圧倒的な差があったアメリカ軍に負けたんだ」という定評が戦後は確立したわけだけれども、「はたしてそうだろうか?」と疑問を投げかけたのが先ほど紹介した菊澤先生の本なんだ。

もちろん、日本軍は負けたわけだから、そこには敗因があるわけだけれども、しかし、当時の日本軍首脳に合理的思考がなく、アメリカ軍首脳にはあったとするのは一方的な非難であるというのが菊澤先生の指摘だ。

みんなは行動経済学、あるいは経済心理学という言葉は知っているか。経済学においては人間は「合理的存在」とされるけれども、しかし、人間の合理性には限界があって、自分では合理的に判断していているように思っていても、実は合理性を失うということがままあるんだ。それを研究するのは行動経済学だ。

## サンクコストの罠

その行動経済学で重要なアイデアとされているのが「サンクコスト」あるいは「埋没コスト」という概念だ。たとえば、君たちが株で投資をしたとするね。一〇〇万円を相場に投資したら、それが八〇万に減った。さて、どうするか。さらに相場が下がって六〇万円になるかもしれない。いや、もっと下落して四〇万になるかもしれない。そうしたら、「損切り」して八〇万円の今、売ってしまえば二〇万円のマイナスで済むよね。合理的な思考をするならば、その八〇万円を別の投資に回すことにしたほうがいい。

でも、たいていの人はそういうことができない。「もう二〇万円も損をしている」という事実に引っ張られて、せめて元金を取り返さないといけないと思うので、さらに相場につぎ込むことになる。それでたいていの場合は持ち金をもっと減らしてしまうわけだよね。

同じ状況にあっても、投資のプロはそう考えない。二〇万円のマイナスで済んでよかったと思うわけ。でも、普通の人は二〇万円の損を取り返さないといけないと思って、ますます泥沼に入る。これがサンクコストの罠なんだよ。

ガダルカナル島の戦いで日本軍が陥ったのもまさにサンクコストの発想なんだよ。ガダルカナルでは最初に一木清直（いちききよなお）大佐が率いる一木支隊を投入するんだけれども、これがほぼ壊滅状態になって、九一六名のうち、生きて戻れたのは一二六名しかいなかった。

そこで日本軍の首脳が「今の兵力ではガダルカナルは奪還できないから、いったん撤収して、陣形を立て直そう」と思っていたら違っていたんだけれども。

そこで彼らが考えたのは、この敗北を勝利に変えるために手持ちの兵力を追加的に出すという決断だった。このまま撤退したら、七九〇〇名は無駄死に、つまりサンクコストになってしまうと思った。これはまさに戦力の逐次投入の典型だ。

これはある意味では合理的な発想ではあるのだけれども、しかし、結果論からすると大失敗で、さらに大きなコストを支払うことになるわけ。公式の数字ではガダルカナルに上陸した日本兵は三万人以上いたのだけれども、生きて戻れたのは約一万人。残る二万一〇〇〇人は帰って来られなかった。しかも、そのうち直接の戦闘で死んだのは五〇〇〇人程度で、一万六〇〇〇人は餓死だったと推定されている。それでガダルカナルが奪回できたらまだよかったけれどもガダルカナルそのものも失うんだから、大損害だよね。

前に限定的合理性という話をしたけれども、これも一種の限定性に基づく合理的思考だったということができるよね。

実際、日本軍は過去に、同じ状況にあったときに同じやり方で勝ったという経験があった。たとえば日露戦争で有名な二〇三高地の戦いで、日本陸軍は二〇三高地のロシア軍要塞を落とすのに、白襷隊（しろたすきたい）といって、文字通り、白い襷掛けをした兵士を銃剣突撃させて三〇〇〇人近くも死なせているんだけれども、最終的には二〇三高地を奪取して、日露戦争を勝利に導いているんだよね。

また夜襲攻撃に関しても、日露戦争や日中戦争ではかなり成果を上げていて、自他共に夜襲攻撃は日本軍の得意とするところと言われていたのでかなり自信があったわけだ。

だから、一木支隊が伝統的な攻撃方法で全滅しても、現場は「いや、あれはたまたま司令官が良くなかったせいです」とか言って、再攻撃命令を要請するわけだよね。それでまた全滅して死傷者がさらに増える。そうなると、負けが込んできたときのギャンブラーと同じで「次の勝負で負けが取り返せる」と思って、さらに兵力を投入する。でも、また負ける……その繰り返しで、とうとう手持ちの兵力がほとんどなくなってしまうわけだよね。本人たちはそれが合理的な判断だと思っているけれども、しかし、それはしょせん限定的な条件下での合理性に過ぎないわけで、サンクコストに引っ張られているわけだね。

一木清直

## STAP細胞事件が教えること

このような失敗は日本軍に限らず、世界中で起きている。たとえば第二次大戦で日本を圧倒したアメリカ軍でさえ、ベトナム戦争では日本軍とまったく同じ失敗をした。「もうちょっとやれば形勢は逆転して損は取り返せるはずだ」というので、ベトナムにアメリカの若者をどんどん派遣して、最新鋭の兵器は核爆弾以外、みんな使ったけど勝てなかった。

同様のことは科学研究の場でも起きていると思う。その典型的な例がＳＴＡＰ細胞事件だよね。あの問題について語り出せばキリがないんだけれども、結局のところ、あの当時の理研にとって小保方さんの研究はサンクコストだったと思うんだよ。つまり、ここまでお金を掛けたんだから、もう引き返せない。ＳＴＡＰ細胞なんて、実際には存在しないんじゃないかとは誰も言えない状況になったんじゃないだろうか。

それとともに、一転してＳＴＡＰ細胞に疑惑が集まったときの対応もそうだよね。あのときには小保方さんに再現実験をしてもらうということになったんだけれども、今度は監視カメラをつけるというのは異常だし、意味がない。つまり、不合理だよ。でも、外から見たら不合理に見えることでも、当事者にとっては合理性があるからそういう判断が出てくる。要するに、理研の存亡がかかっていると思うから、たとえ外から見たら不条理な行動でも、やってしまうんだね。

もし理研の人たちが事前に菊澤研宗さんの『組織の不条理』という本を読んでいて、ガダルカナルの事例研究をしていたならば、「自分たちがやっていることはガダルカナルに似ているな」と気づくはずなんだ。

日本の組織文化は、戦争の際に典型的に現われる。ある意味では理研にとってあれは戦争だったんだろう。理研の存亡がかかっていた。そういう危機に際して、合理的な判断が出てくるのではなく、外から見たらまったく不合理なことを選択するというのが皮肉なところだね。

でも、そういった話を聞いて、「しょせん正解はやってみるまで分からないから、神様におすがりするしかありません」「仏様におすがりするしかありません」というのは、これは宗教の誤使用であって、組織論に宗教を持ち込んではいけない。行動経済学とか社会心理学などを用いて、徹底的に学術的に解明しないといけない。そこのところを宗教に逃げ込むとか、神様に逃げ込むのは、まさにマルクスが言うところの阿片としての宗教の使い方だ。それをやってはいけない。

## 神の啓示は心が産み出す？

しかし、人間を対象とする科学においては、原因は多数あるというのが標準的である。例えば、「うつ病は身体的要因あるいは社会的要因が原因で起こるのか」という問いを考えてみよう。実は、うつ病は両方の原因で起こるというのが、その答えである。ワッツが指摘するように、そうした研究の歴史は、「神の明らかな啓示は現実にそのようなもの［神からの啓示］であるのかどうか、あるいは人々の思考のプロセスあるいは脳のプロセスの観点から、それ以外の何らかの自然的説明がなされるのかどうかを問うことを、われわれに気づかせてくれるはずだ」。（前掲書、84ページ）

さっきはある事象が起きたときに科学を用いて原因を探り出すほかに、宗教を用いて原因を見いだすことが起こりうるという話をした。

でも、人間のような複雑系を対象とする科学においては、科学的にアプローチしても原因は一つに限定されない。その代表例が鬱病だというわけだね。

私は幸いにして鬱になったことがない。これは精神が強いとか、信仰があるからというわけではなくて、要するに鬱になる因子が少なかったからだと思う。鬱には遺伝的要素も絡んでくるだろうけれども、私にはそれが少なかったんだろうね。そういうふうに解釈している。

というのも、普通は五一二日間も独房に勾留されたら——しかも両隣は死刑囚だ——普通はかなりきつい拘禁反応が出てくるよ。檻の中には、一日中壁に向かってぼそぼそ話しているような人とか、いろんな人がいた。

私の知り合いに、これは鬱ではないけれども、双極性障害、昔の言い方でいえば、躁鬱病の人がいるんだ。

双極性障害には二種類あって、I型の人はかなりはっきりした躁状態が続く。君たちは北杜夫さんという作家を知っているか。この人は今はもう亡くなっているんだけれども、おそらく双極性障害のI型で、躁状態になると自分は無敵だと思って、株とかギャンブルにどんどん投資しちゃう。それで儲けられればいいんだけれども、やっぱりそういうときの判断はおかしいんだね。全部、すっちゃってすってんてんになるわけ。そのくらいハイテンションになるのがI型。

一方、II型というのは、軽い躁状態になることはあるんだけれども、それはそんなに目立たない。むしろ鬱状態のほうが強い。そういう人は精神的にハイな状態になって、やたら元気がよかったりするけど、Ⅰ型みたいなメチャクチャなことはない。単に普通の人よりテンションが高いという感じ。でも、その軽い躁状態から今度はまた鬱になるわけね。治療としてはできるかぎり鬱を起こさせないようにする。プレッシャーやストレスがかかると鬱になりやすいから、そこは安全運転で行くように薬で調整する。Ⅱ型の人は病気が進行してくると、鬱と躁のサイクルが短くなってきて、極端な例で言うと、一日ごとで違ってくるとかそういうふうになるので、なるべくそういう気分の変動を起こさないように薬で調整するんだね。

## 見極めがむずかしい鬱病

で、私のその知り合いは、私にとって、ひじょうに恩義のある人で、優れた仕事をしている人なんだけれども、ふだんは本来の実力の四割くらいでしか稼働していない。

「日々の戦いは何なんですか？」とあるとき、訊ねたんだよね。そうしたら「佐藤さん、鬱になってボーッとして家にいると思うかもしれないけれども、人の言う一言一言（ひとことひとこと）に過敏に反応するようになって、『あのときの言葉は、実は私に対する悪意から出た言葉じゃないか』とか考えてしまって、いつもものすごくピリピリしているんですよ」と言っていた。

一番大変なのは電車に乗るときなんだって。電車に乗るときに消えてしまいたくなる。そのままホームに入ってくる電車に飛び込みたくなって困るんだって。鬱状態のときは死がものすごく近くある感じがする。鬱のときは、扉を開けて隣の部屋に行くくらいの感じで死んじゃうんだそうだ。

鬱病の患者、双極性障害の患者を治療しているお医者さんたちがみんな言うのは、とにかく自殺させないことが大事だと、口を揃えて言うよね。社会に復帰するとか、勉学に復帰するとか、そういうことよりもまず自殺をさせない。無理に復帰させたりしちゃ、かえってよくない。

話が長くなったけれども、鬱病や双極性障害には遺伝的な要素もあるんだけど、環境の要因もあって、それが人によっても異なるし、時代によっても異なる。また、ある人にとってはごく普通にできることであっても、別の人にとっては大変なプレッシャーの場合もあるわけ。だから、ボーダーラインが引きにくい。

そのへんのさじ加減を私もときどき間違えちゃうことがあるんだよね。自分を基準にして、教え子に「このくらいの宿題だったら、だいたい自力でやれるだろう」とか、「今の実力だったら、あと二割くらい負荷をかけてもいいな」と思うんだけれども、そこは今と昔ではいろいろ違うから、それをだいたい八掛け、七掛けにしたくらいの感じで課題を出すわけ。それで大丈夫な人もいるし、ダメな人もいる。そのへんが本当にむずかしいと思うね。

## 我々の「現実」はリアルなものなのか

では先に行こう。

大雑把な言い方をすれば、神、人間の脳のプロセス、および心理的プロセスすべてが、人間の宗教経験の原因であるのかもしれない。ドーキンス自身は恋愛の例を用いる。恋愛経験は、恋人の言葉や行動、またそうした言葉や行動の感じ方、および特に感情のプロセスに関わる脳のいくつかの領域の活動が原因となって起こると言えるだろう。その第一の原因はその恋人である。よって、次のように論じることもできる。その直近の原因が何であれ、宗教の第一の原因は神である、と。（前掲書、84〜85ページ）

T君は恋愛をしたことはある？
（T）はい。
うまくいった？
（T）まあ。
ま、ここでは言えないよな（笑）。恋愛のときに起こる感情を客観的に表現するとどうなる？ つまり、脳の中でどうなっているかということだけれども。
（T）脳の中ですか。
そう。
（T）楽しい感じになりますね。
何らかの電流が流れているような？
（T）そうですね。
そうすると、そのときと同じ脳の中の状態を再現できれば、同じ恋愛経験ができるかもしれないね。恋愛感情とはしょせん、脳の中の働きが産み出しているものだと言えるからね。

たとえば、今、君たちはこの教室の中にいるわけだけど、「教室の中にいる」という認識もまた、目から入った情報を脳の中で処理された結果だ。つまり、人為的にそうした認識作用も、将来は完璧に再現できるようになるかもしれない。

もし、そのような技術がすでに完成しているとしたら、今、君たちが受けている講義はリアルなものなのか、それとも脳の中だけで作られているものなのか、はたして区別ができるだろうか？　もし、可能だとしたら、どうやって区別する？

（T）区別できないと思います。

## 神と観念論と

私たちが今見えていることとは、脳の中で起きている幻想なのか、実際に経験しているのかということを哲学的に考察していっても、答えは出ない。区別はつかない。これは哲学の中では昔から言われていた難問だ。

唯物論、つまり、すべての事象は実際に存在していて、観測可能であるというのが自然科学での基本的な構えなので、観念論のようにすべての事柄は脳の中で起きているイリュージョンにすぎないかもしれないという哲学上の議論が入り込む余地はない。

でも、マクグラスたちはここで「神、人間の脳のプロセス、および心理的プロセスすべてが、人間の宗教経験の原因であるのかもしれない」と書いている。つまり、人間の脳の中のプロセスだけでは宗教経験の原因とは言えない。そこに神が存在しないと、宗教にはならないと言っているんだよね。

でも、マクグラスの言うように神だけは、人間の脳の産物ではないと言えるだろうか。そこが問題になってくるよね。

## フロイトはカバラの知恵を利用した

宗教の心理学的起源を考察する際に、なぜドーキンスがフロイトを取り上げていないのかまったく分からない。フロイト自身は宗教を心理学の観点から説明しようとしたが、その試みは英雄的ではあるが、一貫性に欠け、そして最終的には失敗に終わった。ベルギーの心理学者アントワーヌ・ヴェルゴテ（Antoine Vergote）が指摘したように、その試みの失敗はそこで直面するいくつかの困難を明らかにしている。フロイトは、宗教が「文明における最も複雑な現象」であり、何らかの単一の要因から説明することは不可能であると正しく考えていた。個人の心理学的プロセスが、神という概念を生み出すことができるとは言えないだろう。しかし、ヴェルゴテがフロイトの試みを分析したことにより、「宗教的信念の妥当性は、科学的推論によって実証も否定もされ得ない」ことが明らかになった。（前掲書、85ページ）

フロイトは人間の関係の基本というのをエディプス・コンプレックスにあると言った。エディプス・コンプレックスとは父親に対するコンプレックスのことなんだけども、どういう意味か分かるか。

フロイトはこう考える。小さな男の子はみんなお母さんが大好きで、究極的にはお母さんとセックスをしたいと考えている。しかし、お母さんはお父さんと仲がいいから、子どもは嫉妬して、父親をライバル視する。そのあげく、父親を殺したいとさえ子どもは無意識で考えているのだ。フロイトはそういうふうなモデルで人間、特に男性を理解した。

そうした無意識仮説の延長上で、フロイトは『モーセと一神教』（光文社古典新訳文庫他）という本を書いている。モーセはエジプトから奴隷になっていたユダヤ人を率いて、砂漠をさまよう。その中で彼は神から十戒を与えられるのだけれども、その十戒を持ち帰ってみたら、ユダヤ人たちは勝手に偶像を作って、それを拝んでいるわけね。だから、そこで神が裁きを与えるわけだけれども、こうした物語が出てくるのはユダヤ人の無意識下に「自分たちは不品行（ふひんこう）のために神に裁かれるのではないか」という恐怖があって、そこから一神教としてのユダヤ教が生まれたんだと説くわけだ。

でも、こうしたフロイトの考え方というのは神学的には全然新しくない。ユダヤ教の「カバラの知恵」にはそういう考え方が出ている。

カバラというのは、伝承という意味の言葉で、ユダヤ教の中でも口頭でのみ伝わってきた、いわば密教のようなものなんだけれど、そこにはこう書いてある。

ユダヤ・キリスト教では歴史には始まりがあって、終わりがあるという構成になっているという話をしたよね。インドの仏教などでは時間は輪のように円環状になっていて、グルグルと同じ繰り返しをすることになっているんだけれども、ユダヤ・キリスト教では歴史は一方通行なんだ。

ただし、カバラによれば、神に似せて作られた人間によって光の世界が増えていくというのだけれども、「光あれば闇あり」で、光の世界が拡大すればするほど、闇の世界も増えてくる。その結果、この二つの世界がクラッシュしてしまうのだけれども、そこでもう一度、世界が再生されて最初からやり直しとなるという構成になっている。

カバラの世界観では、文明にはかならず闇の部分がある。たとえば、セックスの話というのは表立って語られることは少ないよね。本当は重要なことであるけれども、そうした話は闇の中に押し込められている。でも、その封印はやがてクラッシュしてしまうという思想なんだよね。

フロイトの精神分析は、こうしたカバラの教えを再解釈したものだというわけなんだ。つまり、闇の部分というのは?

(T) 闇は無意識で、光が意識。

## 神を集合的無意識と捉えたユング

その通り。ことにフロイトの場合、闇にあるのは性欲だと考えたわけだね。

でも、フロイトと袂(たもと)を分かったユングは、人間を動かす根本は母性と考えた。

ユングの場合、フロイトの考えた無意識は個人的なものだけれども、そのさらに下の方に集合的無意識があると考えた。集合的無意識というのは、いわば地下の水脈のような形でみんなとつながっている。神話や伝説というのは世界中で共通したものが多数あるけれども、それは民族などとは関係のない集合的無意識から生まれてきたものだからだというのがユングの解釈なんだよね。

みなさんの中には生命医科学部の人もいるよね。催眠術の実習ってある？
（R）あります。
催眠術には深層催眠という技術がある。催眠術をかけて、そこで命令を下す。それで目が醒めても、深層意識はまだ催眠状態にあって、その命令を覚えているということができる。よほど上手な催眠術の専門家でないとできないらしいけれどもね。

たとえば「毎日、午後二時半になったら窓を開けなさい」という命令を出すと、その人はかならず命令通りにそれを行なう。たとえ外が猛暑でも、逆にものすごく寒い日でも関係ない。他人から「寒いから窓を閉めてくれないか」と言われても、「ちょっと顔がほてっていて、それを冷ましたいんです」とか、逆に「クーラーが効きすぎなんで、窓を開けたんです」とか言って、自分の自由意思で窓を開けていると思っているわけだ。

こういうのは深層意識のなせるわざと言われるんだけれども、ユングの集合的無意識はもっと深いところにある。個々人の経験とかを超えたところで共有しているものがある。いわゆる

「グレートマザー」なんて言うのがそれに当たる。

たとえば登校拒否の子どもを診る場合でも、ユング派の人は子どもよりも親との面談にウエイトを置くわけだよね。なぜかというと、登校拒否の子どもが外に出たがらないのは、本人のせいというよりも、お母さんの心の中に「外に出したくない」という意識があるんじゃないかという仮説を立てるんだよね。

ユング派の人の診察室に行くと。箱庭が置いてあるんだよ。砂を入れた箱庭があって、そこにフィギュアがたくさん置いてあって、子どもや親に「それを適当に並べてみてください」と言う。すると人形とか車とかを並べていくんだけれども、なぜそこにそういうふうに並べたかを聞くわけね。そうやって深層心理に迫っていく。

カール・ユング

前に少年院に行ったことがあるんだけれど、そこにも箱庭が置いてあるんだよね。でも女子はいいんだけど、男子少年院の場合はなかなか大変らしい。箱庭に入れてある砂をぶちまけたり、箱を壊したりする子がいるらしい。それだけ抑圧が強いということなんだろうね。

## 二五〇〇年前からあった「集合的無意識」の発想

あともう少し話をするとね。この発想ってインドではすでに二五〇〇年くらい前からある。特にそれを精緻にしたのが「唯識」という考え方。Sさん、唯識論だったら日本ではどこで強い？

（S）法相宗です。

奈良だね。お寺は？

（S）薬師寺。

それから興福寺だよね。この唯識論の中でも重要な概念は阿頼耶識。阿頼耶識の「アーラヤ」というのは蔵という意味。ヒマラヤは語源的にはヒマ＋アーラヤという言葉から生まれている。ヒマとは雪のこと。つまりヒマラヤは「雪の蔵」という意味になるね。

この阿頼耶識というのはユング派で言うと集合的無意識に当たる部分なんだけれど、意識と阿頼耶識の間には末那識というのがあって、これが個人的な無意識で、そこにはいい経験も悪い経験も蓄えられているんだけれども、末那識は自己に執着する働きがあるから、自分に起きた経験を自分の都合のいいように解釈する。自分に起きた経験を改変して、自分に都合のいい話に変えたりするのもこの末那識の働きで、末那識とは「迷いの世界」でもあるわけね。こうした意識の構造を見抜かないといけないと教えるのが法相宗で、ユング派よりもずっと前に見抜いていた。

そういう意味では心理学というのは、根っこのところでは宗教的なところがあって、いわゆる近代科学の中でもちょっと違った位置づけになるわけだ。

## 魔術とは神の介入を阻止する技法

前にも話したと思うけれども、近代の科学の起源は魔術なんだ。ニュートンは「最後の錬金術師」とも言われるけれども、錬金術師と魔術は根本では同じだ。

中世のキリスト教の考えだと、神様は地上で起きる一つ一つのことにすべて関与してくると考えるわけね。だから同じことをやっても、成功するときもあれば、失敗することもあるのは、そこに神様の意志が働いていると受け取るわけ。それに対して、魔術は神様の介入を阻止するという技法なんだよ。で、ある一定の手順に即して魔法をかければ、かならず同じ効果が出ると考える。

たとえば……そうだ。丑の刻というと、午前何時くらい？

（Ｉ）午前二時とか三時くらい。

午前二時くらいに頭に鉄の輪をはめて、そこにロウソクを立てて裸足になって、五寸釘で藁人形を樹の幹とかに打ち付ける、それを一〇〇回繰り返すとかならず相手は死ぬ。誰がやっても、その正しい手続きに基づいてやれば相手が死ぬというのは、近代科学の実験に似ているでしょう？

近代的な科学が出てきたときに、キリスト教の神学者たちや教会が生理的な嫌悪感を覚えたのは、それが魔術の構えによく似ているからなんだ。科学者のやる実験は、神の作用を無視して、人間によって自然や世界をコントロールしていこうとする企みだと見えたわけ。

よく知られているようにルネサンスはキリスト教が入ってくる前のギリシャ美術やギリシャ悲劇などを復興する運動だった。それと同じように、科学というのはキリスト教が入ってくる前のギリシャ哲学、ギリシャの自然学を再興しようという動きだった。

で、キリスト教にとっては、それ以前の宗教はみんな魔術だからね。魔法使いや魔女といった存在はみんな、ガリア人、つまり北方のヨーロッパにいた民族たちの信仰、ことに自然信仰の名残で、それをまとめて「魔術」という枠に押し込めた。でも、その魔術の中には、近代科学につながっていく要素があったというわけなんだ。特に実験なんかはそうだよね。魔女はいろんな野草や獣の血を混ぜて、病気を治す薬を作ったりした。近代科学の実験は、そうした魔女の行ないに見えたわけなんだよ。

## 日本の企業に潜む「ミーム」

そして、この興味深く非常に重要な議論の中に、ドーキンスは最近の宗教の起源に関する議論において最も説得力に欠け疑似科学的と見なされている二つの概念を再導入する。つまり、それは神を「心のウイルス」や「ミーム」(meme)とみなす概念である。主要な科学界の中では承認を得ていないこうした信じがたい概念の再利用によって、すでに低迷している議論が単に死の接吻をされる〔命取

りになる」だけである。以下では、これらの両方について考察しよう。（前掲書、84ページ）

ミームというのは、一言で言ったら「文化の遺伝子」だね。

たとえば文明社会、ことにプロテスタント社会では近代になって避妊が当たり前になってきたわけだけれども。遺伝子だけで考えていたらヒトが避妊をするというのはありえない現象。なぜならば、避妊をすれば、遺伝子が次世代につながらないわけだから、ドーキンスの理論では説明がつかない。遺伝子は自己を拡大し、後世に自分を残していくことが目的だとすれば、避妊なんて行為は遺伝子の自己否定に当たる。かりに避妊が遺伝のもたらしたものだとしても、それは次世代には伝わるわけがない。だから避妊なんていう行為自体、存在するはずがないことになる。

そこでドーキンスが導入したのは、ヒトの場合、物質としての遺伝子のほかに、文化の遺伝子があるという仮説なんだ。それがミームで、ミームは親から子どもに受け継がれるだけではなくて、赤の他人にも受け継がれる。避妊も、それがミームだとすれば、先進国で広がっていくというのも説明がつく。

## 人類の歴史は誤謬の連続

時折、パイオニア精神にあふれた人物が新たな考えや概念を発展させる。彼らは、新たな考えや概念が自分たちの対抗相手のものよりも、観察された証拠をより良く説明しているのだと信じている。電子や遺伝子のような概念は、科学界の中で受け入れられ、一般に容認された知識の一部となっている。一方、消えてなくなってしまう概念もあるが、その理由は単に、役に立たない、説明が冗長、あるいは不適切な実験に基づいていることが分かったからである。「フロギストン」や「カロリック」は、今日では使われることのないこうした概念の例であり、今では興味深い間違いとして、科学史の教科書の中に追いやられている。（前掲書、86ページ）

M君、エーテルって何。

（M）有機化合物の一種です。

その通り。

でも、二十世紀初頭の科学の世界ではエーテルは別の意味で使われていた。今では宇宙空間は真空だとみんな知っているけれども、二十世紀の初めごろまでは宇宙空間を満たしている物質があるから、遠くの星から地球まで光が伝わると考えられていた。これもまた、「消えてなくなってしまった概念」の一つ。

ちなみにフロギストンというのは「燃素（ねんそ）」とも言われているもので、火の元素と言われていた。今では燃焼現象はフロギストンではなくて、酸素が関係していることが常識になっているよね。一方、カロリックは「熱素(ねっそ)」と言われたもので、熱い物質にはカロリックが充満していて、それが周囲の冷たい物質に移動して温度を上げると思われていた。

エーテルやフロギストンは今でこそ否定されているけれども、昔はそれが当たり前のことと思われていた。ここでマクグラスは、ミームもそれと似たようなものだと批判しているわけだね。

ところで、M君、君はシャーロック・ホームズの映画とか小説とか、観たり読んだりしたことある?
(M)あります。
あの物語でシャーロック・ホームズが疲れると、相棒のワトソンは何をしてくれたか覚えている? ワトソンは軍医だった男で、ホームズの唯一の友人だよね。今の視点から見ると、ホームズとワトソンは明らかにホモセクシャルな関係にあるよね。いつも二人で一緒にいるしね。

それでホームズは自分が疲れると「ワトソン君、一本打ってくれ」と言って頼むんだけど、それは何のこと?
(M)コカインですか。
その通り。十九世紀の終わりから二十世紀の初めは、倦怠感をとるためにコカインがひじょうに重視されていた。そのころは依存性があるとも思われていなかったので、気軽に使われていたんだ。でも実際のところ、シャーロック・ホームズはコカイン依存症だったはずだよ。

数年前にBBCで放映されていた『シャーロック』では、そのあたりはどう表現されていたと思う？　これは舞台を現代のイギリスに置き換えたものなんだけれども、さすがにコカインを打っているなんていうわけには、イギリスの公共放送ではできない。そこでシャーロックはヘビー・スモーカーだという設定にして、ニコチンパッチを貼っている。

余談になったけれども、こういうふうに時代の科学常識はどんどん変わってくるわけだよ。そういえば、マルクスは自分の免疫疾患――当時は免疫疾患という概念はないわけだけれども――で起きた皮膚病を治すためにヒ素を塗ったり、服用していたりした。今だったら、考えられない話だよね。ヒ素はそもそも殺人に使われるような毒薬だしね。でも当時においてはヒ素は万能薬だと考えられていたわけ。

## 神学という「学問」の特殊性

こういうことは山ほどある。その意味においては、人類の歴史は誤謬の連続で、現在標準的に採られている治療法が、将来においては完全に否定されるかもしれない。

でも、宗教なんて科学よりもずっとひどいよ。

聖書を読むときには、それだけ読んでいたら全然分からないからコンメンタリー、『略解』という本を読む。要するに注釈、解説本だね。

そのコンメンタリーの旧版を新版と比較しながら読むと面白いよ。

たとえば『ヨハネの黙示録』についての旧版略解には「これは黙示という特殊な考え方で、

ユダヤ人ではない、ギリシャ人のキリスト教徒たちの教団が持っていた文書です」と書いてある。ところが最新の『略解』を見ると、「これはユダヤ教の黙示文学を継承しているユダヤ人の教団が持っていたもので、ギリシャ系の人たちがいたところではないです」と、まったく逆のことが書いてある。

旧版と新版はわずか五〇年くらいの時差しかないんだけども、五〇年で通説が逆になっている。あと五〇年して、さらにこれがひっくり返ったとしても私は驚かない。このような神学の世界にいると、科学の世界での常識がひっくり返っていても、さほど違和感は持たない。

神学と生命医科学部はかなり遠いところ——正反対、一八〇度違うとは言わないけれども、一六〇度くらいの方向性の違いがある。その方向性が違う人たちが、同じ事柄を見てどういうふうに見えるかという、その見え方の違いについて議論をすることは実際、意義があると思うんだ。

もちろん、神学と科学とでは根本がまったく違うんだから意見が一致する、意見を共有できるとは私も思わない。でも、現状の見え方の違いを知っておく、それぞれの見方を共有するというのは何らかの意味があると思っている。

## 神は「心のウイルス」か

われわれが探究しようとしている二つの概念——「心のウイルス」と「ミーム」という概念——にも同じことが言われるに違いない。どちらも科学の正統派の学会誌に掲載されたことがない。両方の概念とも、反主流派の人々に付きまとうが、その概念が証拠に基づいているからというよりも、それらが潜在的に反宗教的である（そして容易に誇張される）との理由から、主として擁護されている。

これら二つのうちで、さらに信じがたいのは、「心のウイルス」という概念である。一九九〇年代、ドーキンスは神が健康な心に感染するある種の心のウイルスであるとの考えを紹介した。それは強力なイメージであり、HIVによる身体の感染症やコンピュータ・ウイルスによるソフトウエアの感染の危険性にますます気づくようになった一般の人々の心に訴えるものであった。ウイルスは、汚らわしく破壊的である。そしてそれは、まさしくドーキンスが伝えたい神への信仰に関するメッセージなのである。（前掲書、86～87ページ）

ドーキンスは「神とは心のウイルスだ」と主張している。言うまでもないけれども、これは世間でウイルスのイメージが悪いことを利用して、神や宗教を批判しようとしているわけだよね。でも、それは「宗教は人民の阿片である」とマルクスが使ったレトリックのバリエーションでしかない。今の時代、阿片といってもイメージが湧かないからね。それよりはウイルスと言ったほうがピンと来る、というくらいの考えで言っているのであって、ウイルスと神のどこが似ているかということを真剣に考える必要はない。

神への信仰は、まったく非合理的（ドーキンスの核心となる信念の一つ）なので、なぜそれほど多くの人々――実際、世界の人口の非常に多く――が、こうした妄想の犠牲となるのかを説明する何らかの方法がなければならない。ドーキンスは次のように論じる。つまり、それは伝染性の強いウイルスに感染したようなものであり、その結果そのウイルスが全人口に広まったのである、と。しかし、神への信仰は一種のウイルスのようなものであるというその類比は、存在論的な実体を前提としているように思われる。神への信仰は、心のウイルスである。しかし、生物学的なウイルスは、単なる仮説ではなく、同定され、観測可能であり、その構造と作用機序が突き止められている。それとは対照的に、この仮説としての「心のウイルス」は、本質的に反論の多い解釈であり、ドーキンスの気に入らない観念の信用を傷つけるために考案された。（前掲書、87ページ）

## 検証不能な命題

ここでのマクグラスの指摘はシャープだよね。

ドーキンスが言っている「心のウイルス」って検証できる？　できないよね。一方のウイルスの存在はさまざまな検査や観測によって検証できる。一方は検証不能であり、もう一方は検証可能。

でも、ドーキンスは読者に対して「あなたは心のウイルスに感染しています」「あなたの信仰している神は、心のウイルスが作り出したものですよ」って脅かすわけだね。そして「キリスト教なんて悪い宗教だから、私が治療してあげましょう」「そうすれば、あなたは幸せになりますよ」と言うわけだけど、そうなるとドーキンスのやっているほうがよほど悪質な宗教じゃないか？

そもそも「神は心のウイルスだ」という命題は反証不可能だよね。「神はウイルスじゃない」という証明はできない。第一、宗教というのは心の中にあるものであって、現代科学はその心の正体さえ解明できているとは言えないわけだから、その反証は二重に不可能だ。反証不可能な命題は科学の俎上には乗らない。科学において重要なことは、反証が可能であるということだからね。

### 実在論と唯名論

それでは、あらゆる観念は心のウイルスによるのだろうか。ドーキンスは合理的、科学的、そして証拠に基づいた観念と、宗教的信念のように、誤った非合理的な観念とを完全に区別する。前者ではなく、後者を心のウイルスによるのだとみなす。しかし、何が「合理的」かつ「科学的」であるのかを、誰が決めるのか。ドーキンスは、これを問題であるとはみなさない。羊と山羊を区別するように、こうした考えは簡単に分類することができると彼は信じているからである。（前掲書、87〜88ページ）

ここでマクグラスは分類について話をしている。ドーキンスは宗教的な信念は誤った、非合理的な観念だというわけだけれども、そもそも宗教とは何だろう？　そこにはっきりした定義はあるのか？　何かの信念体系を指して宗教というのであったら、科学も一種の信念体系であるわけだから、宗教になっちゃうよね。マルキシズムも同様に宗教だ。では、数学とキリスト教、マルキシズムとキリスト教とを分かつものは何だろう？　それについてドーキンスに訊ねても答えは返ってこないだろうね。

分類という問題は中世哲学の大きなテーマになっていて、大きく言うと、二つの立場設定がある。一つは唯名論（ゆいめいろん）で、一つは実在論だ。

たとえば「果物って何？」と問われたとしよう。

その答え方には二つある。一つは片っ端から果物をあげていくやり方。リンゴもイチゴもサクランボもメロンも果物。栗は果物かな？　いちおう樹になるものだから果物に入れておこう。

でも、考えてみたらこれらを果物として一括するのはどうかという疑いもあるよね。果物と野菜との区別はひじょうにむずかしいからね。リンゴは樹になるよ。サクランボも樹になる。このあたりは果物でいいと思うけれども、でもイチゴは草の実だよね。メロンも草だよね。イチゴやメロンと、キュウリやナスの違いって何？　トマトなんて、あんなにジューシーなのに果物屋さんじゃなくて八百屋さんに売っているよ。

そうやって考えたら、果物の定義はむずかしいよね？

こういうふうな問題を考えたのが中世の哲学。

今言ったように、まず「果物」という概念が存在するというところから出発して、その中にどんなものがあるかを考えるのが「実在論」だ。英語ではリアリズムと言う。近代ではリアリズムは「現実主義」と訳すけれども、中世哲学では「実在論」と言う。

たとえば、愛にはいろんな形があるけれども、まず「愛」という概念があって、そこにどんなものが含まれているかを数え上げていくのが実在論。

これに対して「唯名論」という思想がある。唯名論というのは、リンゴ、イチゴ、サクランボ……といった個別のものがまずあって、それらをまとめるために「果実」というカテゴリーが生まれたという考え方だね。だから、実体としての「果実」とかは存在しない。同じように友情とか、愛とか、そういったものも実在しない。それぞれの行為があるだけというふうに考える。

近代科学はどちらの流れに属するかといえば、これは唯名論だね。まず目の前にある微生物を観察する。その生態を調べ、形態を調べていく中で、種の分類としてはどこに入るかを考える。まず実体が先にあるわけだよね。

しかし、近代科学の中で、実在論的な学問が一つだけある。

それは数学。数学ではまず「点」「直線」「三角形」、あるいは「自然数」「小数」「無限」などといった概念を定義して、そこから理論を構築していく。つまり概念が最初に明確に定められているわけね。そういう点では実在論的。他の科学が唯名論の流れを汲んでいるのとは明らかに違うから、数学というのは自然科学の中でも異色な学問と言えるわけだね。

## 科学者としてのドーキンスと、啓蒙家としてのドーキンス

しかし、心のウイルスは、優れた概念の目印となる単純性と優美性をまったく欠いており、恐ろしいほど複雑であることが判明する。例えば、あらゆる世界観は、宗教的であれ世俗的であれ、結局は「信念体系」(belief system)というカテゴリーに行き着くが、まさしくそれは、世界観の証明が不可能であるという理由のためである。それこそが世界観の本質であり、誰もがそのことを知っている。だからといって、このことがそもそも世界観をもつことの誰の妨げともならないし、次に、完全に知的な誠実さをもつ人が世界観をもつことの妨げともならない。結局、ドーキンスの考えは、まったく崩壊しているのである。というのは、何が合理的かつ真実であるのかに関する彼自身の主観的判断の犠牲になっているからである。それ「心のウイルス」は科学界の中で真剣に受け入れられている概念ではないし、考慮されていないのは安全なことであろう。(前掲書、88ページ)

何をもって科学とするか、合理的とするかというところ。そこの根っこのところがドーキンスの真意じゃないかと。そこは実証できないということだよね。こういう立場から。

彼が自然科学について、遺伝子について語るときには、自然科学的な手続き、学問的な術語

を守って、作法を守っているんだけども、宗教について語るときにはそういった作法は守らないで、基本は独断論に立っちゃっている。マクグラスはドーキンスを否定しているんじゃない。「ドーキンスの中には二つの魂がある」ということを指摘しているんだ。

一つは、生物学者として遺伝について研究をしているドーキンス。この科学者としての魂とは別の位相で、あとは宗教を否定するということ。すなわち「それをやらなくてはいけないんだ」という強い使命に駆られた啓蒙思想家としてのドーキンスがいる。

この思想家としてのドーキンスと、科学者としてのドーキンスという二つの魂があって、それが本人の中では明確に分けられていなくて、混在している。だから、われわれテキストを読む側のほうでドーキンスの考え方を区分けしながら読まないといけないですよ、ということを言っているわけだ。

## なぜ『神は存在する』というタイトルを選ばなかったのか

ここまで読んできた抜粋だけでも分かる通り、マクグラスは「神は存在する」ということを積極的には主張していない。ドーキンスの「神は存在しない」という論に対して、さまざまな角度から異論を唱えてはいるけれども、神が実在するんだとは言わない。

その理由は明快で「神は存在する」ということは証明することはできないし、そもそも証明する必要はないんだという立場にあるからだ。有限なる人間の知性によって、無限の神を証明できるわけなんかない——このマクグラスの考え方は、中世・古代からずっと続いていくキリスト教神学のど真ん中の発想に立っているわけ。

みなさんから見ると不思議に思えるよね。

絶対に証明できないような事項、しかも、実証性がない事柄について、私のような神学者たちが知的な情熱をこれほどまでに傾けていくのか。それは、この講義をもう少し聞いていると分かってくると思う。


私は『ドーキンスの神』（筆者注・本邦未訳）の中でこの疑似科学的概念を、以下の点に注目して厳しくしかも極めて適切に批判した。それはその著書が証拠となる根拠に欠けており、何が「合理的」かそうでないかに関するドーキンスの極めて主観的で個人的な判断に依拠しているように思われる点である。この疑わしい概念は、ドーキンスが神を「心のウイルス」によるものと書いた一九九三年の論文に示唆されているが、今日では『神は妄想である』という物語において脇役としての役割しかもっていないように思われる。それは、その物語の構想から、それほど時間がかからず消去されようとしていることが明らかである。それがなくなるのは、嘆き悲しむことではないであろう。（前掲書、同）

ドーキンスは、最初の頃は「心のウイルス」という概念で宗教批判をやっていたんだけれども、途中でそれは脇役になってしまった。それは要するにマクグラスたちから批判されたからだろうと、ここはマクグラスがドーキンスを挑発しているね。『神は妄想である』（早川書房刊、垂水雄二訳）の中でも、ドーキンスはマクグラスに対して怒っているから読んでみたらいいよ。実に面白いよ。ドーキンスの、マクグラスに対する主張は理屈になっていなくて、ほとんど感情的と言ってもいい。

**「神のミーム」を克服するとするドーキンス**

ドーキンスにとって、神という概念はおそらくこうしたミームの最適な例である。すでに注目してきたように、ドーキンスは宗教的信念が「盲目的な信頼」であると独断的に主張する。そのために、証拠についての正当な説明や、その主張自体の検討を拒(こば)む。それでは、信じるべき神がいないとしたら、なぜ人々は神を信じるのであろうか。提案された答えは、人間の心の中で自らを複製する「神のミーム」の能力にある。神のミームは、それが「人間の文化がもたらした環境の中で、生存上の価値が高い、あるいは感染力をもっている」ために、極めてよく働くのである。人々が神を信じないのは、その問題に対して時間をかけて注意深く考えたからであり、神を信じるのは、脳の中に「飛び移った」強力なミームに感染されているからである。（前掲書、90ページ）

こうなると完全な啓蒙思想だよね。無知蒙昧な脳の働きがもたらす「神のミーム」を、正しい知恵によって克服していくというのは、古いものと新しいものの闘争だよね。

これは前にやったスターリンの考え方にそっくりだ。

スターリンは古い価値観と新しい価値観の間にある弁証法を強調していた。古い価値観は新しい価値観によって克服され、統合されて、文明が進んでいくというわけだ。つまり、ドーキンスはスターリンの思想的な後継者であるとも言えるよね。

ここまでやってきたことを整理するとダーウィンの進化論から社会進化論が生まれ、その思考の鋳型がスターリンに受け継がれ、ドーキンスに至っているわけで、そう考えれば、ダーウィンの進化論そのものが一種のミームであった。

つまり、それだけダーウィンの進化論は応用の利く「道具」であったと言えるかもしれないね。優れたツールを使えば、いろんなものを作り出すことができる。ハンマーやノコギリがあれば木材から便利な机を作り出すこともできるし、よく切れる包丁や鍋があればニンジンが美味しい料理になる。

こういう具合に、道具、ツールによって思考が決まることを「道具主義」と言う。インストゥルメンタリズムだ。世の中をどのツールで観察するかで、世界観が変わってくる。進化論という双眼鏡で見ると、世界がまったく違って見えてくるというわけだ。

## アカデミズムの中では無視されているミーム論

しかし、（筆者注・ミームが）脳から脳に飛び移っているのかどうか、あるいは本当に［脳に］入り込んでいるのかどうかを、誰か実際に見たことがあるのだろうか。注意しなければならないのは、その問題は宗教とは何ら関係がないということである。ミームについての明確な操作的定義がなく、ミームがどのようにして文化に影響を与え、またなぜ標準的な［生物進化の］選択モデルが適切ではないのかについての検証可能なモデルもなく、すでに定着している情報伝達に関する洗練された社会科学モデルを一般に無視する傾向にあり、さらにミームの能力を説明する際にかなり堂々巡(どうどうめぐ)りしているにもかかわらず、そのミームを有用な科学的仮説と考えることが可能かどうかが問題なのである。（前掲書、同）

ここでマクグラスが言っているのは、ドーキンスさん、「ミーム」についての論文が制度化されたアカデミズムの中ではたしてどれだけ認められましたか、ということ。ちゃんと査読を通ったような論文が学会誌に載っていますかということだよね。ミームは仮説だし、検証もできないコンセプトだから、そういうふうにオーソライズされていませんよね、とマクグラスは批判しているわけだ。

でも、これは正直言って、あんまりいい反論とは言えない。なぜならば制度化されたアカデミズムの中で認められなくても、社会の中で広く受け容れられれば、力を持つ。それは時として、アカデミズムも無視できないような力を発揮することがある。

そのいい例が、福島第一原発の事故だよね。あれは詳細に見ていくと、その途中で被害を大きくしないで済む可能性もあった。その中でも大きかったのは全電源喪失のときの対応ミスだ。三月一一日に大地震による大津波があった。その結果、原子炉を動かすための電源が失われて、原子炉内が制御できなくてメルトダウンに進んだのだけれども、同じように福島第二原発でも全電源喪失が起きる一歩手前だった。かろうじて外部電源が一系統だけ生きていたので、コントロールができた。しかし、第一のほうは全電源喪失が実際に起きて、しかも、それをカバーするための電源車はあったものの、電圧やソケットが違ったりして、間に合わなかった。要するに人災で、原子炉そのものの欠陥と断じるのは早計だ。

でも、世の中の人たちはそういうふうには見ない。「原発は怖い」という観念のほうが広がってしまって、専門家がいくら説得しても、もはや聞く耳を持たないという状況だよね。

## 非常事態によって人は四種類に分類される

ちなみに、一九九九年に東海村で臨界事故が起きた。あのときの原子力安全委員長だった佐藤一男という人がいるのね。この人は『原子力安全の論理』（日刊工業新聞刊、初版一九八四年）という本を書いている。

福島第一原発事故のような事故が起きた場合、それを考えるうえでは事故の後に書かれた本は正直言って、あまり役に立たない。もうメルトダウンという結果が出ているわけだから、いろんな理屈が立てられるわけだよね。だから、むしろ福島の事故が起きる前に書かれた、佐藤さんの本のほうが役に立つ。

その本にはどういうことが書いてあったか。たくさん面白いことが書いてあるんだけど、「原子炉には絶対安全はない」という前提で、もし事故が起きたらどうすべきかを具体的に書いてある。

たとえば、その場合、人間と計器やコンピュータのどっちを信頼するか。人間はたしかにコンピュータより計算能力、情報処理能力は遅い。でも、総合的な判断力という点では人間のほうが現時点では圧倒的に優れているから、人間の判断を優先しろ、と。

ただし、非常事態においては人間は四種類に分かれるので、そこはきちんと区別しないといけないと書いてあって、これは実に応用が利くと思っているんだ。

**一番目の人。やるべきことをやる人。**

**二番目の人。やるべきことをまったくやらないか、中途半端にしかしない人。**

**三番目の人。やってはいけないことをやる人。**

**四番目の人。やってはいけないことをやらない人。**

一番目と四番目だけだったら、どんなアクシデントでも対応できる。四番目は何の邪魔にもならないからね。しかし、実際の人間集団だと、第二と第三のタイプがかならずいる。その人たちの存在によって、事態はひじょうに錯綜して厄介なことになる。

たとえば福島第一原発事故のとき、自衛隊のヘリが飛んで原子炉の上から水を落とした。あれは意味があったか？　そのくらいの水で原子炉が冷えるわけもないし、むしろメルトダウンとかしていたら、放射性物質が地上で飛び散ったりするかもしれないから、有害だよね。

だから、これは第三の類型に当てはまるわけだけど、でも、政治としてはやらざるをえなかった。世間が「こういうときこそ自衛隊だろう」と思っているから、その期待に応えないわけにはいかない。だから、ムダだし、危険だけれどもさせた。まあ、二日くらいで止めちゃったわけだけどね。

## サイエンス・コミュニケーターに求められる人間性の洞察

こうした、合理性とはかけ離れたことが要求されるのが現実社会のむずかしさなんだよ。そのときに「素人は黙っていろ」という対応をしたら、かえって自分たちのやりたいこと、やるべきことは実現できない。それが現実政治だ。

そういうときには、論理の言葉だけじゃなくて、アナロジカルな説明をしたりすることも大事だし、時には人間の感情に訴えることも重要なんだ。また、感情的になっている人たちをどのようにして鎮静化させるかというテクニックも必要になってくる。そういう点では、人間を心理学的な側面から洞察するということがとても重要になってくるよね。あなたたちがサイエンス・コミュニケーターを目指すのであれば、この講座はきっと役に立つと思う。

じゃあ先に行きましょう。

ミームは本質的に生物学的概念であり、「普遍的ダーウィン主義」に対するドーキンスの核心となる信念から生じている。そのために、ドーキンスは宗教の経済学的、文化的、あるいは学習理論的説明を無視することになる。しかし、なぜ生物学は文化を説明できるのであろうか。実際のところ、これは社会人類学者は言うまでもなく、文化や知性を研究する歴史学者の研究領域なのではないか。（前掲書、91ページ）

ここで社会人類学って出てきたけれども、これは文化人類学と同じ意味だ。社会人類学はイギリスの言い方で、文化人類学はアメリカの言い方。ドイツやロシアでは民俗学と呼ばれる。ドイツでは歴史的に人類学というと、形質人類学を指す、文化人類学は含まれない。ちなみに、私が一九七九年に同志社大学の神学部に入った頃は、文化人類学ブームだった。で、同志社の一般教養で人類学を取った学生はみんな文句を言っていた。「猿の骨の話ばかりだ」と。

（学生一同）（笑）

同志社のは形質人類学だったから、人間の骨格や猿の骨格のことを研究していた。今でこそ文化人類学的なこともやっているけれども、当時は違った。

なぜ、同じ学問なのに言い方が違うのかと関心を持ったなら、百科事典を引いてみること。そうすると人間の文化という形でアメリカでは関心を持っているのに対して、イギリスでは人間の社会という形に関心を持っているから、文化人類学と社会人類学と別の言い方になっているということが分かってくると思うよ。

## 負ける試合はしないドーキンス

『神は妄想である』の中で、ドーキンスはミームという概念を科学的正論として確立されているかのように提示しているが、主要な科学界は、それをまったく当てにならない概念だとみなし、隅に追いやられているのが最も良いと考えている、という都合の悪い事実には言及しない。「ミーム」は、宗教の起源を説明するための大きな潜在力をもった、あたかも現実に実在する存在であるかのように述べられる。ドーキンスは、彼自身の確信に基づいて、新たな語彙を作り出すことさえできる。それが「ミーム複合体」(memeplex) である。(前掲書、91~92ページ)

制度化されたアカデミズムでは認められていませんよと、マクグラスは読者に強調するんだけれども、そうせざるをえないほど、ドーキンスの言説は一般の論壇やメディアに対する影響力を持っているということでもある。

それでは、なぜ「ドーキンスは」科学界内にいるミーム学に対する優れた批評家たちの議論を確認せず、またその極めて重要な批判一つ一つと堂々と向き合わないのだろうか。そうすれば、当然ながら、「ミーム学」から見た宗教の起源に関するドーキンスの大胆な主張が、かなり見当違いであると思われることになっ

たてあろう。（前掲書、92ページ）

なぜドーキンスは科学の世界からの批判に向き合わないんだろう？　Sさん、どう思う？

（S）反論することによってドーキンスの立場が不利になるから。

その通り。「負ける試合はやらない」というのがドーキンスの戦略だ。戦わなければ絶対に負けない。そういうやり方だ。

柚木麻子（ゆずきあさこ）さんの小説に『伊藤くん A to E』（幻冬舎文庫）というのがあるんだよ。テレビドラマや映画にもなっているから知っている人もいるかもしれない。

伊藤という男がいて、千葉の地主の子どもなので金はいくらでもあるのね。大学を卒業したあと、親戚のやっている予備校の国語の先生をやっているんだけど、その一方でシナリオ学校にも通っている。で、周囲の人に対しては「自分はシナリオを書いたことがない。

なぜシナリオを書かないのかと聞かれると「だって書けば批判されるでしょう」と答えるわけ。「世の中には批判され、ダメージを受けてもそれを糧にして成長する人もいるけれども、それは強い人の言うことなんです。僕のように弱い人間はそうじゃない。負けないことが大事なんです。負けないためには絶対に土俵に乗っちゃダメなんです」と演説をするんだ。

著者の柚木さんと会ったときに「すごいですね、この男」と言ったら、実在のモデルがいるんだって。

その人はシナリオライターじゃなくて写真家になりたいと言っているんだけれども、一枚も写真を撮らない。彼を見ていて面白くなってきたので書いたと言っていた。

タイトルの「A to E」というのは、その伊藤君の周りにいる女性A、B、C、D、E五人のことで、ある女性は伊藤君にずっと片思いをして、ある女性は伊藤君のストーカーになったりしている。抜群に面白いよ。

その意味においてドーキンスも伊藤くんと一緒なんだよね。自分の話を否定しないで、肯定的に聞いてくれるところでしか勝負をしないというやり方。これは負けないためには重要だ。

## ドーキンスの「ナラティブな力」

証拠なく主張されたこうした「ミーム」が宗教の起源の説明と何らかの関わりがあるのかどうかについて語りはじめる前に、ミームが科学的に必要であるのかどうかを検証する必要があることは明らかである。しかも、そこには科学がまったくないのだ。

「ミームは時々非常に高い忠誠度を示す可能性がある」という、ドーキンスの極めて大胆な声明を取り上げよう。これは科学的事実に関する声明として提示される一つの信条声明である。ドーキンスは「神は誠実である」などと語るキリスト教徒に対して敵意をもって批判する。しかしこの発言の中で、彼は自らが非難する他の人々と同じ間違いを犯しているのだ。彼はある観察を彼自身の理論で用いる言葉に翻訳するが、その言葉はその他の科学界内で語られることはない。その観察とは、概念は一人の個人、グループ、あるいは世代から、もう一つ別のもの［個人、グループ、世代］へと伝えられる可能性があるというものである。この観察に関するドーキンスの理論的な解釈――ここでは何よりも事実として提示されている――によれば、忠誠度は、ほとんどの人が実在しないと考える存在［ミーム］に起因することになる。（前掲書、同）

ドーキンスは宗教批判、キリスト教批判を自著の中で繰り返して、「神は誠実である」と信じているクリスチャンを批判するんだけれども、その一方で「ミームは高い忠誠度を示す」、つまり「ミームは誠実である」とも言っている。それではキリスト教と少しも変わらないではないかというのがマクグラスの批判の中心だ。

しかも、ミームを信じているのは彼の信者ばかりで、科学の世界で彼は自己の理論を語ろうとしない――このあたりは伊藤君そっくりだよね。

第1講で述べたように、アメリカのグラントは『偉大な人種の消滅』という本を書いて、ほとんどの人からトンデモ本みたいな扱いを受けていたわけだよね。一応、学術的な出版社から出ているんだけれども、ごく少部数しか発行されなかった。

ところがそれがたまたまドイツ語に訳されて、アドルフ・ヒトラーという人がその本を目にした。彼はそれをベースにして、ナチズムを構築していくわけなんだ。その結果、多数の人を戦場に駆り立てて、しかもそれと同時にユダヤ人をたくさん殺した。

そこから得られる教訓というのは明確だよね。つまり、ごく少数しか信じていない「トンデモ理論」であっても、それを放置していてはいけないということなんだ。

毛沢東はそこのところにすごくよく気づいていたんだよね。「小さな火花も広野全体を埋め尽くす」（星星之火、可以燎原）という言葉を彼は残している。思想闘争に関してはおかしなものが出てきたら初動の段階で摘み取らないといけないということを、すごく強調していた。

この講義を受けた君たちは、ドーキンスのことを「トンデモ科学の人」としてバカにするかもしれないけれども、ドーキンスは物語を作る特殊な才能を持っていて、多数の人に影響を与える力を持っている。その点において、正論を言っているマクグラスよりも優れているとも言えるわけで、警戒しないといけない。

## 他者の信念体系を認める

私が考えるに、ドーキンスの宗教批判は、観察されない仮想の存在に基づいて行われている。その存在は、われわれが観察するもの「個人間や世代間での概念の伝達など」を理解するためになくてもまったく問題はないだろう。しかし、神は観察されない仮説であるのでなくても何の問題もないというのは、まさに無神論者による神批判の核心ではないのか。「ドーキンスは」ミームという彼の夢を忍耐強く守るが、ミームを支持する科学的証拠は、イエスの存在——それはドーキンスが明らかに疑問の余地があるとみなすものである――に対する歴史的な証拠に比べて、実際にはずっと脆弱である。ミームの証拠は非常に希薄であるので、われわれは複数のミームを信じるために、まずは一つのミームを提示しなければならないのであろうか。

しかしドーキンスは、宗教の起源がまったく自然的であることを示そうとする自らの探求が失敗したとしても、その失敗は、実際にはほとんど重要ではないのだと答えるかもしれない。宗教が実際のところ非常に悪いものであるとすれば、宗教の起源がどのように説明されるのかに、誰が関心をもつであろうか。それゆえ、われわれは、ドーキンスがわれわれを信じさせようとするように、宗教が新しい暗黒時代に文明を陥れる恐れのある悪の枢軸であるのかどうかという考察に取りかからねばならない。(前掲書、92~93ページ)

結局、立場設定の問題になっちゃったわけだよ。「神はいない」という立場設定。「神はいる」という立場設定。その立場設定の問題から出てきていることだから、実はこれに関しては科学的な議論はなじまないわけだよね。

前に矛盾と対立と差異の違いについて説明した(354ページ)。神の問題は、人間の側から見ると差異の問題。それはお互いの立場設定の問題だから、お互いを認め合う以外にない。どちらが正しいと決めることはできない。「私は神がいることが絶対に正しいと思うけれども、ただ、他の人は別の考えがある」というところで落ち着くしかないんだ。別の信念体系を持っている人がいるという事実は認めないといけないわけだよね。

## ライプニッツの多元論

こうしたことを考えるに当たって、参考になるのはライプニッツのモナド論なんだ。

モナドとは日本語では「単子（たんし）」とも訳されるんだけれども、あらゆる物質の素（もと）になっている原子とは対照的に、モナドは相互に独立していて、何物も作ったことがなくて、神を除く何ものにもよらずして消滅することはない。そしてどのモナドも同じものはない。モナド同士の間にはお互いに出入りする窓も扉もない。こういうものによって世界は成り立っているとライプニッツは考えた。

そして、このモナドというものは大きくなったり小さくなったりして、切磋琢磨（せっさたくま）して全体で予定調和していると言うんだね。それぞれのモナドは完全だから、それぞれのモナドは絶対に正しいんだよね。しかし、その絶対に正しいモナドは複数あって世界は出来ているというのが、モナドロジー、つまりモナド論の考え方だ。

現在の多元論の考え方の基本になるのは、このライプニッツの思想なんだよ。

ライプニッツは数学においても業績を上げている。微分法も積分法もライプニッツだし、普遍言語というアイデアも彼のものだ。コンピュータ言語もライプニッツに行き着く。また、中国研究もライプニッツを嚆矢（こうし）とする。まさに彼はバロック時代の天才で、近代的な学知のほとんどはライプニッツに行き着くんだよね。

サイエンス・コミュニケーターとして諸君らが次のステップに上がるためには、ライプニッツ研究が必要不可欠になってくると私は考えている。ライプニッツは彼自身が文理融合の天才だったからね。そこにこれからの文理融合の道が見えてくるように思う。

それはさておき、ここまでの講義で分かってきたのは、神のような問題についてはサイエンス・コミュニケーターとしては首を突っ込まないほうがいいということだね。神について、キリスト教やユダヤ教がどのような信念体系を作ってきたか、あるいはその内在論理を知ることは西洋文明を理解する上でも重要なんだけれども、「神が存在するか」ということを考えるのはサイエンス・コミュニケーターとしてはなじまない。それは何度も繰り返すように立場設定の問題だからね。

こうした態度は外交関係でも重要なんだ。

たとえば日本と韓国では、そもそも戦後補償についての立場設定が違うわけで、どちらが正しいか、間違っているかと考えるのは学者や研究者の仕事ではない。そして、その立場設定の違いを超えて、どうやって日韓関係を構築するかは政治のやる仕事であって、サイエンスやロジックとは別の次元の話だよね。

今の世界にはたくさんの問題があるけれども、それが立場設定の違いによるものなのか、そうじゃなくて実証性とかデータの問題なのか、あるいは思考の切り口の違いから出てきているのか。そこの仕分けで失敗すると大変なことになる。

そこのところをこれからしっかり身につけて、問題に対処していってほしい。
では、長い時間お疲れさまでした。これでいちおう予定していた講義はゴールまでたどり着けたね。どうもありがとう。

（了）

# あとがき

私はノンフィクション作家でもあるが、同時にキリスト教（プロテスタント）神学者である。プロテスタント神学には、聖書神学、歴史神学、組織神学、実践神学の四分野がある。私の専門は組織神学（キリスト教の理論）だ。同志社大学神学部一回生の一九七九年に組織神学を専攻に定め、それから四二年もこの分野に取り組んでいることになる。ここ二〇年くらいは、神義論に強い関心を持っている。

神義論とは、神は善であり、この世界は神によって創られたにもかかわらず、なぜ現実の世界に悪があるかということを研究する組織神学における重要なテーマである。神学の場合、結論は初めから決まっている。悪に対して神は責任を負わない。このことについて、どう説得力を持つ形で論じることができるかが神学者の腕なのである。

神学は、森羅万象に関する学問である。文学、経済学、法学などの文科系学問はもとより、数学、物理学、天文学、生物学、医学などの理科系の学問にもそれを支える神学があると、私たち神学者は考えている。

このような学際的テーマを論じるには、高度の通訳（翻訳）能力が必要とされる。通訳は経験なくしては上達しない。私は、神学生にどうすれば理科系学問との通訳を経験する場を与えられるかと考えていた。

あるとき同志社大学の野口範子・生命医科学部長から、サイエンスコミュニケーター養成副専攻での講義をオファーされた。そこでの学生とのやり取りを通じ、この副専攻が神学と理科系の学問をつなぐよい場になると考えた。

サイエンスコミュニケーター養成副専攻を設立する趣旨については、こう記されている。

〈急速な科学技術の発展に伴って、一般社会では原発、地震対策、遺伝子組換え食品、感染への対応などに対して、誤認識による過度の不安や敬遠、そして過激な賞賛などが発信され、一般の人々がどう対処していいかわからないという状態に陥ることが多くなっています。このような時代に必要なのは、しっかり科学を理解して自分で判断する能力のある人材の育成です。科学リテラシーを持たない人々が増えることによる経済的損失も大きく、社会の隅々にまで科学を理解する人を養成することが、今後の我が国の将来を左右するといっても過言ではありません。

同志社大学では、学部生を対象に文理を横断するサイエンスコミュニケーターを育成することを目的として、関西で初めての副専攻を立ち上げることにしました。

本副専攻では、科学技術に関する基本的な知識を学ぶとともに、将来のキャリアパスを広くとらえ、新聞・放送などのメディア・教育界・産業界・官庁・病院などからも講師を招くとともに、ビジネスワークショップ、メディカルワークショップ（短期インターンシップ）と題して社会に出かけて、科学技術やその情報発信に直接関与する人たちとの討論などを行なうことも重視しています。〉（同志社大学ＨＰ）

本書は、私が二〇一九年八月二一日から二三日に同志社大学京田辺（きょうたなべ）キャンパスで行った集中講義の記録をベースに作成されている。この講義の案内（シラバス）を紹介していく。

**▼二〇一九年度 同志社大学生命医科学部春学期講義（サイエンスコミュニケーター養成副専攻）**

授業テーマ　**進化論と神の問題**

**授業の概要**

チャールズ・ダーウィンが『種の起源』（一八五九年）を刊行し、進化論が学知の中枢を占めるようになったことにより、キリスト教が長年持っていた創造論が維持されなくなった。その結果、神の存在にまで強く疑念がもたれるようになった。進化論と神の関係について掘り下げて考察することを通じて、異なる信念体系を持つ人々の間でのコミュニケーションの可能性について検討する。

**到達目標**

サイエンスコミュニケーターとして不可欠になる他者を理解する力をつける。

**授業方法**

講義、グループディスカッションとレポート作成による。

**「授業内容」**

1『種の起源』の論理
2『種の起源』のパラダイム
3『種の起源』がマルクスとエンゲルスに与えた影響
4 ハーバート・スペンサーの社会進化論が社会に与えた衝撃
5 社会進化論とナチズム
6 社会進化論とスターリニズム
7 ボグダーノフの人間改造論
8 ソ連型科学的無神論
9 ドーキンスの遺伝子論
10 ドーキンスと文化の遺伝子ミーム

11 ドーキンスの無神論
12 マクグラスのドーキンス批判
13 神学と進化論
14 認識と関心
15 サイエンスコミュニケーターと多元的世界観

**受講者へのメッセージやアドバイス**

課題はかなり多いですが、消化すれば着実に力がつきます。予習を行っていなくても授業についていけるように配慮しますので、講義には全回出席してください。積み重ね方式の講義ですので、欠席すると、次回以降の講義の理解が難しくなります。

**フィードバックの方法**

授業での対話、レポートの添削

**評価基準**

授業への参加度　二〇％　積極的な発言、質疑に対する応答の回数で評価する。
小テスト　六〇％　適宜小テストを行い一〇〇点満点で採点し、返却する。
レポート　二〇％　一万二〇〇〇〜二万字のレポートを課す。コメントをつけて返却する。

教科書　担当者（注・佐藤優）作成のワークブック、プリント

予習と復習　各回3時間の予習と1時間の復習が求められる。

**参考文献等**

1チャールズ・ダーウィン（渡辺政隆訳）『種の起源』（上下二冊）光文社古典新訳文庫、二〇〇九年

2『世界の名著36　コント／スペンサー』（霧生和夫、清水禮子訳）中央公論社、一九七〇年

3ティモシー・ライバック（赤根洋子訳）『ヒトラーの秘密図書館』文藝春秋、二〇一〇年

4スターリン（国民文庫編集委員会訳）『弁証法的唯物論と史的唯物論』大月書店、一九五三年

5アレクサンドル・ボグダーノフ（佐藤正典訳）『科学と宗教』未來社、二〇〇四年

6N・A・クルイベリヨフ（宮本延治訳）『聖書——その歴史と現実』恒文社、一九九一年

7リチャード・ドーキンス（垂水雄二訳）『神は妄想である——宗教との訣別』早川書房、二〇〇七年

8A・E・マクグラス／J・C・マクグラス（杉岡良彦訳）『神は妄想か？——無神論原理主義とドーキンスによる神の否定』教文館、二〇一二年

9竹内久美子／佐藤優『佐藤優さん、神は本当に存在するのか？　宗教と科学のガチンコ対談』文藝春秋、二〇一六年

10ユルゲン・ハーバーマス（奥山次良／渡辺祐邦／八木橋貢訳）『認識と関心』未來社、二〇〇一年

11北畠親房（岩佐正校注）『神皇正統記』岩波文庫、一九七五年

※※※

大学の講義は、なかなか想定した通りに進まない。特に百科事典をていねいに読み、通説的見解を押さえておくことが、大学レベルの学知を理解する上では死活的に重要になるのであるが、その訓練ができていない受講生が多かったので、百科事典の輪読と解説に当初想定したよりも時間を長くかけなくてはならなくなった。

もっともこの訓練を受けた結果、受講生は百科事典を用いる学習に対する抵抗感がなくなったと思う。第十四回講義で予定されていたハーバーマス『認識と関心』を用いた認識を導く前提に利害関心があるという問題、第十五回講義で予定されていた北畠親房『神皇正統記』を用いた日本的寛容の原理と学知については、時間が足りなくなり、十分に議論を展開することができなかった。

それを反映して、本書にもこれらの事項を主題とした展開はなされていない。いずれかの機会に詳しい講義を行い、書籍化したいと考えている。

さて、案内にも記したように、集中講義では小テストとレポートを課した。その内容についても紹介したい。

## 小テスト1（2019年8月22日実施）

以下の英文を翻訳せよ。

Thomas S. Kuhn, in full Thomas Samuel Kuhn, (born July 18, 1922, Cincinnati, Ohio, U.S.—died June 17, 1996, Cambridge, Mass.), American historian of science noted for *The Structure of Scientific Revolutions* (1962), one of the most influential works of history and philosophy written in the 20th century.

In his first book, *The Copernican Revolution* (1957), Kuhn studied the development of the heliocentric theory of the solar system during the Renaissance. In his landmark second book, *The Structure of Scientific Revolutions*, he argued that scientific research and thought are defined by "paradigms," or conceptual world-views, that consist of formal theories, classic experiments, and trusted methods. Scientists typically accept a prevailing paradigm and try to extend its scope by refining theories, explaining puzzling data, and establishing more precise measures of standards and phenomena. Eventually, however, their efforts may generate insoluble theoretical problems or experimental anomalies that expose a paradigm's inadequacies or contradict it altogether. This accumulation of difficulties triggers a crisis that can only be resolved by an intellectual revolution that replaces an old paradigm with a new one. The overthrow of Ptolemaic cosmology by Copernican heliocentrism, and the displacement of Newtonian mechanics by quantum physics and general relativity, are both examples of major paradigm shifts. (Written By: The Editors of Encyclopaedia Britannica)

## 小テスト2（2019年8月22日実施）

1　パラダイムについて簡潔に定義し、具体例を記せ。
2　米国の社会進化論と東西冷戦後の新自由主義政策の関係について説明せよ。
3　ヒトラーの社会進化論解釈について説明せよ。
4　マルクスの疎外論と物象化論について簡潔に定義した上で、その違いを明らかにせよ。

## 小テスト3（2019年8月23日実施）

以下の英文を翻訳せよ。

Contrary to metaphysics, dialectics does not regard nature as an accidental agglomeration of things, of phenomena, unconnected with, isolated from, and independent of, each other, but as a connected and integral whole, in which things, phenomena are organically connected with, dependent on, and determined by, each other.

The dialectical method therefore holds that no phenomenon in nature can be understood if taken by itself, isolated from surrounding phenomena, inasmuch as any phenomenon in any realm of nature may become meaningless to us if it is not considered in connection with the surrounding conditions, but divorced from them; and that, vice versa, any phenomenon can be understood and explained if considered in its inseparable connection with surrounding phenomena, as one conditioned by surrounding phenomena. (J. V. Stalin, Dialectical and Historical Materialism, 1938)

## 小テスト4（2019年8月23日実施）

1　「道標派」について説明せよ。
2　学問の専門化と哲学の役割についてのボグダーノフの見解を記せ。
3　無神論者が想定する神とキリスト教の神はどのように異なるか。
4　（1）ドーキンスとノーブルの間で、遺伝子に関する認識はどう異なるか。
　（2）なぜ（1）のような認識の差異が生じるか。（難問）

本書を熟読していただいた方には、容易に解答できると思う。ちなみにこれら問題についての解答のチェックにも応じる。

筆者は、「インテリジェンスの教室」という有料メルマガを月2回刊行している。このメルマガには質疑応答コーナーが設けられており、私の本に関する質問や、演習問題に関するチェックにも応じている。関心を持たれる読者は、「講談社現代ビジネス」の「イズ・メディアモール」(https://mall.ismedia.jp/index.php?dispatch=products.view&product_id=8863)をご覧いただきたい。チェックは、編集部のスタッフではなく、私自身が行なっている。

さて、集中講義で課したレポートの課題は以下の通りであった。

**「レポート(必修)と論文(任意)について」** 二〇一九年八月二十三日

**1　レポートは必修で、成績評価の対象にします。**

以下のテーマから一つを選んで一二〇〇～一二〇〇〇字で作成してください。

(1) 科学史におけるパラダイム転換の意義について

(2) 米国型社会進化論の特徴と問題点について

（3）ナチズムにおける社会進化論の位置づけについて
（4）スターリニズムにおける社会進化論の位置づけについて
（5）無神論国家がはらむ問題について
（6）近代宗教批判と無神論の関係について
（7）サイエンスコミュニケーターにとっての寛容性の意味について

提出期限は二〇一九年八月三十一日で、生命医科学部事務室に提出して下さい。

2

**希望者は、論文を提出して下さい**（今回の講義の単位にも評価にも影響しません）。

「進化論と神の問題」の講義で扱った事柄から、自らテーマを定めて、二万〜四万字で論じて下さい。体裁は卒業論文と同じです。

希望者は、二〇一九年十一月三十日までに希望の意向と想定題を佐藤優に提出してください。

提出期限は二〇二〇年三月三十一日です。提出された作品のうち優れた内容のものは書籍化します。

レポートは受講生全員が提出したが、論文の提出者はいなかった。もっとも別の学期に行われた講義では論文の提出があり、以下の書籍として上梓された。

渥美友里・関あかり・中澤惠太・成山満壽（野口範子・佐藤優／編集）『サイエンスとインテリジェンス』K&Kプレス、二〇二〇年

太田輝・鉄村沙和弥・増田崇至・山下佳穂（佐藤優／編集）『学際的思考としての神学　同志社大学学生論集』K&Kプレス、二〇二一年（ただし、サイエンスコミュニケーター養成副専攻の論文として提出されたのは増田崇至氏の論文のみで、他は神学部で私が指導した学生の神学論文）

現代の大学生は、勉強しなくなったと巷間言われているが、私の同志社での経験では、学生たちは実によく学び、考えている。学生と教師の努力により、知の共同体としての大学を維持、発展させることは可能と信じている。

サイエンスコミュニケーター養成副専攻で講義する機会を与えてくださった野口範子先生に感謝します。また、本書を上梓するにあたっては、集英社インターナショナルの佐藤眞氏にたいへんにお世話になりました。どうもありがとうございます。

二〇二一年五月二十日、曙橋（東京都新宿区）の自宅にて、　佐藤　優

※本書は二〇一九年八月二十一日から二十三日までの三日間、同志社大学（京田辺校地・至誠館三十番教室、今出川校地ではリモート講義）で行なわれたサイエンスコミュニケーター養成副専攻「サイエンスとインテリジェンス」で行なわれた集中講義（全十五回）を再構成したものである。なお個人情報保護のため、受講者の名前はすべて匿名としている（文中のアルファベットはランダムに割り振ったものであり、本人の氏名と関係はない）。

協　力　同志社大学　野口範子教授（生命医科学部）

構　成　佐藤　眞

写真提供
アマナイメージズ／アフロ／ゲッティ・イメージズ／PPS通信社／共同通信社／朝日新聞社

**佐藤 優**（さとう・まさる）

作家、元外務省主任分析官。1960年、東京都生まれ。1985年に同志社大学大学院神学研究科修了後、外務省入省。在英国日本国大使館、在ロシア連邦日本国大使館に勤務した後、本省国際情報局分析第一課において、主任分析官として対ロシア外交の最前線で活躍。2002年、背任と偽計業務妨害容疑で東京地検特捜部に逮捕され、2005年に執行猶予付き有罪判決を受ける。2009年に最高裁で有罪が確定し、外務省を失職。2005年に発表した『国家の罠 外務省のラスプーチンと呼ばれて』で第59回毎日出版文化賞特別賞受賞。2006年に『自壊する帝国』で第5回新潮ドキュメント賞、第38回大宅壮一ノンフィクション賞受賞。『ファシズムの正体』（インターナショナル新書）、『未来のエリートのための最強の学び方』（集英社インターナショナル）など著書多数。

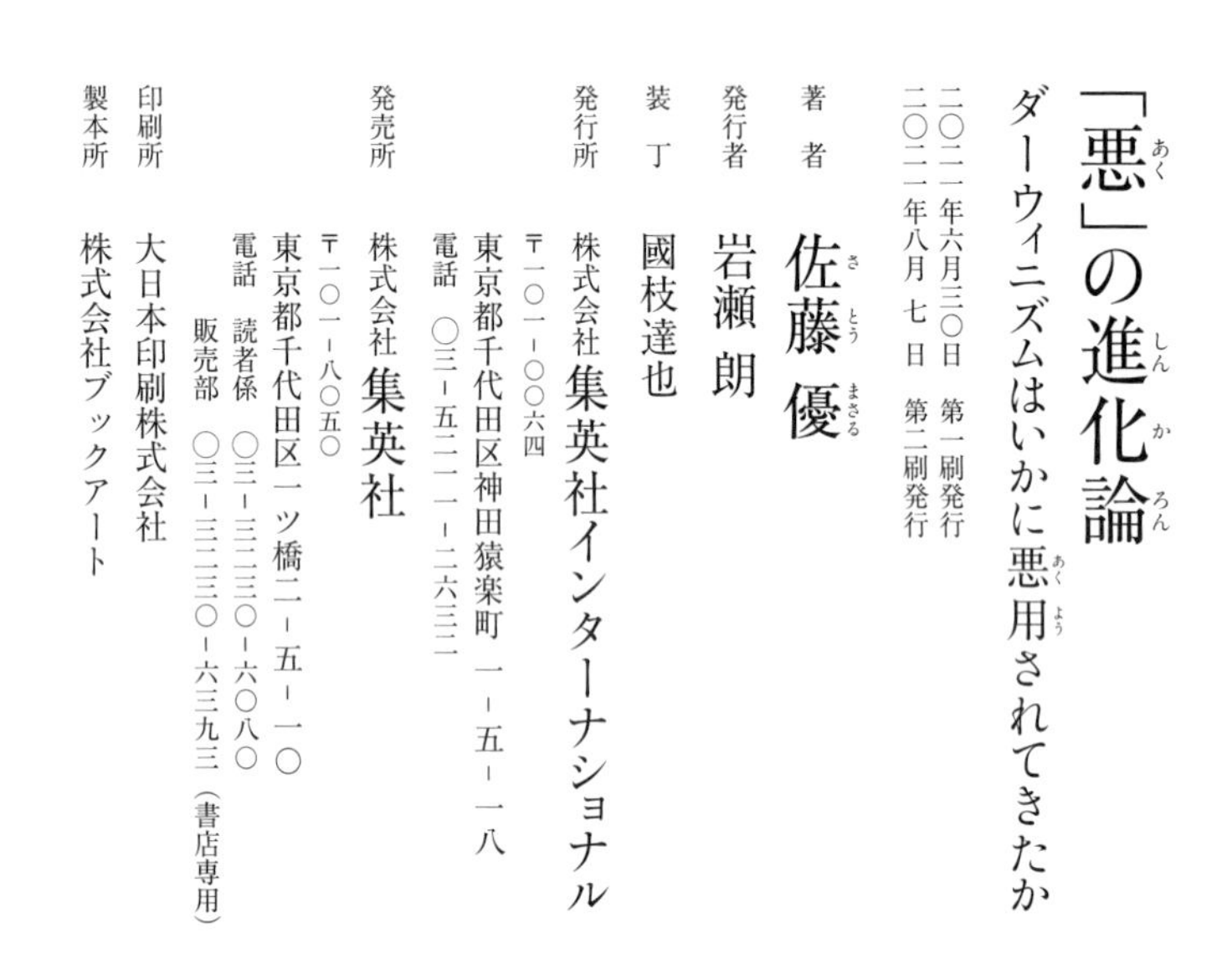
「悪」の進化論
ダーウィニズムはいかに悪用されてきたか

二〇二一年六月三〇日　第一刷発行
二〇二一年八月　七日　第二刷発行

著者　佐藤 優
発行者　岩瀬 朗
装丁　國枝達也
発行所　株式会社集英社インターナショナル
〒一〇一-〇〇六四
東京都千代田区神田猿楽町一-五-一八
電話　〇三-五二一一-二六三二
発売所　株式会社集英社
〒一〇一-八〇五〇
東京都千代田区一ツ橋二-五-一〇
電話　読者係　〇三-三二三〇-六〇八〇
販売部　〇三-三二三〇-六三九三（書店専用）
印刷所　大日本印刷株式会社
製本所　株式会社ブックアート

 ISBN 978-4-7976-7398-2 C0095